Glansrol

Loes den Hollander

Glansrol

Karakter Uitgevers B.V.

© Loes den Hollander
© 2011 Karakter Uitgevers B.V., Uithoorn
Opmaak binnenwerk: ZetSpiegel, Best
Omslagontwerp en artwork: Mark Hesseling, Wageningen

ISBN 978 90 452 0043 9
NUR 305

Op de voeten van je vader kan je niets gebeuren. Je wordt opgetild en verliest het contact met de grond. Op de voeten van je vader verander je van een gewoon meisje in een prinses.

Je hoofd op de hoogte van zijn buik, je armen in de lucht om zijn handen te kunnen bereiken, je benen tot het uiterste gestrekt.

Van alle vaders op de wereld is die van jou de liefste, de mooiste, de sterkste, de veiligste.

Vooral de veiligste.

Hij zal er altijd zijn, daar twijfel je niet aan. Hij zal altijd voor je zorgen, want je bent zijn lieveling. Hij is jouw held.

Vaders verdwijnen niet, vaders laten je niet in de steek, vaders zijn de meest betrouwbare wezens op de wereld.

*

Misschien hadden ze de cruise nooit moeten maken. Het was een schip met twee zwembaden, diverse bars, een theater, een bioscoop, drie winkels en twee restaurants. Het leek een kleine stad op zee, een drijvend pretpark. Een paradijs, waar je je veilig waande.

De ouders en het kind vlogen van Amsterdam naar Milaan, om daarna te worden ingescheept in Savona. Casablanca zou de eerste bestemming zijn.

'We gaan ook naar Tenerife,' beloofde de vader. 'Ik heb prachtige herinneringen aan Tenerife.'

'Wat voor herinneringen?' wilde het kind weten.

De moeder vond dat het kind te veel vragen stelde.

Het kind was bang.

'Vind je het niet leuk op een schip?' vroeg de moeder.

'Denk je dat je zult verdwalen?' informeerde de vader.

'Je hoeft niet bang te zijn,' zeiden de ouders. 'Je hoeft echt nergens bang voor te zijn. Wij zijn bij je. Er kan jou niets gebeuren.'

'Ik ben bang voor die enge man,' zei het kind.

'Er is hier geen enge man, gekkie,' lachte de vader. 'Er lopen hier alleen maar leuke mannen rond, zoals ik.'

'Je gaat me toch niet vertellen dat...' De stem van de moeder klonk schril.

'Hou je kop,' zei de vader.

In Casablanca maakten ze een stadsrondrit en bezochten de grootste moskee ter wereld. Het was de derde dag van de reis en het kind had de man niet meer gezien. Maar hij was op het schip, hij kon elk moment weer tevoorschijn komen. De vierde dag waren ze op zee en de moeder en het kind zwommen urenlang in het grootste zwembad. De moeder was trots, omdat het kind al een zwemdiploma had. Ze probeerde de vader bij het zwemfeest te betrekken, maar hij bleef aan de kant zitten. Toen ze even niet opletten was hij verdwenen en het duurde uren voor hij weer tevoorschijn kwam. De moeder was boos en weigerde met hem te praten.

Toen ze Tenerife naderden, vertelde de vader dat dit eiland vooral opviel door de contrasten. Hij legde uit wat hij daarmee bedoelde. 'Het noorden is groen en het zuiden juist erg droog. En weet je hoe dat komt? Door de slapende vulkaan: Pico de Teide.'

Het kind wilde weten hoe een vulkaan kon slapen, maar de vader kletste door. Hij rende verbaal voor de stilte uit en het kind kon niets anders doen dan volgen.

De moeder had voortdurend een verbeten trek om haar mond. 'Hebben jullie ruzie?' wilde het kind weten.

'Ja,' antwoordde de moeder.

'Hou haar erbuiten,' snauwde de vader.

Op hetzelfde moment liep de man langs. Het kind verborg haar gezicht achter de rug van de moeder.

'Wie is die man die steeds met papa praat?' vroeg het kind. Ze waren in Funchal, de hoofdstad van Madeira. De moeder had net voorgesteld om met de kabelbaan naar Monte te gaan, waar ze de beroemde achttiende-eeuwse kerk konden bezoeken.

'Niemand.'

De vader liep weg. 'Gaan jullie maar met de kabelbaan,' riep hij. 'Ik wil de stad bekijken.'

Het kind was verdrietig. 'Dan is hij helemaal alleen,' snikte ze.

'Hij is niet alleen,' zei de moeder.

De zevende dag waren ze weer op zee. Het was warm, de moeder waarschuwde het kind dat ze moest oppassen in de zon en zich goed moest insmeren met zonnebrandcrème. De ouders zaten samen op het dek en spraken gewoon met elkaar. Het kind kroop tegen haar vader aan en schaterde het uit toen hij haar kietelde. De vader bekeek haar met een vreemde blik in zijn ogen. 'Wat lijk je op je moeder,' fluisterde hij.

'Wat valt er te fluisteren?' vroeg de moeder.

'Dat is ons geheim,' lachte de vader.

'Dit is onze zevende dag en ik ben zeven. Het is ook zondag en ik ben op een zondag geboren,' zei het kind.

'Weet je dat zeven het geluksgetal is?' vroeg de vader. 'En zondag een geluksdag? Voor jou telt alles dubbel. Jij wordt dus later dubbel gelukkig.'

Op de zevende dag van de cruise verdween de vader.

'Waar is hij naartoe?' bibberde het kind. Ze kon haar stem niet in bedwang houden.

'Hij komt wel terug,' beloofde de moeder.

I

Hij heeft een bekend gezicht.

Terwijl Denise uitweidt over de leuke vent die ze via een nieuwe datingsite aan de haak heeft geslagen, probeert Irma erachter te komen wie de man is die oogcontact met haar maakt.

Ze kent hem ergens van.

'Luister je wel?' vraagt Denise.

'Ja, ik luister. Ik weet alleen niet meer hoe de site heet waar je het over hebt.'

'*Looking for friends*. Het is een tamelijk onnozele naam, vind ik zelf. Maar het is wel een site die is opgezet door een paar academici. En bedoeld voor academici die op zoek zijn naar nieuwe contacten.'

'Wij hebben niet gestudeerd.'

'Dat maakt niet uit. De mannen die ik tot nu toe heb ontmoet, wilden juist vrouwen leren kennen die een normaal gesprek kunnen voeren, in plaats van alles wat op tafel komt onmiddellijk te gaan analyseren. Vrouwen als jij en ik liggen goed in de markt. Gewone vrouwen, met hersens en zonder kapsones. Hij heet Ashwin.' Denise gaat steeds harder praten.

'Wie?'

'Je luistert niet. Ik heb je net zitten vertellen dat ik een paar keer uit ben geweest met een man die veel geld heeft en er geweldig uitziet.'

'Ik luister echt wel.' Irma wil niet naar de man kijken die schuin achter Denise zit, maar ze doet het toch.

Hij lacht.

'Ik moet naar het toilet. Word jij in de tussentijd eens even goed wakker?' Denise verdwijnt.

De man staat op en loopt recht op hun tafeltje af. 'Voor zo'n datingsite moet je wel erg wanhopig zijn, dat heb jij toch niet nodig!' Hij heeft een mooie stem. Mooie ogen. Hij is goed gekleed. Irma voelt dat ze bloost en ergert zich. Hij steekt zijn hand uit. 'Floran. Het is niet mijn gewoonte om wildvreemde vrouwen zomaar aan te spreken, maar jij doet iets met me.'

Ze denkt snel na. Floran? Ze hoopt dat hij niet ziet dat haar handen trillen.

Hij is het. Floran Haverkort. Het Tweede Kamerlid voor de PvdA dat een paar maanden geleden moest opstappen vanwege een seksschandaal. Hij had iets gehad met de vriendin van zijn dochter, een minderjarige vriendin. Denise ging toen nogal tekeer over deze kwestie. Ze riep steeds dat ze dergelijke viespeuken zouden moeten castreren. Dat vond Irma veel te ver gaan en ze hadden er een verhitte discussie over gekregen. Irma probeert er verder niet aan te denken.

'Je herkent me,' zegt hij.

'Ja. Ik weet niet...' Ze wil niet dat hij weggaat.

'Mag ik je bellen?' Zijn ogen slokken haar op. Ze krijgt de neiging zich ergens aan vast te houden. Ze wil nee zeggen.

'Ja.'

Hij haalt een mobiele telefoon tevoorschijn en kijkt haar afwachtend aan. Ze geeft hem haar nummer. Hij raakt snel en vluchtig haar wang aan. 'Dank je wel. Niet twijfelen, ik ga je snel bellen. Het kan laat in de avond zijn. Is dat goed?'

'Ja.' Ze wil nog even met hem blijven praten, maar bedenkt dat Denise elk moment weer tevoorschijn kan komen. Haar vriendin moet niets in de gaten krijgen.

. Floran gaat terug naar zijn tafeltje en wenkt de ober om af te rekenen. Als hij wegloopt, botst hij bijna tegen Denise op.

'Dat is toch...' zegt Denise, terwijl ze hem nakijkt. 'Zie ik het nu goed? Dat is toch die kinderverkrachter? Als ik eerlijk ben, moet ik toegeven dat hij er in het echt best lekker uitziet. De moeite van een versierpoging waard. Maar het is misschien eerder een type voor jou.'

'Vertel eens wat meer over die nieuwe vlam van je,' probeert Irma haar vriendin af te leiden. Ze vangt Florans blik op, voordat hij de deur van het café dichtdoet. Ze wordt er warm van.

'Wat kijk jij opeens hemels,' zegt Denise.

2

Het is Moederdag. De voorjaarszon schijnt uitbundig, het is windstil. Irma maakt met haar elleboog de keukendeur open en zet de volle wasmand op het gras bij de wasmolen. Snel kijkt ze naar haar slaapkamerraam. De gordijnen zijn nog gesloten. Ze heft haar gezicht naar de zon. Het wordt een mooie dag, een beloftevolle dag. Een begin. Hij is voor de vijfde keer bij haar blijven slapen en dat betekent progressie. Zijn scheiding is nog niet uitgesproken en hij wil niet dat zijn ex ook maar het geringste vermoeden krijgt van zijn relatie met Irma. Ze is nog steeds op het oorlogspad en grijpt iedere mogelijkheid om hem te beschadigen met beide handen aan. Daarom wil Floran voorlopig niet officieel in Irma's leven aanwezig zijn. Dat komt later wel. Ze kan wachten. Ze is een expert in wachten en geduld hebben. Ze zou er prijzen mee kunnen verdienen.

Het was een heftige nacht. Als ze eraan terugdenkt, krijgt ze het een paar seconden benauwd. Hij heeft dingen met haar gedaan die ze nooit eerder aan een man toestond. Ze voelt zich trots. Er is iets in haar doorbroken wat veel te lang heeft vastgezeten. Ze wil naar boven rennen, hem wakker maken en opnieuw beginnen. Maar ze vermoedt dat hij niet op zo'n manier benaderd wil worden. Floran houdt ervan zelf het initiatief te nemen.

Ze denkt aan zijn harde handen die over haar billen zwiepten. Het deed pijn en ze wilde dat hij ermee ophield. Maar hij ging door en ze hield hem niet tegen. Ze ontdekte dat de pijn naar de achtergrond verdween en riep niet meer dat hij moest stoppen. Toen begon hij haar te strelen, van het ene op het andere moment. Zijn vingers vonden hun weg, de wereld om haar heen verdween, ze werd machteloos en hulpeloos. Later zei hij dat ze de perfecte vrouw voor hem was. En dat hij dol was op vrouwen die zich volledig overgaven.

Ze kijkt nog steeds naar het raam en voelt hoe de opwinding weer bezit van haar neemt. Ze wil nog een keer boven zichzelf uitstijgen. Haar handen trillen als ze de eerste handdoek uit de wasmand pakt en hem aan de lijn hangt. Het volgende moment aarzelt ze. Is het verstandig om nu de was te gaan ophangen? Misschien vindt hij dat het toppunt van burgerlijkheid en knapt hij totaal op haar af. Hij is net bij een vrouw weggegaan die hem voortdurend in de pas wilde houden. Hij gruwt van burgertruttigheid. De was ophangen op zondagmorgen, omdat het zulk mooi weer is, zou bij hem wel eens volkomen fout kunnen vallen. Snel haalt ze de handdoek weer van de lijn en propt hem in de wasmand.

Het volgende moment schrikt ze hevig van een geluid achter in de tuin. 'Ik ben het,' hoort ze. 'Ga je de was niet ophangen?'

3

Het meisje was er opeens. Irma herinnert zich de eerste keer dat ze haar ontmoette nog goed. Ze stond, net als nu, bij het tuinhek.

'Dag,' zei ze. 'Hoe heet jij?'

'Ik heet Irma. En hoe heet jij?'

Het kind zweeg.

'Geef je geen antwoord? Je weet het toch wel?'

Het meisje rende weg.

Een paar dagen later dook ze opeens weer op. Ze zwaaide uitbundig, maar bleef achter het hek staan. Ze blijft altijd achter het hek staan, ondanks de vriendelijke uitnodigingen van Irma om even binnen te komen. Geen enkele verleidingspoging is tot nu toe gelukt. En ze heeft ook nog steeds niet verteld hoe ze heet. Irma heeft haar zelf een naam gegeven. Hummel. Toen ze dat aan het meisje voorstelde, begon het kind te stralen. Ze klapte in haar handen en maakte een paar sprongen. 'Hummel!' riep ze. 'Ik heet Hummel!'

'Ga je de was niet ophangen?' herhaalt het meisje.

Irma zet de wasmand neer en loopt naar het tuinhek. Het kind doet een stap naar achteren. 'Sta je hier al lang, Hummel? Ben je mij aan het begluren?'

Hummel draait zich om en rent weg. 'Ik kan heel hard lopen,' schreeuwt ze en ze steekt haar armen in de lucht.

'Kom eens terug en laat het me nog eens een keer zien,' roept Irma. Ze kijkt snel achterom naar het raam van de slaapkamer. Er is daar nog geen enkele beweging waar te nemen. Hummel zwaait en rent verder.

Irma kijkt haar na. Hummels rok wappert langs haar benen. Ze wordt lang. Het kind in haar is aan het verdwijnen, de naam Hummel past haar binnenkort niet meer. Irma wordt er weemoedig van.

Er is een geluid bij de achterdeur. Floran staat in de deuropening en wenkt haar. Ze laat de wasmand staan en rent naar hem toe. Hij is naakt. Ze kan haar ogen bijna niet van zijn enorme erectie afhouden. Hij trekt haar naar zich toe en duwt zijn tong in haar mond. Zijn handen grijpen haar borsten. Hij draait haar van zich af en rukt haar slip naar beneden. 'Buk je diep,' gromt hij. Zijn handen houden op een dwingende manier haar heupen vast. Ze wil weg uit de deuropening en probeert zich te bewegen in de richting van het aanrecht. Hij houdt haar tegen. Hij stoot hard, hij hijgt heftig, hij kreunt. 'Whow,' zucht hij als hij zich terugtrekt. 'Dat doen we straks nog een keer.'

Als ze ontbijten, vraagt hij of ze vandaag naar haar moeder moet. 'Het is toch Moederdag?'

Irma smeert een beschuit. 'Ze verwacht me wel,' aarzelt ze. Zou hij met haar meewillen? 'Heb jij nog een moeder?'

'Ja, maar die heeft de kant van mijn vrouw gekozen. De lady's zijn het opeens overal roerend over eens. Als ik mijn moeder tref, straalt de weerzin en afkeuring van haar gezicht. Ze heeft gezegd dat ze tijd nodig heeft om het te verwerken.'

'Wat vind je daarvan?'

'Ik vind dat je je eigen kind altijd in de eerste plaats hoort te steunen. Ik keur de reactie van mijn moeder dus af. Ik wil niets meer met haar te maken hebben.'

Irma schrikt. 'Dat klinkt heel definitief.'

'Ik neem nooit halve besluiten. Met wie stond je net eigenlijk te praten?'

'Met Hummel. Zo noem ik haar.'

'Ik zag niemand.'

'Ze blijft altijd achter het hek en ik denk dat ze jou eerder in de gaten had dan ik en dat ze daarom opeens wegrende.' Irma grinnikt. 'Het kind wist natuurlijk niet wat ze zag.'

Floran haalt zijn schouders op. 'Toch vreemd.' Hij neemt nog een ei. 'Kun je voordat je naar je moeder gaat nog even met me mee naar Alkmaar?'

'Natuurlijk. Wanneer wil je gaan?'

'Pas nadat jij alle vissen uit het meer daar in de verte hebt geschreeuwd.' Hij grijpt haar hand. 'Je maakt me gek,' fluistert hij. 'Je maakt me echt helemaal crazy.'

4

Er zijn twee berichten ingesproken. Irma heeft wel gehoord dat de telefoon overging, maar Floran belette haar om op te nemen. Hij was niet ruw, zoals vannacht en zoals beneden. Er vielen geen harde klappen. Hij was teder, helemaal gericht op haar en overweldigend geil. Ze voelde zich verdwijnen in zijn bewegingen, ze werd meegezogen in de sensatie die hij veroorzaakte, ze liet alles over zich heen komen en schreeuwde inderdaad de vissen uit het meer.

Ze ligt hijgend naast hem en voelt zijn strelende handen op haar buik. Hij draait haar naar zich toe. 'Er is iets wat je moet weten,' zegt hij ernstig.

Ze glipt snel uit bed. 'Ik ga douchen en daarna rijden we naar Alkmaar. Het is halfelf, ik wil uiterlijk een uur of vier bij mijn moeder zijn. Dat moet lukken.'

Als het hete water over haar heen stroomt, bedenkt ze dat ze voorlopig niet op de hoogte wil worden gebracht van zaken die deze prille relatie kunnen verstoren. Het moet leuk zijn. En blijven.

Als ze beneden komt, ziet ze dat hij de keukentafel netjes heeft afgeruimd. Hij kijkt haar lachend aan. 'Dit levert me toch wel extra punten op?'

Irma lacht ook. 'Zeker weten.' Ze wil vragen wanneer hij weer komt. Eigenlijk wil ze helemaal niet dat hij weggaat. Waarom zou hij weggaan? Zijn moeder is onbelangrijk geworden, zijn vrouw behoort tot het verleden, de meeste vrienden hebben hem uitgekotst. En bij Irma is plaats voor hem. Dat zou ze tegen hem moeten zeggen. 'Je mag hier vandaag gerust blijven,' aarzelt ze.

Hij grijpt haar handen vast en drukt er een kus op. 'Dat weet ik. Maar ik heb afgesproken met een vriend. Hij kookt voor me. Gelukkig laat niet iedereen me vallen.'

Irma zou willen weten hoe die vriend heet en waar hij woont. Wanneer kan ze zulke vragen gaan stellen? Als hij voor de zesde keer is blijven slapen? Of pas bij de tiende keer?

Floran slaat zijn armen om haar heen. 'Laten we maar gaan, anders kom je toch nog in tijdnood. Als ik dat lekkere lijf van je voel... Het is lang geleden dat mijn fantasie zo op hol sloeg.'

Irma voelt zijn handen over haar billen wrijven. Ze wil het fijne gevoel vasthouden en nergens aan denken. Maar de vraag die ze niet wilde stellen dringt zich aan haar op. Ze wil weten wat hij bedoelde met de opmerking die hij eerder in bed maakte. 'Wat bedoelde je toen je zei dat ik iets moest weten?'

Hij kust haar. 'Vergeet het,' zegt hij. 'Foute opmerking. Niets aan de hand.' Zijn kus wordt heftiger.

Ze maakt zich van hem los. 'Eerst zeggen wat je daarmee bedoelde.'

Ze heeft de beheersing over haar stem weer terug. 'Nu moeten we echt vertrekken. Ik zou mijn moeder graag afbellen, maar dan zit ik wekenlang in het gezeur.'

'Moeders,' vindt Floran, 'ze zijn het ergste wat je kan overkomen. Maar waarom zouden wij ons druk maken om moeders? Laat ze maar zeuren, ze hebben nu eenmaal weinig anders te doen. Lekker dat je me even naar Alkmaar wilt rijden. Ik wijs je de weg wel.'

'Ik weet de weg, ik heb je er toch al een keer naartoe gebracht?'
'En dan weet je de tweede keer precies welke weg je moet nemen? Je verdient een beloning. Kunnen we niet ergens onderweg een bos in duiken?' Ze port hem in zijn bovenarm. 'Veelvraat! Kom jij maar snel terug.' Hij raakt even haar hand aan. 'Vind je het erg als ik even mijn ogen sluit? Jij kunt een man volslagen uitgeput maken, Irma. Of ga je alleen zo tekeer met mij?'

Irma wil zeggen dat zij niemand anders heeft en ook voor hem de enige wil zijn. Maar de woorden komen niet tevoorschijn. Het lukt haar alleen om een verkrampte glimlach op haar gezicht te krijgen.

'Het heeft me opgelucht, weet je dat? Ik ben echt blij dat je het nu weet en dat je het zo goed hebt opgevat. En dat je het begrijpt.'

Nu zou ze moeten zeggen dat wat hij haar net verteld heeft schokkend was en dat ze er totaal niets van begrijpt, maar ook die woorden weigeren naar buiten te komen.

5

Toen Floran haar de eerste keer zei dat hij naar de coffeeshop in Alkmaar wilde, was ze verrast. 'Een coffeeshop? Wat heb jij daar te zoeken?'

'Hasj. Ik rook graag nu en dan een pijpje, daar kan ik me heerlijk door ontspannen. Ik kom daar al jaren, heb het adres van een goede vriend. Ze kennen mij ook, maar ze zijn uitermate discreet. Ik ging de eerste tijd vermomd, droeg een pet en een zonnebril. Maar tegenwoordig loop ik er gewoon naar binnen, bestel vijf gram, betaal en vertrek weer. Ik hoef er eigenlijk niets eens om te vragen. Zodra de eigenaar me ziet, haalt hij het zakje al tevoorschijn.'

Irma bleef verbaasd. 'Ik denk altijd dat er alleen louche figuren in zulke zaken komen.'

Hij lachte hartelijk. 'Vind je mij een louche figuur?'

Ze begrijpt er nog steeds niet veel van. Het woord 'hasj' associeert ze met mensen die volkomen beneveld over straat zwalken en vreemde dingen doen. Ze heeft wel eens ergens gelezen dat hasj en wiet de introductie zijn voor harddrugs. Zou Floran ook sterkere middelen gebruiken?

'Je zit te piekeren,' stelt Floran vast. 'Ontken het maar niet, ik zie het aan je. Wat is er aan de hand?'

'Niets.'

'Zeg het nu maar. Heeft het iets met mijn hasjgebruik te maken?'

'Ik heb wel eens ergens gelezen dat je na hasj meestal ook harddrugs gaat gebruiken.'

'Dat is erg kort door de bocht. Zoiets kan natuurlijk gebeuren, maar het is geen vanzelfsprekendheid. Ik weet niet waar je dat gelezen hebt, maar neem van mij aan dat het een nattevingertekst was. Men roept vaak maar wat, iedereen denkt dat hij er verstand van heeft. Je kunt net zo goed beweren dat iedereen die graag een pilsje drinkt automatisch bij de jenever belandt.'

'Waarom gebruik je het? Heb je het per se nodig om lekker rustig te worden?' Irma hoort de kritiek in haar vraag.

'"Nodig" is het woord niet. Ik ga er zo mooi van denken.' Hij raakt haar arm aan. 'En niet alleen mooi, dat heb je wel gemerkt.'

Irma kan er niets aan doen, maar ze is niet onder de indruk van zijn laatste woorden. Ze wil naar Alkmaar rijden, hem zijn stuff laten kopen en weer vertrekken. Daarna snel naar haar moeder. Hoe eerder ze dat verplichte nummer achter de rug heeft, hoe beter.

'Wat ben je opeens stil,' zegt Floran.

'Ik denk,' antwoordt ze. 'En niet mooi,' grinnikt ze er direct achteraan.

'Waar denk je aan?' De vraag klinkt oprecht. Ze moet zich niet zo laten leiden door haar achterdocht.

'Aan mijn moeder. Ik zou het liefst dat hele moederdaggedoe negeren, maar dan moet ik wekenlang de verwijten aanhoren. Ik voel me altijd zo hopeloos eenzaam als ik bij haar ben geweest.'

'Kun je niemand meenemen? Die vriendin met wie je samen was toen ik je voor het eerst zag? Of moet die zelf ook naar haar moeder?'

'Je bedoelt Denise. Die heeft geen ouders meer. Wel zo gemakkelijk.'

'Die fase bereiken we gelukkig allemaal,' zucht Floran. 'Ben je al lang met Denise bevriend?'

Irma denkt even na. 'Bijna vier jaar.'

'Hoe ken je haar?'

'Door een toevallige ontmoeting. Ik zat in het restaurant van V&D in Utrecht en zij liep langs mijn tafeltje en struikelde. Daardoor kwam alles wat op haar dienblad stond op mijn schoot terecht. Het ene moment was ik nog fris en vrolijk, het volgende moment zat ik onder de koffie, de appeltaart en de slagroom.'

Floran schatert het uit. 'Lekkere ontmoeting, zeg. Werd je niet kwaad?'

'Ik kon wel ergere dingen bedenken om kwaad over te worden,' zegt Irma zacht.

Floran gaat daar niet op in. 'En op die manier ontstond de vriendschap? Nee toch?'

'Toch wel. Ze schrok zich wild en haalde overal natte doeken vandaan om me schoon te poetsen. Ze was helemaal ondersteboven van het ongelukje en ze kocht een nieuw T-shirt voor me. Dat vond ik erg lief. En daarna kletsten we uren, alsof we elkaar al jaren kenden. Ze bleek net als ik een dagje Utrecht te doen en ook in Noord-Holland te wonen. In Aalsmeer. Tegenwoordig is ze mijn beste vriendin.'

'Ze bekeek mij of ik een smerig beest was.'

Irma glimlacht. 'Denise heeft heel duidelijke opvattingen over normen en waarden. Ze vindt jou een kinderverkrachter.' Dat had ze niet willen zeggen en ze probeert iets te bedenken wat op een excuus lijkt. Maar Floran schijnt zich er niets van aan te trekken. 'Het zogenaamde kind leek in alle opzichten een volwassen vrouw.' Hij kijkt haar recht aan. 'Vind jij mij ook een kinderverkrachter?'

Irma schudt haar hoofd. 'Ik vind dat zulke zaken altijd twee kanten hebben en dat mensen veel te snel oordelen.'

'Dank je. Ik ben er niet trots op. Sterker nog: ik vind het de domste streek die ik ooit geleverd heb. Maar ik heb niemand verkracht. Ik ben gevallen voor een bloedmooie jonge meid die me zomaar meer te bieden had dan mijn eigen vrouw. Zo simpel ligt het. De prijs die ik ervoor moet betalen is aan de hoge kant. Maar ik ben een volwassen vent, dus ik betaal hem.'

Irma wil dat hij hierover ophoudt.

'Laten we het over iets leuks hebben,' stelt Floran voor. 'Het is een prachtige dag, die op een lekkere manier gestart is. Waarom zouden we zo'n mooie dag laten verpesten door mijn leed?' Hij lacht hard om zijn eigen woorden.

Te hard.

Dan gaapt hij hartgrondig. 'Ik doe nog even mijn ogen dicht. Waarschuw me maar als we Alkmaar binnenrijden. Het mag ook eerder. We kunnen ergens nog wel een kwartiertje uitstappen.'

Hij lacht al weer te hard.

6

Irma rijdt de straat in waar ze moeten zijn. Floran wijst een geschikte plek aan om de auto even te parkeren. 'Ik ben zo terug,'
belooft hij en hij opent het portier. Het pand waar hij de hasj
koopt lijkt een gewoon winkelpand. Links en rechts grote eta-
lageruiten, in het midden een portiek met een deur. De ruiten
zijn van matglas. Als hij bijna bij de deur is, haalt Floran zijn
mobiele telefoon tevoorschijn, toetst iets in en drukt het ding
tegen zijn oor. Zijn gezicht vertrekt, hij keert zich van haar af.
Met zijn vrije hand leunt hij tegen een winkelruit. Na een halve
minuut stopt hij het mobieltje weer in zijn zak, draait zich om
en zwaait naar Irma voordat hij naar binnen gaat. Hij glimlacht,
maar niet op een prettige manier.

Ze vergrendelt de deuren van de auto.

Verderop is een terras. Irma ziet een man en een vrouw met
twee kleine kinderen naderen. Een van de kinderen loopt dicht
tegen de moeder aan. Irma wendt haar blik af.

Er lopen mensen langs haar auto, een man bekijkt haar op een
brutale manier. Ze doet of ze hem niet ziet.

De deur van de coffeeshop blijft gesloten. Irma kijkt op haar
horloge. Floran is al ruim tien minuten weg. De vorige keer was
hij al na twee minuten terug. Ze trommelt met haar vingers op
het stuur. Er gaan twee mannen bij de coffeeshop naar binnen.

Dit is de laatste keer dat ze hem hiernaartoe brengt. Hij had gisteren weer geen auto bij zich. De eerste keer dat ze hem moest brengen had zijn oudste zoon de auto het weekend nodig en gisteren was dat weer het geval. Hij wilde niet moeilijk doen en had hem nog een keer meegegeven. Slap. Als hij de volgende keer weer zonder auto komt, mag hij die van haar wel gebruiken om naar Alkmaar te gaan, maar zij gaat niet meer mee.

Ze heeft het koud, ondanks de stralende zon. Ze speurt met haar ogen de omgeving af. De twee mannen verlaten de coffeeshop weer. Floran is nog nergens te bekennen. Misschien maakt hij een praatje met iemand die hij kent. Ze besluit dat ze nog vijf minuten wacht. In de verte hoort ze een torenklok slaan. Hij moet nu toch echt naar buiten komen.

Ze kijkt op een dwingende manier naar de dichte deur. Er gebeurt niets.

Dit soort momenten probeert ze altijd te vermijden. Het zijn gelegenheden die haar in het gunstigste geval onrustig maken, maar meestal paniek veroorzaken. Ze halen onbehagen tevoorschijn, leggen herinneringen bloot en verwijderen de mogelijkheid om helder te denken. Ze verdrijven redelijkheid, compassie en fatsoen. Ze raken de Irma aan die niemand mag zien.

De Irma die buiten zichzelf treedt.

Ze kan gewoon naar binnen lopen en informeren of hij nog van plan is om met haar mee terug te rijden. Ze kan hem dwingen om te zeggen dat hij bedankt. Ze kan een scène trappen, hem uitmaken voor rotte vis waar iedereen bij is.

Ze slaat haar handen voor haar gezicht. Rustig blijven! Dimmen! Er worden geen verbale gevechten gevoerd, er wordt niet zomaar afgewezen. Er zijn andere mogelijkheden om hem duidelijk te maken dat ze niet met zich laat sollen.

Ze moet hier weg. Als ze eerst maar deze straat uit is, dan ziet ze wel wat ze verder onderneemt. Het is duidelijk: hij komt niet naar buiten. Hij zit misschien ergens naar haar te gluren en wacht af wat ze doet als hij niet meer verschijnt. Ze voelt zich hulpeloos, voor de gek gehouden. Ze denkt aan het gesprek dat ze vlak voordat ze op weg naar Alkmaar gingen voerden. Aan de bekentenis die hij deed. Ze voelt zich dom, zo verschrikkelijk dom. Ze is ergens in getrapt. Het enige wat ze nu nog kan doen is haar verlies nemen.

7

Ze zit doodstil achter het stuur en denkt na. De geur van Floran hangt nog in de auto. Hij gebruikt een stevige after-shave, ze vindt hem iets te zwaar. Als hij jarig is, geeft ze hem een lichtere geur. Wanneer is hij jarig? Hebben ze dan nog contact?

Ze zucht diep en start de motor. Als ze hier blijft staan, gebeurt er blijkbaar niets. Zou hij erop rekenen dat ze achter hem aan komt? Of achter hem aan loopt? Zou hem dat een kick geven? Ze kan beter naar huis gaan. Hij houdt zich schuil in die coffeeshop, that's it. Hij speelt een spel en zij is niet van plan om mee te spelen. Hij verzint maar iets anders om haar op te winden, dit is niet aan haar besteed.

Ze rijdt de straat uit en neemt de eerste gelegenheid om links af te slaan. De straat waar ze terechtkomt is smal, ze nadert een brug. Er lopen mensen midden op de weg, ze hebben duidelijk plezier en zwaaien naar Irma. Ze zwaait niet terug.

Ze hoort het geluid van haar mobiele telefoon. Het ding zit in haar tas, ze graait ernaar en houdt de weg in de gaten. 'Ja?' Ze merkt dat ze hijgt.

'Met Denise. Waar zit jij?'

'Ik ben op weg naar mijn moeder.'

'Ach ja, het is Moederdag. Moet je lang bij haar blijven?'

'Ik weet het niet. Het ligt eraan... Waarom bel je?'

'Ik had zin om iets af te spreken. Ik dacht aan een strandwandeling en daarna ergens in een strandtent een sateetje eten.'

'Wandelen lukt zeker niet. En saté...'

'Zal ik je over anderhalf uur nog eens bellen? Dan kijken we hoe de vlag erbij hangt. Je zou mij ook als vluchtmogelijkheid kunnen gebruiken.'

'We zien wel,' zegt Irma snel.

'Wat klink je stroef. Is er iets aan de hand?'

'Moet jij niets ondernemen met die nieuwe vlam van je? Die mooie man met geld?'

'Dat is weer voorbij, schat. Die mooie meneer bleek weer eens heftig getrouwd te zijn. Natuurlijk heel ongelukkig, uiteraard met een vrouw die niets van hem begreep, maar toch. Zolang de kinderen nog thuis woonden, kon hij niet scheiden, die traumatische ervaring wilde hij hun tere puberzieltjes niet aandoen. Het bekende verhaal en ik heb voor de verandering geen tijd en geen zin om me aan het lijntje te laten houden.'

'Jammer, het spijt me voor je.'

'Dank je, maar ik zit er niet mee. Niet meer. Ik baalde even stevig, maar ik heb mezelf weer opgeveegd. Al die negatieve energie leidt nergens toe. Nou, ik bel je later. Is het wel goed met je?'

'Nee,' zegt Irma.

Misschien is het een idee om het bezoek aan haar moeder zo kort mogelijk te houden en iets te ondernemen met Denise. Irma probeert achter een auto met caravan vandaan te komen en foetert op haar eigen onoplettendheid. Ze had links moeten blijven rijden.

Haar mobieltje begint weer te rinkelen. Haar vinger zweeft boven de groene toets. Het nummer dat op de display verschijnt, maakt haar woedend. Als ze na de vierde beltoon niet opneemt, zal degene die haar belt de voicemail horen.

De derde keer.

Ze drukt op de groene knop.

8

Wie heeft ooit zoiets stompzinnigs als Moederdag uitgevonden? De vrouw die naast haar moeder woont, zit op het bankje in haar voortuin demonstratief alleen te zijn. Ze zwaait en komt van de bank af. 'Je moeder mag zich gelukkig prijzen met zo'n dochter,' begint ze als ze pas halverwege haar tuinpad is. Ze hijgt. 'Weet je dat de meeste mensen die hier wonen nauwelijks iemand zien op zulke dagen? Met Kerstmis en op nieuwjaarsdag is het nog erger. Ze gaan tegenwoordig naar het buitenland in plaats van zich te bekommeren om hun ouders. Ik kan erover meepraten. Ik heb twee kinderen, maar denk je dat ik er vandaag een zie?'

Irma luistert geduldig naar de tirade die ze allang kent. Hoe vaak zou de buurvrouw deze ontevreden tekst al over haar hebben uitgestort?

'Misschien komen ze nog.'

De buurvrouw kijkt haar aan met een misnoegde blik in haar ogen. 'Ja, je weet maar nooit.'

De zon is schraal geworden, Irma trekt haar jasje dicht. 'Het beloofde een mooie dag te worden.' De kou klinkt door in haar stem.

De buurvrouw draait zich zonder te groeten om en strompelt terug naar de bank.

'Wat ben je laat,' moppert haar moeder. 'Ik had je al veel eerder verwacht. O, een cadeau? Dat is lief van je. Jamaica Rumbonen? Dat zijn de beste, maar ik heb er niets aan. Mijn suiker is te hoog, de huisarts zegt dat ik absoluut geen chocolade meer mag eten. Neem ze alsjeblieft zelf, voor ik me vergrijp.' Ze pakt de doos rumbonen weer in.

'Geef hem maar aan de buurvrouw.' Irma staat op. 'Ik doe het zelf wel even.'

Vorig jaar weigerde haar moeder de pioenroos die ze had mee-genomen voor Moederdag, omdat ze daar opeens uitslag van kreeg. Het jaar daarvoor maakte het uitvergrote portret van Irma's vader haar te verdrietig. De cd van Marianne Weber riep ook te veel emoties op en de bloemenkalender herinnerde haar te veel aan haar eigen moeder.

'Ik neem geen cadeaus meer voor je mee met Moederdag,' kondigt Irma aan als ze weer binnenkomt.

'Je hebt rouwrandjes onder je nagels, moet je je handen niet eens wassen? Wat heb je uitgespookt?'

Irma toetst het nummer van Denise in. 'Ik ben er over een uur,' zegt ze als haar vriendin opneemt.

'Ga nu niet zo snel weer weg, neem eerst iets te drinken,' pro-testeert haar moeder. 'Hoe gaat het met toneel? Heb je nu al eens een hoofdrol gekregen?'

Ze zijn buiten gaan zitten en haar moeder keuvelt met de buur-vrouw. De twee oude vrouwen staan ieder aan een kant van de heg. Haar moeder draait zich om. 'De buurvrouw vraagt of je momenteel een vriendje hebt.'

'Nee.'

'Ze is toch je enige kind?' schalmt de stem uit de andere tuin.

'Het enige kind dat nog leeft,' deelt haar moeder mee.

'Ach meid, heb je een kind verloren? Daar heb je me nog nooit iets over verteld.'

Irma hangt onderuitgezakt op de bank. Haar blik dwaalt door de tuin. Er is nergens een sprietje onkruid te bekennen. Ze vangt flarden van het gesprek op, al probeert ze niet te luisteren. 'Niet levensvatbaar, moest gewoon bevallen, Anton viel flauw.' Nu gaat ze uitweiden over haar zwakke echtgenoot en dit verhaal zal eindigen bij zijn verdwijning en alle eenzaamheid die volgde. Haar moeder heeft er zin in vandaag. Ze beschrijft uitgebreid de martelgang van de bevalling en put zich uit in de uitleg over extreem heftige persweeën.

'Was je eerste bevalling ook zo zwaar?' wil de buurvrouw weten.

'Het was haar eerste bevalling,' mompelt Irma. Ze staat op. 'Ik ben weg, ga nog naar het strand met Denise.'

'Bedankt voor de rumbonen,' zegt de buurvrouw.

'Wees maar blij dat u geen suiker hebt,' antwoordt Irma.

9

Ze kan maar niet rustig worden en probeert het advies van Denise op te volgen. Alleen aan leuke dingen denken. Maar wat is er leuk? De pijn in haar borst is duidelijk niet van plan om snel te verdwijnen, de benauwdheid dringt zich genadeloos aan haar op en blijft treiterig haar ademhalingswegen bezetten. Haar handen trillen.

'Wat is er in vredesnaam allemaal gebeurd?' Denise legt een hand op Irma's arm. 'Mens, je zit helemaal te shaken.'

De zeelucht is een ware verademing. Denise heeft voorgesteld om naar Zandvoort te gaan en als ze over het strand lopen kijken ze naar twee schaterende zusjes die elkaar bekogelen met schelpen. Een van de kinderen rent opeens recht op de kustlijn af en wordt haastig in haar kraag gegrepen door een verschrikte moeder. Ze moppert op het meisje en kust het tegelijk. De kinderen beginnen allebei te huilen.

'Ze begon weer over mijn zusje,' zegt Irma.

'Wie had vandaag de eer om op het verhaal getrakteerd te worden?' Irma raapt een paar schelpen op. 'Moet je dit zien, wat een kunstwerken. De buurvrouw was het publiek. Ik had rumbonen voor mijn moeder gekocht.'

'En om welke reden kon ze het cadeau vandaag weer niet accepteren?'

'Ze heeft suiker. De huisarts heeft haar verboden chocolade te eten.'

Denise zucht diep. 'Die kenden we nog niet. Jouw moeder had actrice moeten worden.'

'Dat hoeft ze niet te worden.'

'Over actrice gesproken: heb je die hoofdrol nu wel of niet?'

'Ik hoor het morgen.'

'Ik gun het je. Jammer dat het al zo laat is, het wordt al donker. Laten we gaan eten.'

De satésaus ruikt verrukkelijk en Irma heeft net het eerste stuk vlees in haar mond als Denise het zegt. 'Weet je wat ik in *De Telegraaf* las? Een interview met dat minderjarige meisje met wie die Floran Haverkort het deed. Je weet wel, die we een tijdje geleden zagen. Jij keek hem heel belangstellend na.'

Irma probeert het vlees door te slikken.

Denise is helemaal op dreef. 'Het was pure sensatie, het kind verdedigde hem op een heel gepassioneerde manier. Nou ja, kind. Tegenwoordig zijn meiden van zeventien al vrouwen. De foto die erbij stond liet heel iets anders zien. Het was een stoot van een meid. Als ik het verhaal goed begrepen heb was het de schuld van haar moeder dat de boel zo escaleerde. De jonge dame was niet misselijk in haar uitspraken over de rol van die moeder. Wat zit je me nu aan te staren?'

Irma wil over iets anders beginnen. Ze heeft het gevoel dat Floran Haverkort op dit moment het minst geschikte onderwerp van gesprek is dat maar te bedenken valt. Haar vork valt luid kletterend op de grond.

'Wat is er toch met je? Je ziet eruit of je je ergens lam van bent geschrokken. Komt dat alleen door de streken van je moeder?'

'Ik ken hem,' zegt Irma.

Ze had het niet willen zeggen. Ze had het niet moeten zeggen, het was de domste fout die ze kon maken. Koortsachtig probeert ze een ander gesprekonderwerp te bedenken, maar Denise heeft bloed geroken. 'Ik ga hier niet weg voordat ik alles weet,' dreigt ze. 'Stiekemerd. Ik wist van niks. Waarom heb je dat niet verteld?'

Irma heeft eerst het gevoel dat alles wat ze zegt over iemand anders gaat. Het lijkt of zij woorden herhaalt die haar worden ingefluisterd. Ze heeft aanvankelijk geen enkel contact met haar eigen verhaal. Het is een gebeurtenis die zomaar jaren geleden zou kunnen hebben plaatsgevonden. Maar naarmate ze zich minder verzet en haar eigen woordenvloed de ruimte geeft, lukt het haar om plaats te nemen in wat ze vertelt en er iets bij te voelen. Ze ziet het gezicht van Floran voor zich, ze ruikt zijn geur, ze voelt weer de eerste aanraking. Er is nergens woede te bekennen, nergens teleurstelling, nergens spijt. Er komen heel andere emoties tevoorschijn. Opwinding, genot, overgave. Ze zwermen om haar heen en nemen bezit van haar. Ze zuigen zich aan haar vast en benemen haar bijna de adem.

De saté staat bijna onaangeraakt op tafel. Denise zit doodstil naar haar te luisteren, op haar gezicht verschijnen allerlei reacties. Als Irma vertelt wat er vanmorgen is gebeurd, worden haar ogen steeds groter. 'Wát zeg je? Haalde hij hasj in een coffeeshop? Reed jij hem erheen? En hij liet je gewoon staan? Hoe kan dat nou?'

De vraag fluit Irma weer terug naar de realiteit. 'Hoe dat kan? Dat is toch wel duidelijk? Je laat je gewoon afzetten bij een coffeeshop en laat degene die je gebracht heeft in haar sop gaarkoken.'

'Het zal ook niet zo zijn,' antwoordt Denise. 'Dat hebben wij weer.'

10

Irma zou graag een ander onderwerp van gesprek willen verzinnen, maar Denise is nog lang niet uitgepraat over mannen van
middelbare leeftijd die jonge meisjes versieren. 'Zulke meiden
maken die midlifepatiënten stapelgek. Ik hoorde een paar weken
geleden van mijn buurvrouw nog een verhaal over een soortge-
lijke situatie. Het ging over mensen die ze al jaren kende. Leuk
stel, goed huwelijk, drie jonge kinderen. En dan slaat de man zomaar op hol van een jongere collega. Het kind had nota bene een
beugel in haar mond die haar hele bovengebit in beslag nam.' Ze
dempt haar stem. 'Pijpen zal er in ieder geval niet in zitten. Maar
hij zat daar schijnbaar niet mee, hij verliet gewoon zijn gezin.'

Irma wil het verhaal niet horen en ze probeert niet te luisteren.

'Je luistert niet,' stelt Denise vast.

'Het mag van mij wel wat minder grof,' zegt Irma.

'Wat doe jij opeens truttig, zeg. Zie maar gewoon onder ogen
dat je verliefd bent geworden op een womanizer. Waarschijnlijk
werd alles hem vanmorgen een beetje te veel en is hij tijdelijk
op de vlucht geslagen. Je zult zien dat hij binnenkort gewoon
weer voor je deur staat. Het enige wat jij moet doen is je hoofd
erbij houden, genieten van wat er te genieten valt en hem op het
juiste moment de bons geven.' Denise maakt met haar hoofd
een beweging naar iets wat zich achter Irma bevindt.

Irma kijkt achterom en ziet twee dikke vrouwen zitten.

'Die passen vast niet meer in hun trouwjurk,' constateert Denise. 'Waar was ik gebleven? O ja, ik zei dat je hem op het juiste moment de bons moet geven. Denk eraan: altijd zelf de regie in handen houden en de genadeklap uitdelen als de tijd er rijp voor is.' De woorden van Denise klinken hard. Irma wil er niet meer naar luisteren, maar Denise is nog niet uitgepraat. 'Ik neem aan dat mister Haverkort een dijk van een minnaar is? Een soort godswonder?'

'Wat ben je bot.' Irma kan het verwijt zelf amper verstaan. Ze schraapt haar keel. Waar is haar stem gebleven?

'Ik haat dat soort kerels. Het zijn gebruikers, narcistische klootzakken, over het paard getilde allesvreters. Sorry dat ik me op die manier uitdruk, maar zo voel ik het. Het foutste soort, dat vind ik het. Daar ben jij echt te goed voor. Dat weet je zelf toch ook wel?'

'Het was niet fout,' sputtert Irma tegen.

'Nee, het was goed. Zo goed, dat meneer je even gebruikt om naar zijn hasjdealer vervoerd te worden en je dan gewoon laat staan. Wie weet zat dat zaadvragende tuttebelletje ergens in de zaak te wachten. Ze heeft natuurlijk de meest geile ideetjes die je maar kunt verzinnen en hij trapt erin.'

'Stop hiermee!' Irma's stem doet het weer. 'Stop hier alsjeblieft mee.'

De saté is koud geworden. Ze schuift het bord van zich af. De aanblik van het vlees in de bruine saus maakt haar misselijk. Het bord van Denise is leeg.

Ze wil naar huis. Ze is van plan een paar uur in bed te kruipen. Misschien is zijn geur er nog. Ze wil zich verschuilen achter die geur en in gedachten nog een keer met hem vrijen. Nog één keer. En ze wil vooral niet meer denken aan wat Floran haar zo nodig moest opbiechten. Ze zou helemaal niet meer aan Floran willen denken. Hij is vandaag geschiedenis geworden en zij moet verder. Ze ergert zich aan de manier waarop Denise haar mening ventileert. Ze heeft niet om die mening gevraagd. Maar Denise tettert nu eenmaal graag in het rond wat ze denkt, zonder zich af te vragen of haar woorden welkom zijn bij haar toehoorder. Was dat niet de reden waarom haar laatste vriend is weggelopen? Die achtervolgde ze ook al met haar visie op zijn leven en vooral op zijn scheiding. Ze is een boze vrouw aan het worden.

Irma hoort een geluid in de tas van Denise. Haar vriendin vist haar mobiele telefoon op en meldt zich. 'Hallo?' Ze houdt het gesprek kort, zegt dat ze met een vriendin in een restaurant zit en belooft later terug te bellen.

'Waarom zei je je naam niet?'

'Ik herkende het nummer op de display niet direct en dan ben ik altijd voorzichtig. Het was mijn tante, de zus van mijn moeder. Die zoekt tegenwoordig contact.'

'Ik wist niet dat je nog een tante hebt.'

'Het is mijn enige tante. Sinds mijn moeder dood is, begint ze steeds vaker te bellen. Ze denkt waarschijnlijk dat ik daar behoefte aan heb.'

Irma ziet dat Denise in haar tas rommelt. 'Ik betaal,' zegt ze. Op dat moment gaat haar eigen mobiele telefoon over. Ze aarzelt.

'Neem toch aan,' zegt Denise. 'Misschien is hij het.'

Irma ziet een onbekend nummer op de display staan. 'Hallo?'

Stilte.

'Hallo?'

'Dag Reentje.'

Ze heeft het gevoel dat haar hart stilstaat. 'Met wie spreek ik?'

'Wie noemt jou altijd Reentje?'

Haar hartslag is in haar hele lijf te voelen, zelfs haar oren kloppen. 'Hallo?' Ze hijgt. 'Wie ben jij?'

40

'Ik bel je later terug.'

Denise grijpt haar hand. 'Wie was dat? Kind, je ziet eruit of je flauw gaat vallen.'

'Iemand probeert een zeer misplaatst geintje met me uit te halen,' zegt Irma.

11

Ze heeft een tuinstoel op het terras gezet en ligt met gesloten
ogen na te denken. Het lukte nauwelijks om Denise van zich
af te schudden. Ze bleef maar vragen stellen over het telefoontje dat Irma kreeg en wilde precies weten hoe het kwam
dat ze zo schrok. Pas toen Irma kribbig werd, bond ze in. 'Is
het een groot geheim?' wilde ze nog weten toen ze afscheid
namen.

'Het slaat nergens op,' zei Irma. En daar wil ze het bij houden.

Het slaat inderdaad nergens op. De stem die ze hoorde lijkt
op de stem van de persoon die de beller pretendeerde te zijn.
Maar die persoon zal haar nooit meer bellen. Hij bestaat niet
meer, hij is opgelost in het verleden.

Wie kan er nog iets van weten, wie zal nog aan die tijd denken? Dat is de vraag die zich voortdurend herhaalt. Irma wordt
er wanhopig van. Haar moeder vroeg in het begin van de nieuwe
periode in Irma's leven nog wel eens of het echt definitief voorbij was. Ze herinnert zich dat ze de fase waar ze toen in terecht-
kwam zelf zo noemde: de nieuwe periode in haar leven. De
periode van wennen aan weer alleen zijn. De periode van het
overwinnen van haar teleurstelling. De periode van de kaken op
elkaar, zich flink houden, pokerface.

De periode van intense haat.

Ze wil er niet aan terugdenken. Het is al veertien jaar geleden. Ze was eenentwintig, nauwelijks volwassen en bedwelmd door negatieve energie.

Ze moet in slaap zijn gevallen. Ze houdt haar ogen nog even dicht en probeert te ontdekken waar ze in haar slaap mee bezig was.

Het Grand Café. Haar toekomstplannen na de afschuwelijke teleurstelling. 'Ik wil hier ervaring opdoen en later ga ik misschien nog wel naar de hogere hotelschool,' zei ze tegen haar moeder. Die drong aan op verder studeren. 'Geloof me, met een middelbare opleiding blijf je bediende en krijg je nooit een leidinggevende functie,' waarschuwde ze.

Irma voelt een paar druppels regen op haar gezicht vallen. Het volgende moment stort de bui zich over haar uit. Ze blijft doodstil liggen en laat het water over zich heen kletteren. Ze voelt dat ze afkoelt, tot op haar huid nat wordt, onophoudelijk rilt. Maar ze blijft liggen.

Ze zou weggespoeld willen worden. Ze zou door het water willen worden meegenomen, voortgestuwd door krachtige golven, overweldigd door natuurgeweld.

Ze zou voor altijd willen verdwijnen.

Die stem.

Hij kan het niet zijn. Het is onmogelijk. Maar wat betekende dat telefoontje dan? Het is om gek van te worden.

Ze is tot op haar botten verkleumd en strompelt naar de badkamer. Het warme water van de douche verspreidt een aangenaam gevoel over haar lijf en verdrijft de kou. Ze draait de warmwaterknop verder open, wast haar haren en knijpt de fles met badschuim helemaal leeg. Het glas van de badkamerspie-

gel is beslagen. Ze veegt het schoon en bekijkt haar gezicht.
Haar ogen zijn ongerust.
En koel.

12

De spanning is bijna zichtbaar. Irma kijkt naar de gezichten van de andere leden van de toneelclub. De twee nieuwelingen lijken nog het minst zenuwachtig te zijn. Maar die zullen ook wel begrijpen dat er voor hen nog geen belangrijke rol in zit. Pascal trekt heftig met zijn linkeroog. Ze kwam samen met hem binnen en dat leverde een dubbelzinnige opmerking op van Mariëtte. Irma heeft het genegeerd, al had ze graag een sneer gegeven. Mariëtte valt op Pascal, maar Pascal valt op Irma, en zij heeft geen enkele belangstelling. Ze vindt hem de meest onaantrekkelijke man die ze ooit heeft ontmoet. Misschien moet ze dat eens zonder veel omhaal tegen hem zeggen, dan houdt hij waarschijnlijk wel op met zijn versierpogingen. Ze kan quasitoevallig vertellen dat ze een vriend heeft. Weet hij veel, hij zal beslist geen uitgebreide informatie willen ontvangen.

'Wat denk jij?' vraagt Pascal. 'Volgens mij krijg jij de hoofdrol. Dat wordt ook eens tijd. Je deed het echt goed, vorige week. Heb je nog vakantie?'

'Nog vier dagen.' Dat is een fout antwoord. Nu kan hij haar uitnodigen om iets leuks te gaan doen.

'Zullen we iets leuks doen?' vroeg Floran.

Hij was voor de eerste keer bij haar en toen ze hem binnenliet zag ze een slijtplek op de linkermouw van zijn colbert. Dat vertederde haar.

'Wil je ergens naartoe? Ik dacht dat we hier samen zouden eten.'

'Ik wil hier iets leuks doen,' zei hij.

Ze stond fruit te snijden voor de fruitsalade en hij drukte zich tegen haar aan. Eerst voelde haar rug zijn schouders, hij kuste haar kruin.

'Wat ben je groot,' mompelde ze.

Zijn armen kwamen naar voren en zijn handen streelden eerst haar buik, daarna haar borsten. Zijn vingers grepen haar tepels. De opwinding vloog pijlsnel naar haar onderlijf.

'We gaan beginnen,' roept Martin, de regisseur. 'Het was geen eenvoudige klus om de rollen te verdelen. Dit wordt de eerste keer dat we een spannend stuk op de planken brengen. Een superthriller. We grijpen hoog, maar ik weet zeker dat we dit kunnen. Toch ben ik blij dat ik een adviseur heb ingeschakeld. Hij keek heel scherp en vooral heel professioneel met me mee.'

Irma wil weg. Iets in de manier waarop Martin zijn besluit inleidt zegt haar dat ze de felbegeerde hoofdrol niet zal krijgen. Weer niet. In de jaren dat ze lid is van deze toneelclub, heeft ze iedere keer misgegrepen. Er worden haar alleen bijrollen gegeven en zelfs dat is al een keer niet gelukt. Die keer was ze souffleur. Ook heel belangrijk, volgens Martin.

In dit spannende stuk zit een vrouwelijke hoofdrol die ze goed zou kunnen spelen. Ze herkent zichzelf in de persoonsbeschrijving, de taal, de manier van handelen. Het is een boze vrouw, deze Gitta. Een teleurgestelde vrouw. Een rancuneuze vrouw. Ze gaat over lijken.

Irma wil deze rol.

Ze is er klaar voor.

Pascal stoot haar aan. 'Ben je er nog? Jammer hè? Ik begrijp niet wat Martin bezielt om de vrouwelijke hoofdrol aan een nieuweling te geven.'

'Ik wil Irma vragen om nog een keer onze souffleuse te zijn,' zegt Martin.

'Val dood, voor mijn part,' antwoordt Irma. Ze staat op en loopt met grote passen de zaal uit. Als ze buiten staat, drukt ze haar beide handen tegen haar borstkas aan. Haar hart bonkt, haar ademhaling maakt verslikgeluiden. Ze leunt tegen een fiets aan. *'Ik wil Irma vragen om nog een keer onze souffleuse te zijn.'* Die schoft verdient een verschrikkelijke straf.

'Ze heeft me verschrikkelijk gestraft,' zei Floran. 'Ze laat geen gelegenheid onbenut om me door het slijk te halen en ze probeert het contact met mijn kinderen zo veel mogelijk te dwarsbomen. Ze heeft ervoor gezorgd dat geen van onze vrienden me nog wil zien.'

'Ik wil je altijd zien,' probeerde Irma te troosten.

'Kleed je uit.'

Ze aarzelde.

'Ik wil ieder plekje van je lijf hebben gezien en aangeraakt.'

'Dat klinkt alsof je van plan bent om afscheid te nemen.'

'Kleed je uit,' herhaalde hij. 'Je zult er geen spijt van krijgen.'

'Wat zou je doen als ze van gedachten verandert?' vroeg Irma later, toen er overal kleren lagen en de geile spanning nog steeds om hen heen hing.

'Die bitch verandert nooit van gedachten als ze eenmaal iets in haar hoofd heeft gehaald,' zei hij.

Toen wierp ze zich op hém.

'Kom alsjeblieft terug.' Pascal staat naast haar. 'Je bent een heel goede souffleuse. En wie weet, misschien krijg je een rol in het volgende stuk. Je bent goed genoeg, maar misschien niet voor deze productie. Jij zult juist schitteren in een liefdesverhaal.'

'Ga naar binnen,' smeekt Irma bijna. 'Loop niet achter me aan, ik heb een vriend.'

Ze voelt zijn verslagen blik in haar rug als ze wegloopt.

13

Ze begrijpt niet wat ze hier te zoeken heeft. De hele rij aanleun-
woningen ziet eruit als een ondoordringbare massa. De dichte
voordeuren vormen een front. Ga weg, weren ze af. Ga ergens
anders verhaal halen, je hoort hier niet.

Haar moeder heeft haar blijkbaar zien aankomen. 'Er is toch
niemand dood? Je gaat me toch niet vertellen dat er iets met
Vince is gebeurd?'

'Hoe zou ik dat moeten weten? Ik heb vakantie, dan heb ik
geen contact met mijn baas.' Irma wil direct weer weg. Dit was
een foute beslissing. Eigenlijk meer een foute impulsieve daad.
Ze heeft nergens bij nagedacht, ze wilde alleen dat gebouw verlaten, die domme koppen niet meer zien, de stem van Martin
uit haar oren verwijderen. Maar ze hoort hem nog steeds. Souffleuse! Ze snikt.

'Je hebt toch niet een verschrikkelijke ziekte? Ik zou het niet
kunnen verdragen dat jij eerder doodgaat dan ik.'

Het zou Irma niets kunnen schelen als ze nu te horen
kreeg dat ze een verschrikkelijke ziekte heeft. Graag zelfs.
Dat zou een legale manier kunnen zijn om het leven te verlaten.

Ze houdt haar adem in.

'O, lieve help, het klopt. Wat heb je? Is het kanker?'

'Ik heb weer geen rol gekregen in het nieuwe toneelstuk. Ik mag weer souffleuse zijn.'

'Is dat alles? Waarom laat je me zo schrikken? Jij denkt ook nooit eens aan een ander.'

'Het betekent heel veel voor mij, mama,' zegt Irma zacht. De boosheid verdwijnt, er komt een lamgeslagen gevoel voor in de plaats.

'Het is maar een hobby, Irma. Je hoeft er je brood niet mee te verdienen. En als ze jou niet kiezen voor een hoofdrol, ben je gewoon niet goed genoeg. Er kan er altijd maar één de beste zijn.'

'Ik hoopte dat je me zou troosten.'

'Dat kan ik niet. Je weet dat ik geen gevoel meer heb.'

'Ieder mens heeft gevoel.'

'Het kan kapotgaan, verbrijzeld worden. Dat is bij mij gebeurd toen ik je vader verloor.'

'Ik verloor hem ook.'

'Jij had nog een heel leven voor je.'

'Jij ook.' Dit moet ophouden, deze conversatie heeft een enorme baard, dit soort uitspraken leiden alleen tot ruzie en nog meer afstand. 'Laten we erover ophouden,' stelt ze voor.

'Er is toen iets in mij kapotgegaan,' gaat haar moeder gewoon verder. 'Hij was mijn grote liefde, daar kun jij je geen voorstelling van maken. Jij hebt altijd van die fladdervrienden, meestal illegaal en in ieder geval niet serieus. Jij weet niet wat liefde is.'

Irma staat op.

'Loop maar weer weg,' hoort ze haar moeder schreeuwen als ze bijna bij de voordeur is. 'Vlucht maar weer. Je zou eens moeten nadenken over waar je mee bezig bent.' Ze smijt de deur achter zich dicht. Als ze naar haar auto loopt, ziet ze gezichten achter de ramen van de buren. Grijze koppen, kale koppen, neuzen tegen het glas, open monden, bewegende lippen. Ze rent weg.

14

'Wanneer moet je weer werken?' vraagt Denise.

'Maandag.'

'Zin?'

'Ja hoor.'

'Dat klinkt niet erg overtuigd.'

'Ik zou wel iets anders willen dan de volledige verantwoorde-lijkheid op mijn nek hebben van een grand café.'

'En dat hoor ik je dus al een jaar of vier zeggen.'

Irma zwijgt. Ze heeft geen zin in discussies over haar werk of over haar gebrek aan ambitie.

'Je baas zou zich volgens mij kapot schrikken als je opstapte. Heet hij nou Vincent of Vince?'

'Vince, maar wat doet dat ertoe?

'Niets, waarom reageer je zo kribbig? Vince vindt nooit meer zo'n loyale bedrijfsleider.' Denise doet haar best om aardig te zijn. 'Maar zeg nu eens eerlijk: wat zit je dwars?'

'Ik heb weer geen rol gekregen. Niet eens een bijrol, ik mag weer eens souffleren.'

'Nee toch? Zou het geen goed idee zijn om eens een andere toneelclub te zoeken? Je hoeft toch niet per se in IJmuiden te spelen, ook al is dat toevallig de plaats waar je geboren bent? Voor jou is Hoofddorp zelfs dichterbij.'

'En zeker weer van voren af aan beginnen? Nee dank je. Ik stop met toneelspelen. Misschien neem ik dansles. Of zangles. Wie weet doe ik binnenkort mee aan de nieuwe serie van X Factor. Daar zat een paar jaar geleden nog een vrouw van middelbare leeftijd in de liveshows, dan kan mijn leeftijd toch geen probleem zijn?'

'Kun jij zingen? Dat wist ik niet.'

'Je weet nog veel meer niet van mij,' grijnst Irma.

'Vertel eens.'

'Dat wil jij niet weten.'

'Flauw. Ik ben je beste vriendin, zeg je altijd.'

'Je bent mijn enige vriendin, dus vanzelf de beste. En ik ben blij met je.'

'Heb je het al gehoord van Floran Haverkort?'

Irma zit meteen rechtop. 'Wat moet ik gehoord hebben?'

'Hij schijnt ervandoor te zijn en dat minderjarige liefje van hem is opeens onzichtbaar voor de pers.'

Ze hebben het opgezocht op nu.nl. 'Dit interesseert je dus,' mompelde Denise toen Irma achter de computer dook. 'Die vent heeft behoorlijk indruk op je gemaakt.'

Er staat een foto van Floran bij het bericht. Een foto van een lachende, zelfverzekerde en vooral aantrekkelijke Floran. 'Wat een stuk is het, hè?' zucht Denise. 'Wie weet wat er gebeurd is. Iedereen kan nu wel denken dat hij dat kind dat zijn dochter kan zijn heeft geschaakt, maar ik denk eerder dat de moeder van dat meisje haar buiten de publiciteit houdt en meneer Haverkort zichzelf stevig in de nesten heeft gewerkt. Denk jij ook niet? Er zijn altijd lui die dergelijke viespeuken graag een lesje willen leren. Wie weet is hij de verkeerde tegengekomen. Misschien wás hij wel een stuk.'

'Kom op zeg, doe even normaal.' Irma hoort haar eigen stem overslaan.

'Moet jij je niet melden bij de politie? Jij hebt hem toch naar die hasjtent gebracht en hem niet meer naar buiten zien komen? Het lijkt erop dat daar iets is gebeurd.'

'Wat moet ik bij de politie? Ik ga me er niet mee bemoeien. Hij zoekt het maar mooi zelf uit, waar hij ook zit.'

'Daar heb je misschien wel gelijk in,' peinst Denise.

Irma tuurt naar de foto. 'Het is inderdaad een mooie man.' Ze weet even niet wat ze verder moet zeggen.

'Zeg eens wat je werkelijk denkt als je naar die foto kijkt,' nodigt Denise uit.

'Ik denk verder niets. Waarom zou ik er verder nog over nadenken? Hij is weg en dat domme kind is blijkbaar ook nergens te bekennen. Ze doen maar. Ik wil me niet meer bezighouden met Floran Haverkort.'

Denise kijkt haar aan met een onderzoekende blik in haar ogen. 'Toch raakt het je, ik zie het aan je. Had je het idee... dat hij serieus was?'

'Misschien.'

'Shit. Het zal ook eens een keer lukken met een vent.'

Irma lacht. 'Het gaat wel een keer lukken, schat. Daar geloof ik in.'

'*Keep on dreaming, darling.* En nu weg met dat plaatje, laat de familie maar zoeken naar Floran. Wij zwijgen. *By the way:* heb je nog vreemde telefoontjes gehad?'

Irma is blij dat ze zit. Ze hoopt dat Denise niet ziet dat ze schrikt van deze vraag. 'Wat bedoel je?'

'Nou, zoals de laatste keer dat we elkaar spraken. Toen belde er toch iemand waar je van schrok?'

Ze voelt dat ze haar schouders optrekt en probeert ze zo onopvallend mogelijk te ontspannen. 'Daar heb ik me verder niet druk om gemaakt.'

'Je schrok anders hevig.'

'Dat viel wel mee.'

'Klets niet, Irma. Je schrok je suf. Waarom haak je toch altijd af als ik dichtbij kom? Waarom trek je dan altijd die muur op?'

'Ik wil er niet over praten. Er valt ook verder niets over te zeggen.'

Denise wil reageren, maar ze zwijgt als ze de mobiele telefoon van Irma hoort overgaan. Irma kijkt snel naar het nummer op de display en ziet een onbekend nummer verschijnen. Met een resoluut gebaar drukt ze op de groene toets. 'Irma.'

'Dag Reentje, zullen we nu eens proberen om even te praten?'

Ze is duizelig. En misselijk. En bang.

'Ben je er nog?'

'Wie ben jij?' Dit is een grap, een zeer misplaatste grap. Ze moet zich hierdoor niet zo van streek laten maken.

'Dat weet je toch wel? Zei je niet ooit tegen me dat je mijn stem uit duizenden zou herkennen? Je hebt er waarschijnlijk nooit op gerekend dat je me nog eens zou horen, maar nu is het toch echt zover. Hier ben ik, Reentje. Het wordt tijd dat je beseft dat er in jouw leven iets onherroepelijk gaat veranderen.'

Ze verbreekt met een driftig gebaar de verbinding. 'Ik neem een ander mobiel nummer,' zegt ze tegen Denise.

*

'In welk land zijn we nu?' vroeg het kind.

'We zijn in Spanje,' antwoordde de moeder. Ze keek steeds om zich heen. 'Málaga is Spanje. Dit is de enige plek waar we twee dagen blijven. Voor mij was een dag wel genoeg geweest. Ik wil naar huis.'

Het was de negende dag van de cruise en de vader was nergens te bekennen. De moeder deed druk. Ze veegde voortdurend de wangen van het kind schoon, hoewel daar niets op zat.

'Niet steeds aan mijn gezicht zitten,' zei het kind. 'Je doet me pijn.'

De moeder bleef om zich heen kijken. Ze mompelde iets, maar was niet te verstaan.

'Waar is...' probeerde het kind.

'Stil! Hij komt vanzelf terug.'

'Maar waar is hij...'

De moeder werd boos. 'Ik zei dat je stil moet zijn. Geen vragen. We maken er samen een mooie dag van. Dit is Málaga. Kijk om je heen en geniet. Er zijn maar weinig kinderen die zomaar een cruise met hun ouders maken en dan ook nog op een schip als dit. Weet je wel dat dit een Amerikaanse boot is? Het is echt heel bijzonder dat we met deze boot kunnen varen.'

Er voegden zich andere reizigers bij hen en er werd niet meer over de vader gesproken. Toen ze die avond weer aan boord waren, bestelde de moeder twee eenvoudige maaltijden in hun eigen hut. Ze zaten samen op het bed van het kind. Het bed van de vader verspreidde een onmetelijke leegte.

'We gaan even aan dek,' kondigde de moeder aan.

Ze zaten dicht tegen elkaar aan op een bank en keken naar het eindeloze water. Het kind liep naar de reling en peilde de golven. Ze had het gevoel dat de vader haar riep en zocht het geluid in de diepte van de zee. De moeder trok haar weg. 'Veel te gevaarlijk,' zei ze. 'Ik moet er niet aan denken dat ik jou ook nog verlies.'

Toen het kind op de tiende dag wakker werd, viel het lege bed van de vader haar het eerst op. De moeder was nog diep in slaap. Het kind kroop in het lege bed en sloot haar ogen. Ze wist opeens heel zeker dat ze hem hier in haar gedachten terug kon roepen. Ze zag hem staan en liet zich opvangen door zijn sterke armen. Hij zette haar voeten op die van hem, greep haar handen vast en zong 'How 'Bout Us' van Champaign. Het kind probeerde mee te zingen, maar haar tong struikelde over de onbekende tekst. Ze zwierden rond en de vader hield hun voeten in balans.

Ze werd wakker, omdat de moeder schreeuwde. 'Waarom lig je hier?'

Het kind vloog overeind en vluchtte naar haar eigen bed.

'Doe dat nooit meer,' zei de moeder.

Toen ze de elfde dag in Rome liepen, zag het kind de man. Ze kneep in de hand van de moeder en fluisterde: 'Daar is die man.'

De moeder zei dat het een heel andere man was en gebood haar op te houden met die domme praatjes.

'Waar is papa?' De vraag kwam opeens tevoorschijn.

De moeder stond stil en keek het kind aan. 'Je vader is een lafaard,' zei ze. 'En wij wensen niets met lafaards te maken te hebben. Tegen de tijd dat hij weer een normale kerel is en beseft wat hij heeft gedaan, komt hij wel weer tevoorschijn. Dan praten we verder.'

Toen ze aan land gingen in Savona, bleef het kind achteromkijken naar de zee. Haar ogen zochten de immense watervlakte af en haar oren probeerden te ontdekken of ze de stem van de vader konden horen.

De zee zweeg.

Toen besefte het kind dat er iets onherroepelijk veranderd was.

15

Ze krijgt bijna geen lucht meer van de schrik, als er opeens een hand op haar schouder ligt en een stem de stilte verscheurt die haar heeft opgesloten. 'Jij bent heel ver weg.' Vince kijkt haar onderzoekend aan. 'Gaat het wel goed met je?'

'Mag ik iets bestellen?' De vrouw die voor de bar staat, lijkt geïrriteerd. 'Of stoor ik?'

'Natuurlijk niet. Zegt u het maar.' Ze noteert de bestelling en wuift met een handgebaar de zorg van haar werkgever weg. 'Natuurlijk gaat het goed met me. Ik heb net een week vakantie gehad. Ben uitgerust, kan er weer een tijdje tegen.'

Vince loopt naar de keuken. 'Jij je zin.'

Irma wil zichzelf dwingen om niet meer aan de stem te denken die haar belde. Ze heeft er onrustig door geslapen en heftig door gedroomd. Vooral die droom wil ze vergeten, maar hoe moet dat lukken?

Ze kijkt naar de plek waar ze vandaag haar ogen niet vanaf kan houden. De plek die nog altijd sterk verbonden is aan de stem. De plek waar Wouter altijd zat.

En waar hij nooit meer zal zitten.

Het is de tweede kruk van links, vanaf de deur gezien. De tweede van rechts, als je achter de bar staat.

'Wouter valt op je,' kondigde Vince aan, vier dagen nadat ze aan haar stage in het Grand Café was begonnen. Vince had haar net verteld dat hij al dertien jaar getrouwd was met Ria en dat ze tot hun grote verdriet geen kinderen hadden. 'Pas op voor Wouter,' waarschuwde hij. 'Wouter maakt vrouwen ongelukkig.'

Irma was van plan om haar eerste werkdag een beetje relaxed te laten verlopen, maar nu ze te maken hebben met twee ziek gemelde barmedewerksters, lukt dat niet. Vince zou wat haar betreft mogen vertrekken, zijn aanwezigheid stoort haar. Ze kan hem vandaag niet goed verdragen en vraagt zich af hoe dat komt. Domme vraag. Eigenlijk een retorische vraag. Soms zou ze willen dat ze nooit aan hem had verteld wat ze voor Wouter voelde. Soms hoopt ze dat Vince last krijgt van ouderdomsverschijnselen en zijn geheugen hem in de steek laat. Dat de periode met Wouter wegvloeit uit zijn brein en alleen achterblijft in haar eigen herinneringen. Daar zit het veilig verankerd, afgesloten voor de rest van de wereld.

Daar zát het veilig, is haar sinds kort duidelijk.

Haar hoofd gonst van de gedachten die maar blijven stromen. Het ene moment is het Floran die alle ruimte in beslag neemt, het volgende moment wordt ze overvallen door de stem die zich nu al twee keer heeft gemeld. De stem van Wouter.

Ze wil aan iedereen denken, behalve aan Wouter. Hij is er niet meer, hij moet ook wegblijven.

Hij kan er niet meer zijn.

Hij belde om één uur 's nachts. Irma schrok wakker uit een droom over hem. Met hem. Hij vree met haar en ze wilde hem horen. Ze zocht zijn stem, de sensuele laag onder het normale geluid, de ongrijpbare diepte in lettergrepen, maar ze hoorde niets. En toen belde hij.

'Ik heb iemand ontmoet,' zei hij.

Ze zat rechtop en voelde dat haar schouders zich naar elkaar toe bogen, haar hoofd naar beneden viel en haar kin tegen haar borstkas drukte, haar vrije hand zich tot een vuist balde en haar hartslag aanraakte.

'Ze heet Cocky,' ging hij verder. 'Ze is zesentwintig, ontstellend mooi, superintelligent en tot voor kort diep ongelukkig. Ze is een paar weken geleden psychisch gedecompenseerd en moest acuut worden opgenomen.'

'Wat betekent psychisch gedecompenseerd?' Irma realiseerde zich dat ze het gesprek een andere richting uit wilde hebben.

'Totaal in de war geraakt, maar het leek erger dan het was en ze is vier dagen geleden ontslagen. Ze belde me en zei dat we elkaar snel moesten zien. Ik hou van doortastende vrouwen en ik heb haar vanavond ten huwelijk gevraagd. Ze heeft ja gezegd. Ze wil een kind van me.'

Het was drie dagen voor Sinterklaas, Vince had een pakjesavond voor het hele personeel georganiseerd en Irma zat nog te zwoegen op het gedicht dat ze moest leveren. Ze dacht in rijm, bedacht voortdurend woorden die voor het gedicht gebruikt konden worden. Het eerste wat haar te binnen schoot na zijn relaas was: Cocky, straks ligt ze dood in haar hokkie. Haar stem barstte uit in een gierende lach.

'Je vindt het niet erg?' Zijn stem klonk ongelovig.

'Ik vind het verschrikkelijk,' zei ze. 'Mag ik getuige zijn?'

'Natuurlijk,' juichte hij. 'Daar houd ik je aan.'

Ze keek op de klok en zag dat het tien over een was, kroop weer onder het dekbed en sliep gewoon verder. Toen ze wakker werd, dacht ze dat ze het had gedroomd.

16

Het lukt niet zich te verzetten tegen de opdringerige herinneringen. Ze hebben zichzelf losgelaten in haar brein en blijven haar achtervolgen. Misschien is het beter om het te laten gebeuren. Misschien helpt het als ze de geschiedenis gewoon even voorbij laat komen, bekijkt en dan weer opbergt. Alles is immers geschiedenis? Niet alleen Wouter, ook Cocky.

Cocky was inderdaad een mooie vrouw. Cocky was een schoonheid naast wie Irma zich een monster voelde. Alles klopte aan haar, alles was in balans en het meest irritante vond Irma de vanzelfsprekendheid daarvan.

Ze was er vanaf het begin van overtuigd dat ze had moeten weigeren om kennis met haar te maken. Ze had tegen Wouter moeten zeggen dat hij deze vrouw uit haar buurt moest houden, dat ze totaal niet in haar was geïnteresseerd en dat hij zelf ook in de klei kon zakken.

De ochtend na het nachtelijk telefoontje dat haar wereld veranderde, stond ze op met een bonkende hoofdpijn die haar kokhalzend naar de toiletpot dwong. Ze wilde kotsen, maar haar maag was leeg. Ergens in huis was een geluid. Ze probeerde te ontdekken wat het was. Het was de telefoon. Ze strompelde naar het toestel en nam zich voor het gesprek met haar moeder kort te houden. Het was tien uur. Alleen haar moeder belde om tien uur. Alleen haar moeder kon zich niet voorstellen dat er mensen bestaan die op dit tijdstip net of nauwelijks wakker zijn.

Het was Wouter.

Er gebeurde iets vreemds in haar hoofd. Haar gedachten besloten te denken dat ze alles had gedroomd en dat Wouter hartelijk zou lachen als ze hem vertelde over ene Cocky die korte tijd psychiatrisch opgenomen was geweest en hem plat had gekregen. En terwijl ze dit dacht, ontdekte ze wat ze wilde.

Ze wilde door hem gevraagd worden.

Ze wilde officieel de vrouw van Wouter Majoor zijn.

'Ik vind het geweldig dat je je hebt aangeboden als mijn getuige,' zei Wouter. De kamer begon te draaien. 'Ben je er nog? Wat gebeurt er?'

'Duizelig,' stamelde ze.

'Ga even zitten. Ben je te snel overeind gekomen? Werd je net wakker?'

Ze verbrak de verbinding.

Er is een stel binnengekomen en ze zijn op de twee eerste barkrukken gaan zitten. De vrouw zit op de kruk van Wouter. Irma voelt dat ze haar kiezen op elkaar klemt als ze dit denkt. Onzin! Er is hier geen kruk van Wouter, al lang niet meer.

Het stel is zichtbaar verliefd, ze plukken aan elkaar. Ze probeert er niet naar te kijken. De vrouw buigt zich fluisterend naar het oor van de man en ze hapt in zijn oorlel. Irma wrijft als een bezetene de glazen droog en slikt een paar keer.

Het café begint vol te lopen. Ze moet Vince om hulp vragen, er is te weinig mankracht en er ontbreekt iets aan haar overzicht.

'Voel je je wel goed?' De stem van Vince klinkt bezorgd. 'Je bent zo bleek, je hebt toch geen griep gekregen tijdens je vakantie?'

Het verliefde stel wil afrekenen. Godzijdank. Er staan twee oude dames op hun plek te wachten. Irma zou ze persoonlijk op de krukken willen hijsen. Ze glimlachen vriendelijk en bestellen een koffie Grand Café. Irma doet er extra bonbons bij en ook veel slagroom. Voorlopig moeten ze hier blijven zitten en haar geruststellen. 'Ik heb geen griep, ik moet er alleen even in komen.'

'Ben je nog verliefd?' fluistert Vince vlak naast haar.

Ze houdt haar adem in. 'Hoezo?'

Hij raakt speels haar arm aan. 'Nou zeg, denk je soms dat ik het niet heb gezien? Je ogen staan vaak dromerig en je bloost snel. Ik dacht eerlijk gezegd dat je met iemand samen op vakantie was geweest.' Hij komt wat dichter bij haar staan. 'Ik gun het je. Alleen is toch maar alleen.'

'Het is niets geworden.'

'Jammer, meid.'

Hij meent het. Hij is aardig, er is niets mis met Vince. Ze weet dat hij in haar de dochter ziet die hij nooit heeft gekregen. Maar zij ziet in hem niet de vader die ze heeft gemist. Ze ziet in geen enkele man de vader die ervandoor is gegaan, omdat ze dit niet wil. Het boek van haar vader is dicht, al heel lang en heel definitief. Haar vader heeft haar verlaten en dat vergeeft ze hem nooit.

17

Op dit punt zou ze helemaal niet terecht willen komen. Als ze aan haar vader denkt, moet Wouter uit de buurt blijven. Maar wat ze ook probeert om haar gedachten van de combinatie vader-Wouter af te leiden, ze kan de strijd die ze met Wouter voerde woord voor woord navertellen. Ze kan haar irritatie en de daaruit voortvloeiende woede tot in haar tenen voelen.

Als ze ruzie kreeg met Wouter ging het over haar vader. Ze haatte de analyses die hij op haar losliet, de vragen die hij bleef stellen ondanks haar weerstand en haar weigering erop in te gaan. Hij was ervan overtuigd dat ze over haar verlies moest praten. Hij pushte haar om haar emotie te laten zien, om haar verdriet een vorm te geven. 'Desnoods sla je iets kapot,' zei hij. Alleen als ze veel alcohol had genuttigd lukte het om er iets over te zeggen. Ze sloeg nooit iets kapot, ze kon hooguit iets terughalen van het onmetelijk verlaten gevoel dat zich diep in haar genesteld had. En ze kan zich niet herinneren dat ze er ooit meer dan vier zinnen achter elkaar aan heeft gewijd. Ze kan zich wel herinneren dat weigeren erover te praten altijd eindigde met stevige seks en dat zij daarvoor het initiatief nam. Er viel niet aan haar te ontkomen, ze klauwde haar handen om zijn lijf, rukte zijn kleren van hem af en klom op en in hem. Hij protesteerde grommend, bijtend, grijpend en totaal pro forma. Na af-

64

loop huilde ze en streelde hij haar rustig. Het was een strijd die haar niets opleverde.

Wouter daagde haar uit om te schelden op haar vader. Ze kreeg de woorden die hij aanreikte niet over haar lippen als hij erbij was. Maar later, alleen in haar minihuisje in IJmuiden, in haar onneembare vesting, vervloekte ze hem. Op die momenten gebruikte ze schuttingtaal om aan haar vader duidelijk te maken dat in haar ogen de ergste straf nog te mild was voor zijn daad. En na de haat kwam altijd het verdriet. Ze kan nog steeds niet begrijpen waarom hij vertrok. Hoe het mogelijk is dat hij nooit een poging deed om haar te zien. Nooit.

'Misschien is hij dood,' zei Wouter eens. Toen werd hij bedolven onder haar onbeheerste verbale geweld en moest hij haar vastgrijpen om te voorkomen dat ze tot de fysieke aanval overging.

'Zeg dat nooit meer,' waarschuwde ze. 'Waag het niet om deze woorden ooit nog uit te spreken.'

Ze had hem laten schrikken en dat was nieuw. Het duurde niet lang, maar ze zag het. Hij deinsde van haar terug.

'Is die man niet veel te oud voor jou?' De vraag die haar moeder stelde was eigenlijk geen vraag.

Irma vermeed het om met haar over hem te praten. Er kwam altijd ruzie van, of in ieder geval een onaangename stemming.

'Hij kon je vader zijn,' zei ze. 'Wat moet zo'n vent met een meisje dat eenentwintig jaar jonger is? En hij heeft al een zoon bij een andere vrouw? Lekker is dat. Je haalt je verder toch niets in je hoofd met die man?'

'Ik ben veel te oud voor jou,' zei Wouter. 'Ik ben ook veel te somber, te cynisch, ik heb je niets te bieden.'

'Niet waar. Je bent perfect voor mij.' Ze meende het.

Wouter. 'Weet je wat het is met jou? Je maakt me gek. Ik kan niet van je afblijven. Je bent de enige vrouw die ik ken met wie ze me nooit zonder gevolgen in één kamer kunnen opsluiten.'

Hij zei ook dat er betere minnaars waren dan hij. Ze kuste zijn woorden weg.

Wouter. '*Ze heet Cocky. Ik vind het geweldig dat je je hebt aangeboden als mijn getuige.*'

18

Nu Irma zich even niet verzet tegen de herinneringen, merkt ze dat het niet eens erg is om aan Wouter en Cocky te denken. Het lijkt er zelfs op dat ze het stimuleert. Het verleden is blijkbaar beter te hanteren dan het heden.

Wouter en Cocky trouwden op een maandagmorgen. Gratis. Iedereen moest om negen uur op het stadhuis in Alkmaar zijn. De moeder van Cocky was haar getuige en er liepen ook nog twee neven en een vriendin rond. Irma was de enige die voor Wouter was gekomen.

Ze herinnert zich iedere minuut van die ochtend. De moeder bekeek haar meewarig. 'Dus jij bent zijn enige vriendin? Ik mag hopen dat het om een platonische vriendschap gaat?'

'Natuurlijk,' lachte Cocky. Ze lachte voortdurend, die dag. En ze keek vrijwel alleen naar Wouter.

Hij keek naar Irma. Ze voelde zijn blik overal op zich gericht en probeerde hem te negeren. Ze probeerde zich ook niet voor te stellen dat ze 's avonds samen naar zijn huis zouden gaan en in zijn bed zouden slapen. Het bed waar zij drie dagen eerder nog in had gelegen. 'Wat doen we als Cocky komt?' had ze gevraagd.

'Die komt niet,' had Wouter geantwoord.

'Weet ze wat er tussen ons is?'

'Ze weet dat jij een speciale vriendin bent voor mij. Verder stelt ze geen vragen.'

Cocky keek die maandag een paar keer vluchtig naar haar, maar toch zag Irma goed welke vragen haar ogen stelden. Ze fantaseerde over de sensatie die zou ontstaan als ze een van de afwachtende stiltes die voortdurend vielen zou benutten om een mededeling te doen over het speciale aspect van de vriendschap tussen Wouter en haar. Maar ze hadden hun handtekening al onder de trouwakte gezet en zij had die van haar daar slaafs aan toegevoegd.

Ze probeerde de wanhoop die als een blok op haar borstkas lag met diep inademen te verdrijven. Ze sperde haar ogen wijd open om de tranen te ontwijken. En ze dronk te veel.

Om halfdrie werden ze uitgezwaaid door Wouter en Cocky. Irma liep voorzichtig naar haar auto en het lukte haar om kaarsrecht de straat uit te rijden. Ze dacht voortdurend aan de woorden van Wouter over het te grote leeftijdsverschil tussen hem en haar. Cocky was maar een paar jaar ouder dan zij.

In haar achteruitkijkspiegel zag ze het bruidspaar samen in de deuropening staan. Ze haatte Wouter en wenste hem dood.

Hij verscheen vijf dagen na de bruiloft die geen naam mocht hebben weer op zijn vaste plek in het Grand Café. Cocky was met een vriendin naar de bioscoop, ze wilde een film zien die hem niet interesseerde.

'Heb je het niet voor haar over om haar het plezier te doen om mee te gaan?' informeerde Irma.

'Nee.' Hij lachte breed en keek om zich heen. 'Veel personeel en weinig klanten. Kun je er niet een uurtje tussenuit?'

Het lukte haar een halfuur om zijn uitnodigingen af te wimpelen, maar ze zorgde er wel voor dat ze hem niet aankeek als ze nee zei. Toen raakte ze op het moment dat ze een nieuw glas voor hem neerzette per ongeluk zijn hand aan. Ze schrok en keek op. Die ogen.

Dat verlangen.

Ze wilde het gevoel wegduwen, ver wegduwen, ongrijpbaar maken. In plaats daarvan omarmde ze het.

Ze gingen naar de duinen en nestelden zich in een diepe duinpan. Het was een frisse voorjaarsavond. De schemering begon al te vallen en de duinen lagen er verlaten bij. De zee maakte ruisende geluiden, in de verte waren de geluiden van zeemeeuwen te horen. Irma wilde niet toegankelijk zijn en voelde de kramp in haar lijf. En ze wilde vooral niet huilen.

'Wat ben je stil,' zei Wouter.

'Wat valt er te zeggen?'

Hij draaide haar gezicht naar zich toe en legde zijn voorhoofd tegen dat van haar. 'Er valt te zeggen dat je het fijn vindt om met me samen te zijn.'

'Wat zou daar fijn aan zijn?'

'Geloof me maar, dat is fijn.' Zijn tong gleed langs haar lippen. Ze perste ze op elkaar. Hij klemde zijn handen om haar hoofd en kuste haar ruw. 'Heel erg fijn,' fluisterde hij.

'Ik wil dit niet.'

Hij trok haar tegen zich aan. 'Leugenaar.'

'Ik haat je.'

Ze voelde aan het trillen van zijn borstkas dat hij lachte. 'Jij kunt mij niet haten. Jij wil mij niet haten.'

Dat klopte. Op dat moment was ze daarvan overtuigd. Toen nog wel.

Het gebeurde buiten haar wil. Er ontstond een gevoel dat haaks stond op haar liefde voor Wouter. Ergens heeft die liefde moeten plaatsmaken voor haat. Ergens werd overgave gedoemd aanval te worden.

Ergens besloot ze dat de dood de enige manier zou zijn om zich van hem te bevrijden.

19

De daaropvolgende weken kwam hij twee keer naar het Grand Café als Cocky niet thuis was en iedere keer nam hij haar mee naar een duinpan en herhaalde zich het spel van tegenwerpingen maken en zich toch laten verleiden. En iedere keer huilde ze na afloop.

'Er verandert niets voor ons,' beweerde Wouter.

'Alles is veranderd,' sprak ze tegen. 'We hebben samen geen toekomst meer.'

'Die hebben we ook nooit gehad.' Zijn woorden deden pijn, ze dook in elkaar. 'Ik heb je ook nooit iets beloofd, dat weet je toch?'

'Je zei dat het niets zou worden vanwege ons leeftijdsverschil. En je trouwt met een vrouw die maar een paar jaar ouder is dan ik.'

'Dat klopt. Maar het leeftijdsverschil was niet de doorslaggevende reden.'

'Ben ik niet goed genoeg? Had ik net als jij drs. voor mijn naam moeten hebben?'

'Dat heeft er helemaal niets mee te maken.'

'Waarom trouw je dan met een vrouw die je nauwelijks kent? Hoe diep zit je gevoel voor haar?'

Hij greep haar vast, zijn vingers drukten hard in haar schouders. 'Ik voel veel meer voor jou.' Zijn stem klonk schor. 'Dat is dan ook het probleem. Ik geef te veel om jou en ik wil niet getrouwd zijn met een vrouw die alles voor me betekent. Dat komt te dichtbij, dat maakt me te kwetsbaar. Ik zou geen nacht rustig meer slapen als ik me op die manier aan jou verbond. Ik ben al een keer getrouwd geweest met een vrouw van wie ik blind was en ik heb nog steeds last van de scheiding.'

'Ik begrijp het niet.'

Hij kuste haar hals, zijn lippen dwaalden langs haar oren en bewogen zich in de richting van haar mond. 'Ga niet proberen het te begrijpen. Hou vast wat er is, wees er zuinig op.'

'Ik wil niet altijd alleen blijven.'

Hij keek haar aan. 'Als er een andere man in jouw leven komt, zal ik plaatsmaken,' zei hij ernstig.

'Nu begrijp jij het dus niet,' snauwde ze, en ze rukte zich los.

Hij klaagde dat Cocky hem controleerde. 'Ze vertrouwt me niet,' zei hij op een middag.

'Terecht,' antwoordde Irma.

'Op de dagen dat jij om drie uur klaar bent, zou je langs mij kunnen komen,' stelde hij voor. 'Heiloo ligt bijna op je route.'

'Begrijp ik het goed? Bedoel je dat ik naar het psychiatrisch ziekenhuis in Heiloo moet rijden en het paviljoen moet opzoeken waar jij werkt om in je kantoor met je te kunnen vrijen?'

'Vind je dat dan niet spannend?'

'Ik vind het pure armoede.'

Toch nam ze de afslag Heiloo.

Het was eind september. De struiken die voor het raam van Wouters kantoor stonden, begonnen al kaal te worden. De stemmen van de mensen die op weg waren naar de fietsenstalling achter het paviljoen waren beter te verstaan. Irma controleerde of de luxaflex wel goed dichtzat en de deur was afgesloten.

Hij strekte zijn armen naar haar uit. 'Hou eens op met die paniek. Niemand zal bedenken wat hier gebeurt.'

'Wanneer kom je weer eens naar IJmuiden? Straks ben ik verhuisd en heb je geen afscheid genomen.'

'Waarom wil je daar toch weg? Waarom jaag je jezelf op hoge vaste lasten?'

'Ik wil een huis waar ik me ruim kan bewegen en met een grote tuin. Dat heb ik gevonden. Die hoge vaste lasten vallen mee.' Ze vertelde niets over de grote som geld die ze van haar moeder had gekregen. Het geld waar haar moeder geheimzinnig over deed en waar Irma geen vragen over stelde.

Wouter ging niet door op het onderwerp. 'Ik vind je zo rusteloos,' zei hij.

'We kunnen ons niet allemaal even gesetteld gedragen.'

'Au! Je bent onweerstaanbaar als je vals doet.'

Er viel een onaangename stilte, die een boodschap aankondigde. Irma probeerde een ander gespreksonderwerp te bedenken.

Wouter maakte een uitnodigend gebaar naar de stoel die naast zijn bureau stond. 'Cocky is zwanger,' zei hij.

20

Sinds Hummel in haar leven is verschenen, komt de gedachte aan een kind regelmatig in Irma op. Het is een voorzichtige gedachte, breekbaar als dun glas, te kwetsbaar om aan te raken. Meestal verzet ze zich met praktische argumenten. Die scheppen dan rust en verdrijven het idee. Het lijkt wel of er tegenwoordig steeds zwangere vrouwen in haar buurt zijn. Dat gebeurde ook toen Cocky zwanger werd.

Overal liepen opeens zwangere vrouwen rond. Zelfs in het Grand Café vielen ze haar lastig door er met hun dikke buiken te verschijnen. Sommigen van hen gedroegen zich rustig en vielen nauwelijks op. Maar het merendeel deed moeite om ieders blik op hun vooruitstekende buik en de gelukzalige glimlach op hun gezicht gericht te krijgen. Die monsters had ze met liefde een optater gegeven.

Natuurlijk gedroeg ze zich beheerst. Natuurlijk merkte niemand iets aan haar. Natuurlijk slikte ze de venijnige opmerkingen in die voor in haar mond lagen. En natuurlijk vree ze rustig door met Wouter.

Dat kwam door het besluit dat ze had genomen. Ze dacht er voortdurend aan. Vince vond dat ze er gelukkig uitzag, gelukkiger dan ooit tevoren. Hij informeerde voorzichtig of er sprake was van een nieuwe liefde. Ze ontweek een rechtstreeks antwoord.

Toen Cocky ruim zes maanden zwanger was, werd ze in verband met bloedverlies acuut opgenomen in het Medisch Centrum Alkmaar en kwam Wouter vertellen dat ze daar waarschijnlijk de rest van de zwangerschap moest doorbrengen. Hij hielp Irma met de verhuizing van IJmuiden naar Cruquius en mopperde dat ze beter in een plaats had kunnen gaan wonen met een naam die je kon uitspreken zonder je tong te breken. Ze vreeën tussen de verhuisdozen, op de matras die nog op de grond lag, op de keukentafel die nog bedekt was met een kartonnen laag en op de nog kale trap naar de zolderverdieping. Hij moest naar het ziekenhuis, maar kwam bij haar slapen. 'Cocky denkt dat ik thuis ben,' zei hij. 'Dus als ze belt, moet je niets zeggen.'

'Heeft Cocky echt niet in de gaten wat er tussen ons gaande is?' wilde Irma weten.

'Ik denk van wel. Maar ze wil er niet mee geconfronteerd worden.' Hij dronk veel whisky, die avond.

'Stel je voor dat ze bellen dat je naar het ziekenhuis moet komen,' zei ze.

'Dan laat ik me brengen. Door jou. Dat doe je toch wel?'

Ze besloot net zo dronken te worden als hij.

'Je bent nog steeds boos op me,' constateerde hij.

Die nacht bedacht ze het plan. Het duurde nog minstens twee maanden voordat Cocky ging bevallen. Die twee maanden moesten het verschil gaan maken. Wouter kreeg die tijd om te ontdekken dat hij niet bang hoefde te zijn voor zijn gevoel voor haar. Dat ging ze hem duidelijk maken.

Het was erop of eronder.

Voor hem.

Hij bekeek met een geamuseerde blik in zijn ogen de envelop die ze op de trap had gelegd. 'Ik wist niet dat je twee namen had,' zei hij. 'Mevrouw I.I. Esfeld. Waar staat die tweede I voor?' 'Ik heet Irma Irene.' 'Irene.' Hij sprak de naam liefkozend uit. 'Mooie naam. Ik vind Irene veel beter bij je passen dan Irma. Het klinkt zachter, het benadrukt je zachte kant. Ik zou je wel Irene willen noemen.' Zijn voorstel irriteerde haar. Hij zag het. 'Niet goed? Dan noem ik je Reentje.' De stilte die na zijn woorden viel, werd abrupt verstoord door het geluid van zijn mobiele telefoon. Hij schrok. 'Ik wist dat er vandaag iets ging gebeuren,' zei hij toen hij het gesprek had beëindigd.

Hij belde midden in de nacht. 'Ik heb een zoon. Weer een zoon.' Hij hijgde. 'Hij is prachtig en hij heet Camiel.'

'Drie weken te vroeg,' merkte ze op. Ze wist niets beters te zeggen.

'Alles erop en eraan,' juichte hij. 'En Cocky deed het fantastisch.' Haar borstkas vernauwde zich. 'Ik moet morgen vroeg op. Zie je wel weer.' Hij wilde nog iets zeggen, maar ze verbrak snel de verbinding.

Ze lag klaarwakker naar de nacht te staren en probeerde de woorden die in haar oren bleven nagalmen buiten te sluiten. '*Ik heb een zoon. Weer een zoon. Hij is prachtig en hij heet Camiel.*'

De boodschap was duidelijk en onverteerbaar.

Ze stelde haar plan bij.

*

Tijdens de reis naar huis werd er weinig gesproken. Het kind keek steeds naar de mond van de moeder en wachtte op het moment dat ze de woorden die ze wilde horen tevoorschijn kon zien komen. De moeder hield haar lippen stijf op elkaar. Ze trok voortdurend met haar rechteroog.

'Waarom doet je oog zo raar?' wilde het kind weten.

'Kijk jij eens voor je.'

Toen ze weer thuis waren, bleek de vader een verboden gespreksonderwerp te zijn geworden.

'Ik wil weten waar hij is,' zei het kind. 'Ik wil weten wanneer hij terugkomt.'

'Reken er maar op dat het heel lang kan duren voordat je hem weer ziet.' De moeder wilde het kind naar zich toe trekken, maar ze greep mis. 'Ga je nu boos doen tegen mij? Ik heb je toch niet in de steek gelaten?'

'Mijn vader heeft me in de steek gelaten,' zei het kind tegen de juf op school. 'Het kan heel lang duren voordat hij terugkomt.'

De juf antwoordde dat het zou helpen als ze heel vaak aan haar vader dacht. Ze was ervan overtuigd dat hij kon voelen dat zijn dochter naar hem verlangde.

Het kind dacht vanaf het moment dat ze 's morgens haar ogen

opende tot ze ze 's avonds weer sloot aan haar vader. Maar hij kwam niet terug.

Zes maanden na de cruise ontdekte het kind dat de kleren van haar vader verdwenen waren. Ze staarde naar de houten kleerhangers die strak naast elkaar hingen. De kledingkast rook muf. Ze vermoedde dat haar moeder de kleren naar de zolder had gebracht en zette haar zoektocht daar voort. Maar ze vond niets. Zelfs de geur van haar vader was nergens meer te bekennen. In de badkamer ontbraken ook de aftershaveflesjes die ze hem voor zijn laatste Vaderdag had gegeven. Toen hij dat cadeautje had uitgepakt, juichte hij dat het precies de geur was die hij bedoelde. En hij smoorde haar bijna in zijn omhelzing.

Het kind zat op de bovenste trede van de zoldertrap en huilde. Ze drukte haar kleddernatte wangen tegen haar rokje aan en veegde met haar mouw haar neus af. Ze riep haar vader en ze hoorde de klank van haar stem verdwijnen in de leegte om haar heen. Ze begon te schreeuwen. Ze stampte met haar voeten op de trap, het schreeuwen werd gillen totdat ze schor was geworden. De zolder zweeg. De kledingkast was ijzig stil. Het hele huis keerde zich tegen haar. Ze dook in elkaar, sloeg haar armen om haar knieën en bleef doodstil op de trap zitten tot de moeder haar vond.

'Meisje toch, lief meisje van me toch, wat doe je nu?' vroeg de moeder.

'Ik wil dat papa terugkomt.'

De moeder trok het kind tegen zich aan. 'Dat wil ik ook. Maar hij wil het blijkbaar niet.'

'Ik kan het niet begrijpen,' zei het kind.

De dromen begonnen geleidelijk. Ze namen haar mee naar een onbekende plek en daar ontmoette ze haar vader. Hij was iedere keer als ze arriveerde uitzinnig van blijdschap en prees haar omdat ze hem gevonden had. In de dromen voelde ze zich een ander kind. Ze had dezelfde stem, ze droeg haar eigen kleren, maar toch was ze anders. 'Ik heb andere gedachten,' zei ze tegen haar vader.

'Dat mag, dat is helemaal goed,' antwoordde hij.

'Het zijn geen goede gedachten.'

Hij boog zich en hun neuzen raakten elkaar. 'Het zijn jouw gedachten, ze horen bij jou, dus laat ze toe. Je hebt er recht op.' Een paar dromen verder vroeg hij hoe de minder goede gedachten eruitzagen. Ze vertelde het en lette op zijn reactie. Hij luisterde aandachtig en er was niets aan zijn gezicht te zien, zelfs niet toen ze over de gedachten sprak waar ze zelf van terugdeinsde. 'Je hebt er recht op,' herhaalde hij slechts. Even later zei hij dat hun scheiding niet eerlijk was.

21

'Zet de televisie aan, RTL4. Snel!' De stem van Denise is dwingend. Irma had de telefoon niet willen opnemen, maar nu ze het toch heeft gedaan kan ze maar beter gehoorzamen. Ze ziet Albert Verlinde in beeld verschijnen.

'Het gaat over Floran Haverkort,' legt Denise uit. 'Ze hebben het uitgebreid over hem. En over zijn hanengedrag, natuurlijk. Altijd leuk om een ex-Kamerlid daarop door te lichten en echt een onderwerp voor RTL *Boulevard*. Ze hebben zich volgens mij goed voorbereid, het is echt een smeuïg verhaal. Maar tot nu toe heeft niemand het over zijn bezoeken aan die coffeeshop, vind je dat niet vreemd?'

'Wat is daar vreemd aan? Ik kan me niet voorstellen dat hij daarmee te koop liep.'

'Liep? Denk je dan... denk je soms dat hij dood is?'

'Ik denk niets, ik wil er ook niets mee te maken hebben. Het zal me echt niet verbazen als hij opeens weer tevoorschijn komt. Waarschijnlijk samen met dat strakke kind dat zijn dochter kan zijn.'

'Je denkt er dus wel degelijk iets over. Hij lijkt van de aardbodem verdwenen te zijn en volgens mij is er iets ernstigs aan de hand.'

Irma schakelt de televisie weer uit. 'Ik zat net een spannend boek te lezen,' zegt ze.

Denise zucht diep. 'Soms begrijp ik werkelijk geen sikkepit van jou, Irma.'

'Waarom maak jij je zo druk om Floran Haverkort als ik dat zelf niet eens doe? Hij blijkt een passant te zijn geweest, zoals zoveel mannen die wij hebben leren kennen. Leuk zolang het duurt, daarna snel weer vergeten.'

'Doet het je dan helemaal niets dat hij zomaar verdwijnt en niets meer van zich laat horen? Laat jij je gewoon opzij duwen door een minderjarige snotaap? '

'Ik ben me er niet van bewust dat ik door iemand opzij geduwd ben. Wat is er met je aan de hand, Denise? Hoe komt het dat je zo met Floran Haverkort bezig bent? Dit gaat volgens mij over andere dingen dan de verdwijning van iemand die je niet persoonlijk kent. Dit gaat veel meer over wat jij voelt.'

'Ik kan er steeds slechter tegen dat geen enkele relatie lukt en ik alleen ben.'

'Juist, zoiets dacht ik al. Kom naar me toe, ik trek een lekkere fles wijn open. Het logeerbed is schoon, ik heb vandaag mijn hele huis gesopt en er staat nog een halve perenvlaai in de koelkast.'

'Het lijkt wel of je erop rekende dat ik zou komen.'

'Zou kunnen. Ben je nu onderhand eens onderweg?'

'Ik kan er echt steeds minder goed tegen dat ik alleen ben.' Denise begint al te ratelen als ze nog in de hal staat. Irma loodst haar de woonkamer in. Denise kijkt verrast om zich heen. 'Je hebt overal rode tulpen neergezet. Wat mooi! Waarom alleen rode?'

'Waarom niet? Zoek je daar nu ook al iets achter? Ga zitten en vertel me eens waarom het single zijn je opeens zo opbreekt.'

Als Denise praat, hoeft Irma niets te zeggen. Terwijl haar vriendin de woordenvloed over haar uitstort, bedenkt ze dat dit haar goed bevalt. De rollen zijn prima verdeeld. Denise is de prater, zij is de luisteraar.

'Overal waar ik ben, kom ik stelletjes tegen. Je wil niet weten hoe vaak ik kogelronde onaantrekkelijke vrouwen zie met een verschrikkelijk mooie vent. Hoe komen die monsters aan die kerels? Waarom vinden wij zulke mannen niet? Wat is er mis met ons?'

'Kijk naar jezelf,' bromt Irma.

'Zeg nu zelf: ik zie er toch goed uit? Ik let op mijn gewicht, verzorg mijn huid fatsoenlijk, draag mooie kleren, kan mijn eigen geld verdienen. Ik heb geen last van rammelende eierstokken, dus geen enkele man hoeft bang te zijn dat ik amechtig begin te doen over een kinderwens. En mocht ik iemand tegenkomen die kinderen heeft en daarbij behorende verplichtingen, ga ik niet moeilijk doen. Dus wat is het probleem?'

'Er is geen probleem,' zegt Irma. 'Er is alleen geen man. Nu even niet.'

'Heb jij er geen last van? Ik bedoel van dat eeuwige gedonder, zoals nu weer met die Floran? Dat stormt binnen, verovert je, rampetampt je beurs en verdwijnt met de noorderzon. Voel jij je nu niet gebruikt?'

Irma grinnikt. 'Dat beurse valt wel mee. En nee, ik voel me niet gebruikt. Ik heb eerlijk gezegd geen zin om me zo te voelen, dus ik doe het niet. Hij was de moeite waard, ik had wel meer gewild, maar hij heeft de mogelijkheid niet benut.'

'Was je verliefd?' Denise is nu ernstig.

'Verliefd? Ja, dat was ik. Ik had heel veel ruimte voor die man. Voor het eerst sinds tijden wilde ik er helemaal voor gaan. Het is al zeven jaar geleden dat ik serieus iets met iemand had, dus de tijd was rijp. Maar eenrichtingverkeer in de liefde werkt niet. En geen enkele man is het waard dat ik helemaal van hem onderuitga. Ik sluit het af en Floran ziet maar wat hij doet.'

'Meen je dat? Had je al zeven jaar niemand gehad? Met wie was je dan zeven jaar geleden?'

'Dat doet er even niet toe. Ik vertel het je nog wel eens.'

'Daar houd ik je aan. Maar wat als Floran opeens weer voor de deur staat?'

Irma glimlacht. 'Dan heeft hij heel wat uit te leggen. Ach, die komt zeker niet meer tevoorschijn.'

'Hoe weet je dat zo zeker?'

'Ik weet niets zeker. Ik ga er gewoon van uit dat het voorbij is.'

'Geef me nog maar een glas, ik heb zin in drank en ik wil schelden op de kerels. Ik zou als jij willen zijn, Irma. Ik zou net zo onaantastbaar en cool willen zijn.'

'Ik ben niet onaantastbaar,' zegt Irma zacht.

22

Er zijn allerlei geluiden in huis en Irma moet even nadenken om te begrijpen wat die geluiden betekenen. Het volgende moment hoort ze de stem van Denise op de overloop. 'Kom eruit, slaap-kop, het is veel te mooi weer om in bed te liggen.' Als Irma de trap af loopt, ruikt ze koffie.

Denise heeft haar plannen al klaar. 'Ik zou die coffeeshop waar jij Floran hebt afgezet wel eens willen zien. Zullen we vandaag een dagje Alkmaar doen?'

Irma zucht diep. 'Nee hè, toch niet weer dat gemekker over meneer Haverkort? Ik dacht dat je er nu wel klaar mee was.'

'Het intrigeert me dat ze bij RTL *Boulevard* niets over zijn hasj-gebruik hebben gezegd.'

'Nogmaals: dat hoeft niemand te weten.'

Irma wil nog een venijnig antwoord geven, maar het geluid van de telefoon voorkomt dit. Het is Vince. Zijn stem beeft. 'Ik versta je bijna niet,' zegt Irma. 'Wat is er aan de hand met Ria? Wát? Hoe kan dat zo opeens? Wat zul je geschrokken zijn. Nee, natuurlijk niet, ik kom eraan.' Ze richt zich tot Denise. 'Geen dagje shoppen, ik moet naar Egmond. De vrouw van mijn baas is vannacht acuut opgenomen in het ziekenhuis met hartritme-stoornissen. Hij is zich een ongeluk geschrokken en wil in haar buurt zijn vandaag. Er gaan allerlei onderzoeken plaatsvinden.

En in Egmond is niemand beschikbaar die de leiding kan nemen, dus ik moet aan het werk.'

'Daar kom je dan mooi onderuit.'

'Waar kom ik onderuit?'

'Aan dat bezoek aan die coffeeshop.'

'Daar mag jij wat mij betreft gerust in je eentje naartoe gaan, Denise, maar mij zul je daar niet meer zien. Als ik iets afsluit, is het definitief. Ik hou niet van half werk.'

Denise kijkt Irma peinzend aan. 'Nee, dat klopt.'

Irma is opgelucht. Ze zou Ria bijna dankbaar zijn voor haar acute ziekenhuisopname. Maar Vince was zo ongerust dat ze zich voor deze gedachte schaamt. Het moet goed aflopen met Ria, ze is een aardige vrouw die altijd hartelijk voor Irma is geweest. Ze verdient het om gezond oud te worden. En Denise moet ophouden met het in bedekte termen duidelijk maken van haar achterdocht. Waarom doet ze dat toch? En hoelang is dit al gaande? Waar komt dat wantrouwen vandaan?

Als ze Egmond nadert, besluit ze zich niet langer druk te maken over de achterdochtige vragen van haar vriendin. Haar collega Jeltje staat al op haar te wachten en trekt haar bijna het Grand Café in. 'Zou ze doodgaan?'

Irma heeft zin de vrouw van zich af te schudden. 'Niet zo dramatisch doen, Jeltje. Ze is in goede handen en ik weet zeker dat ze binnenkort weer gezond rondloopt.'

'Met zulke ernstige hartklachten? Ik dacht het niet. Vince was ook helemaal de kluts kwijt. Hij huilde.'

Irma kijkt de zaak rond. Het is niet druk. 'Ik ga eerst de bar eens opruimen. Blijf jij maar in de bediening.'

'Kan het je niet schelen wat er met Ria gebeurt?'

Irma voelt de irritatie terrein winnen. 'Het kan mij heel veel schelen, maar ik help Ria en Vince niet als ik hier superongerust ga rondlopen. Dat geldt ook voor jou. Doe me een plezier en beheers je een beetje. Dit is je werk, er wordt hier het een en ander van je verwacht.'

'Wat ben jij hard, Irma.'

Het is tamelijk druk geworden en Ria's ziekte komt niet meer ter sprake. Irma ziet wel dat Jeltje nu en dan met een donkere blik naar haar kijkt, maar ze zorgt ervoor dat de glimlach op haar gezicht aanwezig blijft. Ze voelt zich rustig en merkt dat dit van invloed is op de rest van het personeel. De aanvankelijke paniek is verdwenen, er wordt niet meer verschrikt opgekeken als de telefoon gaat. Irma is ervan overtuigd dat het goed afloopt met Ria. Die zekerheid geeft rust. Ze hoort de vriendelijke klank van haar eigen stem, ziet haar handen op een trefzekere manier hun werk doen en voelt de grond onder haar voeten. Ze merkt dat ze in staat is om minder geïrriteerd te zijn en wat toegeeflijker terug te denken aan alles wat Denise gisteravond en vanmorgen tegen haar zei. Het maakt mogelijk dat ze zonder iets te voelen naar de plek van Wouter kijkt. Die plek is ondanks alle aandacht voor het vertrek van Floran prominent aanwezig. Maar vandaag is het alleen een plek.

'Wat ben je stil,' zegt Jeltje.

Nu dat weer. Irma wacht even voor ze reageert. 'Ik merk dat ik moe begin te worden. Het was een korte nacht, ik had bezoek.'

'O. Leuk bezoek?'

'Mijn vriendin.' Nu gaat Jeltje misschien wel denken dat ze lesbisch is. Irma wil het uitleggen, maar besluit haar mond te houden.

'Ik kan wel afsluiten,' biedt Jeltje aan.

Zelfs een aanbod van Jeltje is vandaag acceptabel.

23

'Fijn dat je toch vrij kon krijgen.' Irma's moeder drukt haar vingers stevig in haar onderarm. 'Je weet dat dit een bijzondere datum voor me is.'

'Voor mij ook.'

Haar moeder kijkt weg. 'Het is vandaag precies achtentwintig jaar geleden.'

'Ik weet het.'

'Jij was zeven.'

'Dat weet ik ook.'

'Je weet het nog allemaal.'

'Natuurlijk.'

'Wat ben je kortaf.'

'Moeten we dit gesprek echt voeren?' Irma probeert haar moeder aan te kijken. 'Het is stralend weer en we gaan er een dagje opuit. Laten we leuke gespreksonderwerpen bedenken.'

'Hij komt nooit meer terug,' zegt haar moeder.

Irma zucht diep. 'Mama, hou eens op. Als je daar zo van overtuigd bent, waarom stap je dan niet naar de rechtbank om hem dood te laten verklaren? Dat had je volgens mij al veel eerder moeten doen.'

'Hoe weet jij dat hij dood is?'

'Voor mij is hij dood. Ook al leeft hij misschien werkelijk

samen met die man, ook al is hij misschien stinkend gelukkig met zijn tweede leven, voor mij is hij dood. Hij heeft me in de steek gelaten en mijn vertrouwen in mannen voor altijd beschadigd. Hij heeft me ontkend en dat vergeef ik hem nooit. Het is onvergeeflijk.'

'Komt het door hem dat je nog steeds alleen bent?'

'Door wie anders?'

'Ik gun je een aardige man.'

'Die gun ik jou ook. Het slaat echt nergens op dat je na al die jaren nog steeds wettelijk aan hem vastzit. Hij heeft geen bankrekening meer, zijn naam staat niet op jouw voordeur, er komt geen oproep om te stemmen voor hem binnen, zelfs de belastingen hebben hem uit het systeem verwijderd. En jij blijft maar hopen dat hij terugkomt.'

'Ik hoop niets meer. En mijn eigen burgerlijke staat zit me niet in de weg. Ik heb nooit een andere man gewild.'

'Ik wel een andere vader.'

Ze rijden over de Afsluitdijk. Na enig overleg hebben ze besloten om vandaag naar Groningen te gaan, de geboortestad van Irma's moeder.

'Ik denk dat ik nog maar weinig van de stad zal herkennen. Ik ben er al veertig jaar niet geweest, maar er liggen wel veel herinneringen.'

'We zien wel,' zegt Irma. Het maakt haar niet uit in welke uithoek van het land ze vandaag terechtkomen en welke herinneringen de revue gaan passeren, als het onderwerp van gesprek maar niet haar vader is en als ze maar niet aan de dag van zijn verdwijning hoeft te denken.

'Je zult je wel niet meer herinneren hoe hij eruitzag. Je was pas zeven.' Irma's moeder wrijft haar vingertoppen tegen elkaar. 'Groningen is ook de geboortestad van Meta.'

'Nu echt ophouden!' De stem van Irma slaat over. 'Wat bezielt je vandaag? Moet de dag dan per se verpest worden?' Haar moeder schrikt. 'Sorry. We praten er nooit meer over en ik dacht dat je misschien toch...'

'Ik wil overal over praten, maar niet over mijn vader, niet over de dag dat hij verdween, niet over wat je me later allemaal verteld hebt. Ik heb het afgesloten en dat kun jij beter ook doen.' Ze naderen een verkeersbord. 'En we gaan ook niet naar Groningen,' beslist Irma.

24

Bij het wegrestaurant staat een groot bord met de aankondiging van de lekkerste koffie van Nederland.

Ze hebben het laatste halfuur geen woord met elkaar gewisseld en Irma wilde net voorstellen om terug te rijden naar IJmuiden, toen ze het bord ontdekten. Haar moeder reageerde enthousiast op de belofte en stond erop dat Irma stopte. 'Ik trakteer. We nemen ook taart. Bij de lekkerste koffie zal ook wel de lekkerste taart zitten.'

Soms vindt Irma haar moeder net een klein kind. Een opgetogen kleuter die in haar handen klapt als ze iets leuk vindt en een hoog stemmetje opzet. Meestal schenkt ze daar geen aandacht aan, maar vandaag komt alles extra hard naar binnen. De overdreven reactie van haar moeder is buitengewoon irritant. 'Taart? Mag dat dan van de dokter? Daar zit toch suiker in?'

Haar moeder loopt een stukje voor haar uit. 'Ik mag heus wel eens een beetje zondigen. De dokter is steeds heel tevreden als ik bloed laat prikken. En hij heeft vorige week nog gezegd dat ik mezelf nu en dan ergens op mag trakteren.'

Ze zitten bij het raam, omdat Irma's moeder graag naar buiten wil kijken. De ober maakt een gebaar dat te kennen geeft dat hij hen heeft gezien en dadelijk naar hen toe komt.

'Nette zaak,' constateert Irma's moeder. 'Gelukkig geen asbakken op tafel. Je moet tegenwoordig maar afwachten of een restauranteigenaar het rookverbod respecteert. Mijn buurvrouw vertelde daar vorige week nog iets over...' Ze heeft waarschijnlijk in de gaten dat Irma's gezicht vertrekt bij het woord 'buurvrouw'. 'Jij moet haar niet, ik weet het. Hoe gaat het eigenlijk met Denise? Ik hoor je niet meer over haar. Ben je niet meer met haar bevriend?'

'Jawel. Waarom vraag je opeens naar Denise?'

'Waarom niet? Ik vind het een aardige meid. Met je laatste verjaardag heb ik leuk met haar gepraat. Ze is rechtdoorzee, daar hou ik wel van.'

'Ze is nieuwsgierig.'

'Hoezo?'

'Precies zoals ik zeg. Ze wil altijd het naadje van de kous weten.'

'Misschien zou ze minder vragen stellen als jij zelf eens wat openhartiger werd.'

'Nu heb ik het weer gedaan?'

'Laat maar, Irma.'

Op het moment dat de ober die hun bestelling heeft opgenomen wegloopt, hoort Irma het geluid van haar mobiele telefoon in haar tas. Ze werpt een blik op de display en aarzelt.

'Neem eens op,' dringt haar moeder aan.

Ze gehoorzaamt en zet haar voeten stevig op de grond.

'Dag Reentje. Wat doe je vandaag?'

Ze voelt dat haar moeder haar arm vastgrijpt en hoort de paniek in haar stem als ze vraagt wat er aan de hand is. Met een resoluut gebaar verbreekt ze de verbinding. Ze wil iets bedenken om over te praten en probeert een onderwerp te vinden dat veilig is. Maar haar moeder wil weten wie haar belde.

Irma heeft zin om het mobieltje naar buiten te smijten. 'Niemand.'

'Hoe bedoel je: niemand?'

'Het was een onbekende.'

'Waarom schrik je dan zo?'

'Ik schrik niet.'

'Je schrikt wel, ik zie het toch. Wie was dat, Irma? Wat gebeurt er allemaal?'

Irma zou het gewoon willen vertellen. Ze zou willen vragen: Weet je nog dat ik iets had met Wouter en dat je me waarschuwde voor het idiote leeftijdsverschil? Dat je later zei dat ik had kunnen weten dat het nooit iets zou worden? Ze zou alle details van de relatie op tafel willen leggen, alles wat ze samen deden uitgebreid willen beschrijven en willen schateren om de ontzette uitdrukking op het gezicht van haar moeder. Ze zou willen zeggen: Kijk, dat is wat volwassen mensen samen doen. Dat ben jij al zo lang vergeten, ik zal je geheugen eens even opfrissen. Ze zou willen choqueren, zich platvloers willen uitdrukken. Ze zou een beetje op Denise willen lijken.

Het mobieltje meldt zich weer.

'Ik neem gewoon niet aan,' zegt Irma.

'Aannemen,' gebiedt haar moeder. 'Ben jij gek? Sinds wanneer laat jij je onderuithalen door een onbekende? Bek hem af, geef hem een stevige uitbrander.'

Irma kijkt haar moeder verwonderd aan en gehoorzaamt opnieuw.

'Nu niet weer de verbinding verbreken, Reentje. Wat ben je bot geworden. Zo ken ik je niet.'

'Wat moet je van me?'

'Ik wil je zien. Ik wil je zo verschrikkelijk graag zien. Het is veel te lang geleden.'

Irma zwijgt.

'Zeg eens wat,' dringt haar moeder aan. 'Weet je nu wel wie het is?'

'Het is iemand die doet of hij Wouter is.'

'Hè, hè, eindelijk spreek je de naam uit. Wanneer kan ik je zien?'

'Nooit meer. Laat me met rust, wie je ook bent. De periode Wouter heb ik afgesloten. Als je me telefonisch blijft lastigvallen, doe ik aangifte van stalking.'

'Als iemand je lastigvalt, kun je beter een ander mobiel nummer nemen,' adviseert haar moeder.

'Reentje, wanneer kan ik je zien?'

Irma drukt met samengeknepen lippen op de rode knop en schakelt daarna de mobiele telefoon uit.

'Dit vind ik eng,' zegt haar moeder.

'Ik niet. Ik laat me niet bang maken door een of andere gestoorde freak. En ga jij je hier alsjeblieft ook niet druk om maken. Ik ga morgen direct een ander nummer regelen.'

'Ik zou toch alvast de politie inlichten.' Haar moeder legt een hand op Irma's arm. 'Beloof me dat je de politie inlicht.'

'Ik neem eerst een ander nummer.'

'Je bent net zo koppig als je vader,' mokt haar moeder.

25

Vince ziet er moe uit. 'Ik hoop dat je het nog even trekt, ik kan me niet op de zaak concentreren. Als eerst die operatie maar achter de rug is.' Irma omarmt hem en stelt hem gerust. 'Ik zou niet weten wat ik zonder jou moest beginnen,' zegt hij.

'Ik heb een nieuw mobiel nummer. Geef het alsjeblieft aan niemand anders door. Ik heb tegen de personeelsleden gezegd dat de lijst met onze privénummers absoluut niet in de zaak mag liggen.'

'Is er iets aan de hand?' wil Vince weten. 'Word je telefonisch lastiggevallen?'

'Dat werd ik inderdaad. Maar ik neem aan dat het nu voorbij is.'

'Aangifte gedaan?'

'Dat vond ik niet nodig.'

'Zou ik toch doen.'

Irma lacht. 'Nu lijk je mijn moeder wel.'

Ze heeft zich voorgenomen om zich verder niet druk te maken over de telefoontjes. Het nieuwe nummer zal haar beschermen, daar is ze van overtuigd. Maar als ze terugdenkt aan die stem, de manier waarop hij 'Reentje' zei, voelt ze zich ongerust. Als ze op straat loopt kijkt ze steeds achterom. Voordat ze naar bed gaat barricadeert ze de voordeur, de terrasdeur en de keukendeur. Ondanks die maatregelen slaapt ze slecht en denkt ze iedere nacht dat ze iemand door het huis hoort sluipen.

'Je ziet er zo moe uit,' zegt Vince.

Jeltje ratelt weer eens aan één stuk door en vandaag gaat alle aandacht naar Ria, de vrouw van Vince. 'Ik vind het link, zo'n hartoperatie op haar leeftijd. Ze moet minstens vier bypasses hebben, ga er maar aan staan.'

Irma luistert niet.

'Ik hoorde dat je een nieuw mobiel nummer hebt en dat we opeens heel voorzichtig moeten zijn met de telefoonlijst.'

'Dat was altijd al de bedoeling, Jeltje. Op die lijst staan onze privénummers, daar hoor je zorgvuldig mee om te gaan.'

'Nou, van mij krijgt niemand iets te horen. Maar je moet opletten met die twee weekendhulpen. Dat zijn me een kletskippen, zeg. En het gaat werkelijk nergens over. Werd je lastiggevallen?'

'Niet echt. Het maakt niet uit, ik wil alleen niet dat het nummer aan anderen bekend wordt gemaakt.'

'Ik sluit wel alleen af,' zegt Irma. 'Ga jij maar naar huis. De koks zijn ook al weg.'

'Weet je het zeker? Ik vind het niet erg om even te wachten tot je klaar bent. Dan kunnen we samen naar de auto lopen.'

Irma maakt een afwerend gebaar.

'Dan niet,' zegt Jeltje.

Het is erg laat geworden. De straten zijn stil, ergens in de verte blaft een hond. Irma loopt snel naar de plek waar haar auto staat.

Op eerdere avonden keek ze steeds om zich heen als ze buiten liep, maar vandaag voelt ze zich rustig. En moe. Misschien komt het door die vermoeidheid, die brandende ogen, het feit dat ze snakt naar een nacht lekker doorslapen. Ze is één keer minder alert en opeens gebeurt het.

Er is iets achter haar.

Ze houdt haar adem in en probeert met trillende vingers de deur van de auto te openen. Als ze maar kan instappen. Als ze de deur maar direct kan vergrendelen. Als ze maar snel genoeg kan handelen. Haar bonkende hartslag doet pijn. De grond onder haar voeten lijkt te vervagen.

Ze wordt ruw vastgepakt, het lichaam achter haar is groot en krachtig. Er is een hand die haar hoofd tegen het dak van de auto duwt, vingers die tegen haar hals drukken, een andere hand in haar rug, harde knieën in haar eigen knieholtes. Er is een man die haar met zijn lijf overweldigt en zij doet niets. Haar lichaam is veranderd in een plank.

'Zo Reentje, daar had je toch niet op gerekend, denk ik? Jij dacht dat je met een ander mobiel nummer van alle heisa verlost zou zijn? Dat je mij gewoon kon negeren? Net doen of ik niet bestond?'

'Jij bestaat ook niet.' Irma moet de woorden bijna uit haar mond persen. Ze hijgt. 'Jij bestaat niet,' herhaalt ze.

Ze ligt tegen de auto aan gedrukt, ze hoort haar eigen ademhaling, voelt de nadrukkelijke aanwezigheid van dat lichaam op haar en beseft dat ze fysiek zijn mindere is. Toch zegt ze dat hij niet bestaat en onmiddellijk vraagt ze zich af of dit wel zo verstandig is.

Zijn mond is vlak bij haar oor, ze voelt zijn adem langs haar wang glijden. 'Bedoel je soms dat ik niet kán bestaan? Hoe kun jij dat weten, Reentje?'

Irma's gedachten razen door haar hoofd. Ze moet hem aan de praat houden tot er iemand langskomt. Zodra ze iets hoort wat daarop wijst, kan ze gaan schreeuwen.

'Hier kom jij niet mee weg,' zegt de stem die ze uit duizenden zou herkennen. Dat is het meest beangstigende van deze situatie. Het is zijn stem, maar hij kan het toch niet zijn.

'Laat me los en zeg wat je van me wilt.'

'Ik wil revanche. Ik wil gerechtigheid. Ik wil je kapotmaken.'

Ze probeert zich te bewegen, maar hij is te sterk. De vingers in haar nek klemmen zich om haar strot, ze wordt nog steviger tegen haar auto aan gedrukt.

Ze ziet zichzelf hier op straat gevonden worden.

Ze moet zich verweren, ze moet aan hem ontkomen. Ze wil niet vermoord worden door een man die de stem van Wouter heeft. Een man die totaal anders aanvoelt dan Wouter.

'Ik maak je helemaal kapot,' fluistert de stem.

Er roept iemand.

Irma vraagt zich af of ze werkelijk een stem hoort, of het echt een bekende stem is.

Jeltje?

'Wat is er aan de hand?'

Ze wordt losgelaten en ze hoort iemand rennen.

'Hé, wie ben jij? Wat gebeurt hier? Heeft hij iets gedaan?'

Jeltje grijpt Irma vast. Ergens verderop wordt een auto gestart.

'Hij heeft niets gedaan,' fluistert Irma.

26

Ze kan geen beschrijving van haar aanvaller leveren, ze weet alleen zeker dat het een man was. Hij zei dat hij haar wilde beroven en ze heeft zich daartegen verzet.

De agent die haar woorden noteert knikt vriendelijk en probeert haar gerust te stellen. 'Je hebt je kranig gehouden en bent niet in paniek geraakt.'

'Wat een mazzel dat ik mijn auto niet gestart kreeg en ging kijken of jij nog niet was weggereden,' zucht Jetje voortdurend. 'Ik moet er toch niet aan denken dat... Had hij een mes? Een pistool?'

'Volgens mij was hij niet gewapend.' Irma zou graag willen dat haar collega nu eindelijk eens naar huis ging. Ze raakt iedere minuut meer geïrriteerd door de goedbedoelde vragen en adviezen die Jeltje over haar uitstort. 'Je moet echt niet alleen zijn nu, je moet iemand bellen om je op te halen. Misschien weet hij waar je woont en wacht hij je op. Je kunt beter ergens anders slapen.'

'Het lijkt mij niet aannemelijk dat iemand die je in Egmond probeert te beroven weet dat je in Cruquius woont,' snauwt Irma.

'Dat lijkt mij ook,' valt de agent haar bij. 'Maar toch is het misschien geen slecht idee om iemand te bellen bij wie je de komende nacht terechtkunt. Ik begrijp dat je alleen woont?'

'Je kunt ook beter niet autorijden,' is Jeltje van mening.

'Jeltje, ik ben zelfstandig achter de heren van de politie aan gereden en ik ben ook uitstekend in staat om zelfstandig thuis te komen.' Irma wendt zich tot de vriendelijke agent. 'Ik denk dat ik beter mijn vriendin kan bellen. Die woont in Aalsmeer. Ik kan vannacht wel bij haar slapen.'

Ze wil hier weg. Haar verklaring is opgenomen, ze houden het op een poging tot beroving. Het gaat niemand iets aan wat er werkelijk aan de hand was, ze zal deze situatie op eigen kracht moeten oplossen. Of toch niet? Kan ze toch beter gewoon opening van zaken geven? Maar wat zegt ze dan? Moet ze vertellen dat ze wordt lastiggevallen door iemand die zich voordoet als de man met wie ze in het verleden een heftige en buitengewoon gepassioneerde relatie had? Hoe verklaart ze dat ze zeker weet dat hij dit niet is? Als ze hier iets over zegt, begint het hele ondervragingscircus opnieuw. Ze krijgt het koud als ze eraan denkt.

'Zie je wel. Het grijpt je allemaal enorm aan,' constateert Jeltje. 'Ik vind het knap, hoor, zoals jij toch je zelfbeheersing kunt bewaren. Ik zou hier gillend hebben rondgerend.'

Irma moet lachen om het beeld dat voor haar ogen verschijnt. Een rondrennende gillende Jeltje met schuddende dikke borsten is dan ook een buitengewoon koddig gezicht.

'Er valt niets te lachen,' mokt haar collega.

Irma trekt haar gezicht weer recht en toetst het nummer van Denise. 'Ik ben bang dat ze al in bed ligt. Zie je wel, geen gehoor.' Ze wil de verbinding verbreken, maar dan hoort ze een slaperige stem.

Er zal niets anders op zitten dan de nacht doorbrengen in het huis van Denise. Ze zou veel liever in haar eigen bed willen slapen, maar ze is toch ook bang om alleen in haar eigen huis te zijn. Ze beseft dat ze nu overal rekening mee moet houden, zelfs met de mogelijkheid dat haar belager weet waar ze woont. Juist met die mogelijkheid. Hij kent haar, dat staat vast. Hij weet hoe ze door Wouter werd genoemd. Tot vandaag lukte het haar om zich niet druk te maken over dit feit. Ze heeft geweigerd de man serieus te nemen. Nu vraagt ze zich af hoe ze zo dom kon zijn. Niemand anders dan Wouter wist dat hij haar 'Reentje' noemde, dat weet ze zeker. Toch weet ze ook zeker dat de man die haar volgt niet Wouter is. Het was niet Wouters lijf dat haar tegen de auto drukte. Het waren niet zijn vingers die bijna haar keel dichtknepen.

Het was alleen zijn stem.

Dit is echt om gek van te worden.

Op de Machineweg is geen levend wezen te bekennen. Irma tuurt constant in haar achteruitkijkspiegel en houdt ook haar beide buitenspiegels goed in de gaten. Ze voelt zich bespied. Ze geeft gas. Hoe eerder ze binnen is bij Denise, hoe beter.

Het geluid van haar mobiele telefoon bezorgt haar bijna een hartverlamming. Op de display van de carkit verschijnt een woord. *Privénummer.* Dat zal Denise zijn. Irma meldt zich.

'Slaap je vannacht niet thuis, Reentje?'

Irma gaat boven op haar rem staan. De banden van de auto maken een gierend geluid. 'Hoe kom jij aan dit nummer?' hijgt ze.

'Het zal mij altijd lukken om jouw nummer te pakken te krijgen, Reentje. Stop dus maar met nieuwe nummers nemen.'

Er is buiten haar niemand op straat. De avond hangt roerloos om haar heen, hoog in de wolken flitst een licht. Ze kan nog steeds niet normaal ademen en ze vertrouwt haar eigen stemgeluid niet. Toch wil ze iets zeggen. Ze moet iets zeggen. Ze zou op hem willen schelden, ze zou hem onaangenaam willen treffen met woorden. Ze zou iets willen bedenken wat dreigend genoeg is om hem bang te maken. Maar wat?

Natuurlijk helpt schelden niet, en dreigen evenmin. Toch is het nodig om contact te hebben, tenzij ze zich door die telefoontjes in het nauw wil laten drijven. Die gedachte geeft de doorslag. 'Wij moeten praten,' zegt Irma. 'Ergens op neutraal terrein.' 'Misschien. Misschien ook niet. Misschien moet ik jou gewoon voor altijd laten verdwijnen. En ik denk dat jij mij het beste kan vertellen hoe dat moet.'

Irma ziet dat ze bijna bij het huis van Denise is. Ze klemt haar vingers om het stuur. 'Zak in elkaar, stuk tuig.' Haar stem produceert veel meer geluid dan ze had verwacht. Voordat hij een antwoord kan geven, verbreekt ze de verbinding en schakelt direct haar mobiele telefoon uit.

Denise staat al buiten. Zodra de auto stilstaat, opent ze het portier. 'Kom gauw binnen.'

Maar Irma zit als bevroren op haar stoel. Haar benen weigeren dienst, haar handen kunnen het stuur niet loslaten. Ze wil van alles zeggen, maar de woorden blijven in haar keel steken.

Denise grijpt haar vast en wiegt haar in haar armen.

27

Ze zou willen slapen, diep en lang. Ze zou de hele wereld achter zich willen laten, inclusief herinneringen.

Inclusief angst.

Denise frituurt kroketten. 'Ik wil altijd hartige vettigheid als ik me gespannen voel,' legt ze uit.

Irma vraagt zich af waarom haar vriendin zich gespannen zou moeten voelen. Zij heeft toch geen macabere telefoontjes gehad? Zij wordt toch niet belaagd door de doden?

Denise drong eerst heel erg aan op praten. Ze leek zelfs behoorlijk geïrriteerd omdat Irma bleef herhalen dat ze de gebeurtenis die eerder op de avond plaatsvond eerst zelf moest verwerken. Pas toen Irma zichtbaar geëmotioneerd werd, gaf ze toe en spraken ze af dat ze het er op een later tijdstip nog over zouden hebben.

Boven hun hoofd is een geluid. Irma heeft net een hap van de hete kroket genomen, nadat Denise haar had overgehaald er ook een te proberen. Ze slaat haar hand voor haar mond en vangt het stuk vlees op dat weer tevoorschijn komt.

Denise maakt een geruststellend gebaar. 'Niets aan de hand. Ik was niet alleen toen je belde.'

Irma veegt haar mond af met het servet dat Denise haar aanreikt. 'Wie... Heb je een vriend? Sinds wanneer?'

'Geen vriend. Gewoon iemand die ik regelmatig tegenkom in de kroeg en die wel eens blijft slapen.'

'Getrouwd?'

'Niet meer. Maar tien jaar jonger dan ik, dus in ieder geval geen partij.'

'Mijn vader was ook tien jaar jonger dan mijn moeder.'

'Je bedoelt: er is toch nog hoop?'

'Wat klinkt dat cynisch. Ik bedoel dat leeftijdsverschil niet per definitie een relatie onmogelijk hoeft te maken.'

'Ik wil geen relatie met deze man. Ik wil gewoon nu en dan lekkere seks en blijven uitkijken naar iemand van mijn eigen leeftijd. Deze knul komt meer in jouw richting.'

'Ik heb voorlopig geen zin in een vent.'

'Nog iets over de verdwijning van meneer Haverkort gehoord? Of is dat ook een verboden onderwerp?'

'Nee hoor, Floran kan door. Waarom zou ik daar iets over moeten horen? Heb jij nieuwe informatie?'

'Na die aflevering van RTL Boulevard heb ik er niets meer over gehoord of gelezen. Misschien is hij al terug en zit hij weer gewoon bij zijn vrouw. Of bij dat kindvrouwtje. Misschien zit hij met dat kind in het buitenland. Ik denk dat ze niet gaan melden dat meneer terug is, of denk jij van wel?'

'Het interesseert me niet,' antwoordt Irma. 'Echt niet. Het is voor mij duidelijk dat hij niet eerlijk was. Wat moet je met een leugenachtige kerel? Ik pas, in ieder geval.'

'Laten we gaan slapen,' stelt Denise voor. 'Probeer jij vooral lekker uit te slapen. Ik zorg voor een ontbijt, ik ben morgen vrij. Mijn vriendje moet vroeg op, dus daar heb je geen last van.'

'Sorry dat ik jullie gestoord heb.'

'Het feest was al voorbij, lieverd. En nu naar bed. Vergeten wat er is gebeurd, niet bang zijn, morgen een nieuwe dag.'

'Was het allemaal maar zo eenvoudig,' zegt Irma.

28

De stem galmt in haar oren. 'Reentje, Reentje, Rééééémtje!!!'
'Ik droom,' zegt ze hardop. Ze opent haar ogen.
De stem zwijgt.
Irma herinnert zich opeens een gesprek met Denise, dat ging over troetelnamen. Denise beweerde dat mannen die dergelijke namen voor je bedachten de beste waren. Zij had twee vrienden gehad die haar een troetelnaam gaven en ze wilde weten hoe dat bij Irma zat. 'Mijn vader noemde me Pop,' zei Irma.
'Vaders tellen niet mee,' antwoordde Denise.
Opmerkelijk dat ze hier nu aan denkt, in dit vreemde bed na een angstaanjagende avond. Troetelnamen. Reentje en Pop. Ze heeft er toen niet bij verteld dat er nog iemand anders was geweest die haar Pop noemde en ook niet dat haar vader nog een derde troetelnaam voor haar had. Toch had ze hier zomaar iets over kunnen zeggen toen ze aan Denise vertelde dat het zeven jaar geleden was dat ze iets met een man had gehad. Ze heeft beloofd om daar later meer over te vertellen, maar dat is ze voorlopig niet van plan. Het verleden moet met rust gelaten worden, het heden is al ingewikkeld genoeg.
Ze kan niet meer slapen en grijpt naar haar horloge. Tien voor zes. Ze wil naar haar eigen huis.

Er is geluid op de overloop. Het vriendje van Denise moet vroeg weg. Hoe zou hij eruitzien? Zal ze...? Toch maar niet doen. Misschien komt hij na vannacht nooit meer. Hij is tien jaar jonger dan Denise en daarom bij voorbaat afgekeurd voor een permanent verblijf in dit huis. Daar was Denise heel duidelijk over. *'Deze knul komt meer in jouw richting.'* Zoiets zei ze toch? Ze draait zich op haar andere zij en sluit haar ogen. De voordeur valt met een tamelijk harde dreun in het slot. Geschuifel op de trap. Denise is wakker. Irma slaat de dekens terug en stapt uit bed. 'Een nieuwe dag,' zegt ze tegen haar eigen spiegelbeeld. 'Ik ga naar huis. En als die zogenaamde Wouter daar wenst te verschijnen, komt hij maar. Ik ga geen energie verspillen aan angst.' Ze zou een krachtiger toon in haar stem willen horen. Ze zou steviger op de grond willen staan. Ze zou minder willen beven.

Het eerste wat Irma opvalt als ze haar huis in komt is de diepe stilte die er heerst. Ze schudt geërgerd haar hoofd. Het huis is altijd stil als ze thuiskomt, dat is logisch. Ze constateert dat ze zich toch te veel heeft laten opjutten door Denise. Die heeft alles uit de kast gehaald om haar ervan te overtuigen dat ze beter een paar dagen in Aalsmeer kon blijven en dat ze zeker niet alleen naar huis moest gaan. Irma heeft alle bezwaren weggewuifd en voet bij stuk gehouden.

Ze bekijkt de post die is bezorgd en vraagt zich af of ze iets verwacht. De blauwe envelop legt ze direct opzij. Er is ook een bekeuring, daar heeft ze op dit moment dus helemaal geen zin in. Twee rekeningen. Iets van de Postcodeloterij. Vast weer een uitnodiging om meer loten te kopen met het vooruitzicht op enorme rijkdom binnen afzienbare termijn. Ze schuift de post met een geërgerd gebaar opzij. Niets belangrijks, niets wat iets meer vertelt over die man.

Is het wel verstandig om hier alleen te zijn?

Er beweegt iets achter in de tuin. Irma draait zich snel om en loopt naar de terrasdeur.

Het is Hummel.

'Ik heb je al een tijdje niet gezien, Hummel'

Het kind haalt haar schouders op. 'Waar ben je geweest?'

'Ik heb een nachtje bij een vriendin gelogeerd, ze woont hier niet ver vandaan, in Aalsmeer. Weet je waar Aalsmeer is?'

Het kind haalt weer haar schouders op.

'Wil je niet even binnenkomen en een glas limonade drinken? Of cola?'

Hummel holt weg.

Irma zou het meisje achterna willen rennen, het vastgrijpen en omhelzen. Ze wil dat ranke lijfje tegen zich aan drukken en knuffelen.

Ze staat met uitgestrekte armen bij het tuinhek en voelt zich leeg en verlaten.

29

'Ik denk dat jouw nieuwe mobiele nummer is uitgelekt,' zegt Jeltje. 'Een van de weekendhulpen heeft haar mond voorbijgepraat. Het is 's morgens gebeurd, tegen een uur of elf. Jij was er nog niet en er zat een man aan de bar die koffie dronk. Hij schijnt gezegd te hebben dat hij een familielid van je was dat je dringend moest spreken. Zij tuinde erin.'

'Hoe weet jij dat?'

'Vince vertelde het me, toen ik vanochtend bij Ria op bezoek was in het ziekenhuis. Nou ja, bezoek, ik heb alleen even bloemen afgegeven en we hebben een paar minuten staan praten op de gang. Die weekendhulp had hem in paniek opgebeld, toen ze later besefte dat ze een fout had gemaakt. Vince vroeg me of jij ervan wist. Hij heeft dat meisje weggestuurd en hij belt je later op de dag. Daarom werk ik vandaag, anders is er te weinig personeel. Ik heb trouwens een buurmeisje dat een weekendbaantje zoekt. Zal ik haar vragen om jou te bellen?'

Irma heeft zin om iets kapot te slaan. Het lukt haar zich te beheersen en tegen Jeltje te zeggen dat ze dat buurmeisje wel wil spreken. Ze weet niet of ze opnieuw een nieuw nummer moet nemen. Ze kan ook gewoon alle meldingen van privénummers of onbekende nummers negeren. Maar die man is hier dus geweest en misschien kan de weekendhulp die met hem gesproken heeft hem beschrijven. Dit zou ze aan de politie moeten melden.

'Zal ik koffie voor je halen? Wil je iets eten? Ga even zitten. Meid, wat ben je bleek. Je wordt toch niet ziek?'

Het warme weer veroorzaakt een enorme drukte in het Grand Café. Het terras zit de hele dag overvol en ook binnen is er geen leeg tafeltje te bekennen. De serveersters vliegen door de zaak, hun hoofden gaan er steeds verhitter uitzien. Irma zorgt ervoor dat ze om de beurt een paar minuten afkoelen en wat drinken. Ze heeft de coördinatie van het geheel stevig in de hand. En ze let op iedereen die binnenkomt. Ze houdt vooral goed in de gaten of er kerels verschijnen die haar langer dan een paar seconden bekijken. Of ze een stiekeme blik kan opvangen, een onduidelijk gebaar kan zien.

Er gebeurt niets.

Om halfacht verschijnt Vince. Hij wil weten wat er gisteravond precies gebeurd is en blijkt door Jeltje op de hoogte gebracht te zijn. Irma maakt er een zo luchtig mogelijk verhaal van.

'Je hoeft je voor mij niet groot te houden,' zegt Vince. 'Een overval is een angstaanjagende ervaring, die vergeet je niet zo gauw. Beloof me dat je voorlopig samen met iemand vertrekt en je auto zo dicht mogelijk bij de zaak parkeert.'

Irma belooft het.

'Ik blijf vanavond en jij gaat op tijd naar huis. Je ziet eruit als een natte dweil, sorry dat ik me zo uitdruk. Slaap je wel voldoende?'

Irma slikt een paar keer en protesteert tegen het besluit van Vince. 'Jij moet elk moment naar het ziekenhuis kunnen gaan. Dat lukt niet als je hier niet weg kunt.'

'De toestand van Ria is heel stabiel. Ze wordt aanstaande dinsdag geopereerd en tot die tijd maak ik me geen zorgen. Ik meen het, jij neemt de rest van de avond vrij. Je maakt al meer dan genoeg uren. Ga iets leuks doen, duik voor mijn part de kroeg in en versier een lekkere vent.' Hij raakt haar arm aan. 'Volgens mij heb je liefde nodig.'

Irma draait zich om en grijpt haar tas, die onder de bar ligt. 'Wat moet ik met liefde?' mompelt ze.

Er komt een man op haar af. Hij lacht breed. 'Jij bent volgens mij Irma. Ik ben Dylon, je kent me niet. We sliepen vannacht in hetzelfde huis. Denise moest vanavond naar een verjaardag en ze wil niet dat je onbeschermd op straat loopt. Tot hoe laat moet je werken?'

Hij lacht breed en aanstekelijk. Vince stelt zich aan hem voor. 'Goed idee,' glundert hij.

'Als het een idee was van Denise...' aarzelt Irma.

'Dan is het toch in orde?' De man lacht nog breder. 'Moedert ze altijd zo over je?'

Hij is aantrekkelijk, het type man waar ze op valt. Lang, mooi lijf, goede houding. Mooie handen. Ze bekijkt ze snel. Echt mooie handen. En ook een mooie mond. Volle lippen die een beetje glanzen. Lippen die goed aanvoelen als je ze kust.

Dylon.

Ze heeft hem nog nooit gezien en toch lijkt het of ze hem ergens van kent.

'Ik loop met je mee naar je auto,' zegt hij. 'Wat sta je naar me te staren? Zit er iets niet goed?'

'Je lijkt op iemand die ik ken, maar ik weet niet op wie.'

In de verte slaat een torenklok zeven keer.

*

'Misschien blijft hij zeven jaar weg,' zei het kind.
De moeder wilde weten waarom ze dat dacht.
Het kind werd boos. 'Jij stelt altijd zo veel vragen. Zeven is
het geluksgetal. Ik was zeven toen hij wegging en hij wacht tot
ik veertien ben.'
'Als je geen vragen stelt, kom je ook nooit iets te weten,' protesteerde de moeder. 'Reken er niet te veel op dat je rekensom
klopt. Hij kon het wel eens erg naar zijn zin hebben op de plek
waar hij nu is.'
Het kind gaf de moeder een trap tegen haar enkel. Ze moest
naar boven en zonder eten naar bed.

Soms zat de vader opeens achter op de fiets van het kind. 'Recht
voor je uit blijven kijken,' waarschuwde hij. 'Pas op voor die
vrachtwagen, als je met je hoofd onder de wielen komt blijft
er niets van je over.' Hij zong liedjes die ze eerder had gehoord,
maar toch niet goed kon plaatsen. 'Je vond ze al mooi toen je
nog een baby was,' zei hij. 'Je moeder zong ze ook.'
Op een dag was het kind ziek. Ze had hevige buikpijn en
ze rolde zich op in bed. Haar tanden klapperden en ze moest
overgeven.
'Je bent tamelijk jong,' zei haar moeder. 'Je weet toch dat

meisjes op een bepaald moment iedere maand gaan bloeden? Ik denk dat het nu gaat gebeuren. Probeer de warme melk met anijs op te drinken en binnen te houden. Ik geef je een goede pijnstiller.' Ze kuste het kind teder op haar voorhoofd. 'Je wordt zo snel groot.'
'Wil je voor me zingen?' bibberde het kind. 'Zo'n liedje dat je ook voor me zong toen ik nog een baby was?' De moeder schrok zichtbaar. 'Dat weet ik niet meer,' stamelde ze.

'Ik ben pas twaalf en ik bloed al iedere maand,' zei het kind tegen de vader.
Hij reageerde niet op haar woorden.
Het kind vertelde dat ze op vakantie zouden gaan naar Egypte.
'Ik wil veel liever naar de Efteling,' mokte ze.
Haar vader schaterde.
'Ik heb nog nooit zo'n ontevreden kind ontmoet,' schreeuwde de moeder. 'Wat is er zo mooi aan de Efteling? Daar ben je zo onderhand wel wat te oud voor. Je bent toe aan kennis over andere culturen, over geschiedenis. Weet je wel wat die reis gaat kosten?'
'Papa is het met me eens dat de Efteling veel leuker is.'
Toen begon de moeder te huilen.

Opeens was het kind veertien en nam haar vader haar in een droom mee naar een grote boot. 'Hier zijn we al eerder geweest,' stelde ze vast.
De vader zweeg.
'Waarom zijn we hier?' Het kind was bang. Ze keek om zich heen en ontdekte dat de vader was verdwenen.
De moeder maakte haar wakker en zei dat ze een nachtmerrie had.

'Je bent aardig aan het puberen,' mopperde de moeder. 'Ik vind je behoorlijk onuitstaanbaar en ontevreden. Wil je er wel rekening mee houden dat ik er alleen voor sta? Ik werk hard en het ontbreekt jou aan niets.'

'Ik zie hier anders geen vader.'

'Die kan ik onmogelijk tevoorschijn toveren,' zuchtte de moeder.

'Waar is hij? Wanneer komt hij terug?'

'Je bent nu veertien, het wordt tijd dat je het hoort,' zei de moeder.

Ze was geen kind meer. Vanaf de dag dat haar moeder vertelde wat er tijdens de cruise was gebeurd, besefte ze dat. Een kind zou de pijn die haar hart verkrampte niet kunnen verdragen.

Ze droomde iedere nacht hetzelfde. Ze droomde dat ze danste op de voeten van haar vader die liedjes voor haar zong. Ze zei dat ze van hem hield en hij antwoordde dat ze zijn enige lieveling was, die voor altijd bij hem hoorde. Ze fluisterde in zijn oor dat ze met hem wilde trouwen. En iedere keer als ze wakker werd, was daar dat verstikkende gevoel. Die krampende pijn. De hartverscheurende leegte. Iedere keer tranen, iedere keer wanhoop. En de enige manier om daarvan af te komen, was hem achter zich laten. In haar dromen kon ze nog kind zijn, maar zodra ze haar ogen opende werd ze een jong meisje. Ze zocht het kind in haar spiegelbeeld en voelde zich twee verschillende personen.

Twee weken nadat de moeder alles had verteld over de verdwijning van de vader, zei ze dat ze nog iets anders moest vertellen.

30

Jeltje maakt met een hoofdgebaar duidelijk dat Irma ergens naar moet kijken. 'Daar links van de deur. Zie je die vrouw en dat meisje? Het kind lijkt als twee druppels water op de moeder. Ik zou ook wel op een van mijn ouders willen lijken, maar niets is minder waar. Mijn ouders maken er al jaren flauwe grapjes over. Ze zeggen dat ik van de melkboer ben.'

Irma kijkt naar de moeder en het kind. Het is inderdaad één gezicht.

'Lijk jij op je moeder of op je vader?' informeert Jeltje.

'Op mijn moeder.'

'O, heerlijk. Vind je dat fijn?'

'Volgens mij willen ze afrekenen,' zegt Irma.

'Ze zeggen dat hij op mij lijkt,' glunderde Wouter. Irma kreeg braakneigingen. 'Ik heb blijkbaar sterke genen, mijn andere zoon schijnt ook mijn evenbeeld te zijn.'

'Ik denk dat je beter niet meer kunt komen.' De zin kwam veel gemakkelijker tevoorschijn dan ze had verwacht.

'Dat is een foute gedachte.' Wouter greep haar vast en trok haar tegen zich aan. 'Voor ons verandert er niets.'

'Voor mij wel.'

Hij probeerde haar te kussen.

Ze zou willen dat Jeltje niet over gelijkenissen met vaders of moeders was begonnen. Het leek een onschuldig onderwerp van gesprek, maar het brengt opnieuw ongewenste gedachten teweeg. Het was qua herinneringen aan Wouter net weer rustig in haar hoofd. Ze was bezig met afstand nemen en nu dit. Hij is er weer, alles komt weer terug.

Ze heeft zich beslist krachtig verzet. De sombere buien die haar overvielen mochten haar er niet onder krijgen. Hard werken en lange dagen maken leidden haar af van de vernietigende ideeën. Als ze maar beroerd werd van vermoeidheid, kregen de verkeerde gedachten geen kans.

Dacht ze.

Wouter liet zich niet wegjagen. Hij kwam weliswaar niet vaak meer in het Grand Café, maar verscheen in de weekenden laat op de avond in IJmuiden. 'Ik zit nu in de kroeg,' grinnikte hij. 'Geef me wel een glas whisky, ik moet in ieder geval naar alcohol ruiken.'

Het vrijen leek regelmatig op vechten.

Iedere keer als ze haar moeder zag, kreeg ze ruzie met haar. Ze werd furieus door het betweterige toontje in haar moeders stem en vooral door de zich steeds herhalende conclusie dat Irma het aan zichzelf te danken had dat ze niet gelukkig was, omdat ze op het verkeerde paard had gewed. Als haar moeder minder had getreiterd, als ze haar met rust had gelaten, als ze zich niet oeverloos met Irma's leven had bemoeid, was er niets aan de hand geweest. Het onverteerbare verlies van haar vader zou niet op de voorgrond geplaatst zijn. Ze had de strijd die in haar woekerde niet hoeven toelaten. Het plan om af te rekenen zou geen kans hebben gehad. De zin in haar hoofd werd een mantra. *Het is de schuld van mijn moeder.*

'Je hebt wallen onder je ogen,' zei Wouter.

'Ik lig halve nachten wakker en mijn huisarts wil me geen slaappillen voorschrijven. Hij adviseert een rondje hardlopen en een hete douche voordat ik naar bed ga.'

Wouter lachte breed. 'Verstandige huisarts. Cocky slaapt ook slecht en ze neemt nu een homeopathisch middel. Dat werkt ontspannend en laat geen sporen na. Ik zal eens kijken hoe het heet.'

Drie dagen later bracht hij een flesje. 'Een lepel voor het slapengaan is genoeg. Je schijnt er heerlijk door te ontspannen en staat uitgerust weer op. Zorg ik goed voor je of niet?'

Het middel werkte.

Hij moest niet meer de vijand zijn waar niet aan te ontkomen viel. Hij moest haar maat worden, haar man. Ze besloot dat ze zou wachten tot de dag aanbrak dat hij inzag dat Cocky de verkeerde keuze was. Ze wilde zich voorbereiden op zijn komst en dacht na over een passend welkom van zijn zoon. Dat besluit maakte haar rustig.

Toen brak de dag aan die aan alle hoop genadeloos een einde maakte.

'Die Wouter zie je zeker niet meer?' vroeg haar moeder. Ze wachtte het antwoord niet af. Dat deed ze ook zelden. Haar zogenaamde belangstelling irriteerde Irma vaak, maar nu kwam het goed uit dat ze gewoon vaststelde dat Wouter verleden tijd was. 'Je lijkt minder moe. Is er soms een nieuwe liefde?'

'Ik moet er niet aan denken. En mocht er iemand komen, dan heeft hij alleen een kans als het een vrije jongen is.'

'Heel verstandig, kind. Ik ben trots op je.' Ze probeerde Irma te omhelzen, maar die dook op tijd weg.

Irma vertelde nog niets over het bezoek van de rechercheur.

31

De man had een vriendelijk gezicht en stelde zich keurig aan Irma voor. Hij wilde haar graag een paar vragen stellen over Wouter Majoor.

'Ga maar in mijn kantoor zitten,' zei Vince.

'U bent met hem bevriend.' De man maakte de indruk dat hij geen tegenspraak verwachtte.

'Dat klopt, maar niet meer zo heftig als in het begin. Hij is nu getrouwd en heeft een kind.'

'Wat vindt u daarvan?'

'Wat mij betreft is dat prima.'

'Hoe heftig is het geweest tussen u?'

Ze lachte breed. 'Tamelijk heftig. Uren zoenen en twee keer seks. Maar daar bleef het bij.'

'Waarom bleef het daarbij?'

'Meer zat er van beide kanten niet in. Ik ben zijn getuige geweest toen hij trouwde en ik denk dat dit wel genoeg zegt.'

'Bedoelt u dat het niet zo diep zat bij u?'

'Ik zei al dat het van beide kanten niet veel voorstelde. We zijn gewoon vrienden. Wat is er met hem aan de hand? Is hij ergens bij betrokken geraakt?'

Toen vertelde de man dat Wouter drie weken eerder spoorloos verdwenen was, zonder een bericht achter te laten voor zijn vrouw.

Ze haalde haar dienstrooster erbij en probeerde zich te herinneren wanneer hij voor de laatste keer in het Grand Café was verschenen. Het lukte haar om kalm te antwoorden op de vragen die aan haar gesteld werden. Ze was ook kalm, haar hartslag was normaal, haar handen trilden niet. 'Dat is een week of vijf geleden,' stelde ze vast. 'Hij kwam niet zo vaak meer na de geboorte van zijn zoon. Logisch, natuurlijk.'

'En u had geen relatie meer met hem?'

'Nee. Natuurlijk niet. Al niet meer sinds hij een relatie begon met Cocky.'

'U kent Cocky?'

'Ik was toch hun getuige? Cocky was er gewoon bij toen ze trouwden.'

'Weet u met wie hij omging?'

'Hij vertelt wel eens iets over de moeder van Cocky, maar ik heb niet de indruk dat hij daar een warme relatie mee heeft. En ik geloof dat hij ook contact heeft met een van zijn collega's.' Irma lette goed op dat ze in de tegenwoordige tijd bleef praten. 'Sorry, ik heb geen zicht op zijn sociale leven.' Ze deed of ze nadacht. 'Ik heb de indruk dat hij zich meer op zijn werk werpt sinds hij getrouwd is.' Terwijl ze het zei, had ze al spijt.

De rechercheur keek haar strak aan. 'Weet u zeker dat het vijf weken geleden is?'

Ze dacht goed na voordat ze een antwoord gaf. En ze zorgde ervoor dat haar verhaal over de omgang met Wouter qua tijdoverzicht klopte. De rechercheur herhaalde een paar keer dat ze hem had leren kennen toen ze in het Grand Café kwam werken en dat ze toen twintig was. Dat hij eenentwintig jaar ouder was, maar dat het leeftijdsverschil nooit een punt van discussie was geweest. Dat Wouter op jonge vrouwen viel en ook getrouwd was met een vrouw die veel jonger was dan hij. Een vrouw met een kinderwens. En dat Irma daar dus geen bezwaar tegen had. Ze flirtte met de rechercheur en zag dat hij het in de gaten had. Ze vertelde dat ze oudere mannen interessanter vond dan knapen van haar eigen leeftijd. Hij vertrok geen spier.

'Ik heb de indruk dat u niet ongerust bent over de verdwijning van de heer Majoor,' zei hij toen er een stilte viel.

Ze blies een haarlok van haar wang. 'Niet ongerust? Ik vind het geen smakelijk idee. Maar als ik heel eerlijk ben moet ik wel zeggen dat hij de laatste keren dat ik hem sprak op mij geen gelukkige indruk maakte.'

'Bedoelt u dat hij iets vertelde over zijn huwelijk?'

'Het waren meer toespelingen op het huisje-boompje-beestje-leven dat hij leidde. Hij deed daar nogal cynisch over.'

'Dat was dan snel, hij is toch nog niet zo lang getrouwd? '

Irma reageerde niet.

'Acht u hem in staat om zonder een bericht achter te laten te vertrekken?'

'Dat heeft hij toch gedaan? Het voegt volgens mij weinig toe als ik ga beweren dat ik hem daar eventueel niet toe in staat acht.'

'Heeft hij er tegen u geen enkele toespeling op gemaakt?'

Ze keek de man recht aan. 'Nee.'

Hij gaf haar een visitekaartje. 'Denk nog eens goed na of meneer Majoor misschien iets gezegd heeft waaruit af te leiden was dat hij van plan was om zijn gezin te verlaten. En vooral over waar hij dan nu zou kunnen zijn.'

'Ik zou met de beste wil van de wereld niet kunnen zeggen waar hij nu is.'

'En ik zeg dat u volgens mij veel meer van hem weet dan u op dit moment wilt toegeven.' Hij stond op. 'U bent de eerste die niet steil achteroverslaat van zijn verdwijning.'

Irma stond ook op. 'Dat klinkt heel verdachtmakend.'

'Het is niet meer dan de constatering van een feit.'
Er hing onraad in de lucht.
'Ik zal erover nadenken,' beloofde ze.

32

Ze maakte iedere dag dat ze thuis was opnieuw haar huis schoon en speciaal de plekken waar Wouter was geweest. Ze had visioenen van mannen in witte pakken die over de grond kropen en allerlei materiaal in plastic zakken deden. En ze gaf niet toe aan haar verlangen om in hun duinpan te gaan liggen en naar de sterren te kijken.

Vince werd ook ondervraagd en later kwam de rechercheur terug voor de rest van het personeel. Maar iedereen verklaarde dat Wouter de laatste maanden weinig meer in het Grand Café kwam en in ieder geval al minstens vijf weken niet was gesignaleerd.

Dat klopte.

Ze sliep beroerd, zeker doordat ze de homeopathische ontspanningsdrank niet meer nam. Ze had besloten om alles wat aan Wouter herinnerde uit haar huis te verwijderen. En ze wachtte tot de rechercheur haar wilde verhoren. Dat gebeurde op een maandagmorgen op het bureau. Het was geen verhoor in de zin dat ze een verdachte was, benadrukte de man.

Ze was kalm en deed haar best om een coöperatieve indruk te maken.

Er zat hem iets dwars, vertelde hij. Iets wat vragen opriep die hem bezighielden. Het kwam erop neer dat hij zich niet kon indenken dat iemand die belangrijk genoeg was om als getuige op te treden bij het huwelijk van een persoon die vermist werd zo weinig contact had met de echtgenote van die persoon. En hij vroeg zich af wat er tussen hen gebeurd zou kunnen zijn.

Ze legde uit dat ze getuige was geweest door haar vriendschap met Wouter en dat er nooit sprake was geweest van vriendschap met Cocky.

De rechercheur vuurde daarna een vraag op haar af die ze had verwacht en waarvan ze het antwoord had voorbereid. Hij wilde weten of ze na het bericht over de vermissing contact had opgenomen met Cocky.

Ze zorgde ervoor dat ze rechtop zat en hem aankeek. 'Nee. Ik heb natuurlijk wel overwogen om dit te doen, maar ik vond het een schijnheilig idee. Cocky heeft mij altijd behoorlijk achterdochtig bekeken en mij geaccepteerd als een voldongen feit. Dat begrijp ik, maar dat neemt niet weg dat ik me er ook tamelijk bevooroordeeld door voel. Wouter vertelde wel eens dat ze strikvragen stelde over onze vriendschap en daar lachte ik dan om. Maar ze deden pijn, ze kwetsten me. Ze maakten iemand van me die ik niet was en niet ben. Ik zei het al tijdens ons vorige gesprek: we hebben een paar keer seks gehad en zijn daarna verdergegaan als vrienden. En ik heb niets gedaan waar ik me voor zou moeten schamen.'

'U bent boos op Cocky.'

'Ach, boos... Nu niet meer. Maar ik voel geen enkele behoefte om haar moed in te spreken. Nogmaals: dat vind ik schijnheilig.'

'Hebt u enig idee waar hij nu kan zijn?'

'Totaal niet. Ik weet het echt niet, maar ik ben ervan overtuigd dat hij zich meldt.'

'Bij wie?'

'Bij zijn vrouw. Ze hebben een kind en dat kind is heel belangrijk voor hem. Ik weet zeker dat hij terugkomt.'

'Kunt u verklaren hoe het mogelijk is dat zijn vrouw niets van zijn verdwijning heeft gemerkt? En kunt u een reden bedenken voor het feit dat hij zijn auto niet heeft meegenomen?'

'Dat wist ik niet. Dat is vreemd. Misschien... misschien is hij bij iemand en wil hij even niet gevonden worden.'

'Zonder overleg te hebben met zijn werkgever?'

'Ik kan het niet verklaren.'

'Kwam de heer Majoor bij u thuis?'

'Na zijn huwelijk werd dat minder.' De vraag was enigszins verontrustend, maar ze stelde zichzelf gerust met de gedachte dat Wouter vrijwel altijd kwam als het donker was en gehoorzaam zijn auto in haar garage zette. Ze had maar aan één kant buren en die werkten altijd 's avonds in hun snackbar. De kans dat iemand hem had gespot was minimaal.

Ze werd niet aangehouden, ook niet na de drie verhoren die nog volgden. Het leven werd langzaam weer overzichtelijk.

33

Drie maanden nadat Wouter was verdwenen, stond Cocky opeens in de zaak. Ze ging zonder iets te zeggen op Wouters kruk zitten. Irma keek langs haar. 'Wij moeten praten,' begon ze. 'Ik ben aan het werk, zoals je ziet.' 'Je kunt toch wel even worden afgelost? Het hoeft niet lang te duren.' Irma vroeg aan Vince of ze een paar minuten van zijn kantoor gebruik mochten maken.

Cocky deed heel vastberaden, maar Irma zag haar handen trillen en ontdekte ook een zenuwtrek bij haar oog die ze nooit eerder had gezien. Ze was sterk vermagerd. 'Wouter is nog steeds niet gevonden,' zei ze.

'Misschien is hij vooral nog steeds niet terug,' weerlegde Irma haar woorden.

Cocky had een erg gekwetste blik in haar ogen, die Irma direct irriteerde. 'Dus je weet dat er praatjes rondgaan over die verpleegster met wie hij iets scheen te hebben.'

'Ik weet niets van praatjes die rondgaan en ze interesseren me ook niet. Jij kunt er overigens ook beter fris van blijven, Cocky.' Ze probeerde de dolk in haar borstkas niet te voelen. 'En als je zo twijfelt aan zijn trouw, waarom zou je dan willen dat hij terugkomt?'

'Wouter komt niet terug en daar weet jij volgens mij meer van.' Er was opeens niets meer over van haar kwetsbaarheid.

'Let op je woorden, Cocky. Je kunt niet zomaar alles tegen me zeggen.'

Toen viel Cocky haar aan.

Irma had de vrouw gemakkelijk kunnen verwonden, nadat ze de eerste klap had uitgedeeld. Ze was groter en sterker en veel kwader. De woede die zij meetorste had nog niet naast die van Cocky gelegen, besefte ze tijdens de korte worsteling die ontstond en die wat haar betrof vooral gericht was op een snelle beëindiging.

Cocky schreeuwde en Vince kwam op dat geluid af. Hij greep haar vast en duwde haar de deur uit. Irma wreef over haar wang en ontdekte dat er bloed aan haar vingers zat. De nagels van Cocky hadden een spoor achtergelaten dat een week later nog zichtbaar zou zijn.

'Je doet toch wel aangifte tegen dat ongeleide projectiel?' informeerde Vince.

Ze deed geen aangifte, maar ze was wel op haar hoede. Als ze thuis was, controleerde ze regelmatig alle kamers en tuurde door een kier van de gordijnen de voortuin en de achtertuin af. Op straat keek ze vaak achterom. Ze haatte Cocky.

Vince wilde weten waarom Irma haar belaagster niet aanpakte en ze zorgde ervoor dat ze op een koele en afstandelijke manier vertelde dat ze Cocky's wanhoop wel begreep. 'Stel je voor dat jou zoiets overkomt. Dan wil je toch iemand aanwijzen die er verantwoordelijk voor is? Ze heeft nooit goed hoogte kunnen krijgen van mijn vriendschap met Wouter, daarom ben ik de aangewezen persoon om zich op te richten. Als ze terugkomt en me lastig blijft vallen, is er nog tijd genoeg om de politie te bellen.'

'Ik wou dat je beter naar me had geluisterd,' bromde Vince. 'Ik heb je gewaarschuwd voor die man. Het is een onverbeterlijke vrouwengek en het zou mij niets verbazen als het verkeerd met hem is afgelopen.'

'Dat meen je niet!'

'Echt wel. Zulke types denken dat ze God zelf zijn, maar ze zijn te dom om de duivel te herkennen.'

Irma deed geamuseerd. 'Het lijkt of je hem iets verschrikkelijks gunt.'

'Zo erg is het nu ook weer niet. Maar hij mag van mij wel stevig in de problemen zitten. Let op mijn woorden: opeens staat hij hier weer voor je neus. Zorg er dan voor dat je je verre van hem houdt!'

'Ja, pa.' Ze perste een lach op haar gezicht.

Het was een vreemde gewaarwording dat Wouter uit haar denkpatroon verdween. Soms doemde er bijna per ongeluk een gedachte op die iets met hem te maken had, maar het was niet meer dan een psychische oprisping. Na het bezoek van Cocky verwachtte ze nog wel een bezoek van de achterdochtige rechercheur, maar hij verscheen niet meer. Het leek of Wouter nooit had bestaan en Irma wist na een jaar niet eens meer hoe zijn stem klonk. Ze herinnerde zich ook zijn geur niet meer. Hij was weg en dat was goed.

Het moest.

34

Sinds het eerste telefoontje is Wouter terug in haar gedachten. Hoe ze ook probeert de herinnering aan hem te mijden, wat ze zichzelf ook voorhoudt, hij is er. Hij leeft, hij praat. Zijn stem noemt haar Reentje.

Toch weet ze zeker dat de stem Wouter niet is.

Ze wil dat de herinnering aan hun laatste avond samen haar met rust laat. Ze heeft het afgesloten en dat moet zo blijven. Dat wordt nog even doorzetten, vooral niet achteromkijken en rustig blijven. Besluiten om zich niet te laten opfokken.

Hij kan het echt niet zijn.

Jeltje wijst naar de telefoon die in de keuken hangt. 'Iemand voor jou. Heb je je mobiel niet aanstaan?'

Om de een of andere duistere reden vindt Irma deze vrouw hinderlijk. Misschien moet ze daar eens wat dieper over nadenken. Ze verwacht dat het haar moeder is die belt. Ze heeft al tien dagen niets van zich laten horen en ze zal wel ter verantwoording worden geroepen. Het is Denise. 'Hoe gaat het nu?'

'Goed. Hoezo?'

'Je bent aangerand, weet je nog? Ook al wil je er misschien nog steeds niet over praten, het is wel gebeurd. Heb je nog wat van de politie gehoord?'

'Nee.'

'Kun je niet vrij praten?'

'Jawel. Ik werd niet aangerand.'

'Wat dan?'

'Ik werd aangevallen, bijna beroofd.'

'Eiste hij je geld?'

'Nee.'

'Greep hij naar je tas?'

'Ook niet.'

'Dan probeerde hij je toch aan te randen?'

'Ik weet niet wat hij precies probeerde, Denise. Ik weet alleen dat ik me kapot schrok en nauwelijks meer de straat op durf als het donker is.'

'Je moet Slachtofferhulp inschakelen. Echt, daar zul je van opknappen. Die mensen weten hoe ze je aan het praten kunnen krijgen. Je moet het verwerken.'

Irma zwijgt.

Denise zucht diep. 'Goed, ander onderwerp. Wat vond je van Dylon?'

'Ik vond hem erg aardig. Weet je zeker dat hij niet meer is dan een seksvriendje?'

'Heel zeker. Daar ben ik trouwens ook mee gestopt. Ik heb hem dat gisteravond verteld. Dus mocht je behoefte hebben... ga je gang.'

'Doe me een plezier zeg, dit soort koehandel is niets voor mij.'

'Dan niet. Ik heb hem wel gevraagd om jou voorlopig te blijven begeleiden.'

'Ik wil niemand tot last zijn,' zegt Irma.

'Je bent niemand tot last. Laat gewoon een beetje voor je zorgen.'

Irma verbreekt snel de verbinding.

Vince staat plotseling voor haar neus en omhelst haar hartelijk. 'Ik ben blij met jou en dat wil ik maar even gezegd hebben,' lacht hij. 'Maar denk eraan: ik sta erop dat je voortaan alleen samen met een van je collega's naar je auto loopt. Niet stoer doen, luisteren! Ik heb het al afgesproken met de koks. Degene die het langst moet werken, wacht op jou. Tenzij die leuke man weer opduikt. Dylon, toch?' Hij is opgelucht, omdat de operatie van zijn vrouw geslaagd is. En hij is knuffelig. Misschien iets te knuffelig.

Ze wil dit niet denken. Het is een belediging voor Vince. Hij heeft haar altijd goed behandeld. Deze gedachte is fout.

Zij is fout.

Haar vader was fout. Dat zei ze tegen haar moeder toen die haar vertelde wat er tijdens de cruise was gebeurd. Toen ze hoorde wie de man was die steeds langsliep. Toen ze ontdekte waarom hij daar was en wat hij met haar vader te maken had. Ze heeft nooit meer een gedachte aan hem verspild. Tot nu.

Ze zou zijn deel van het verhaal willen horen en staat versteld van haar eigen wens. Ook die wens is fout.

'Ik zal toch ooit weer alleen naar mijn auto moeten kunnen lopen,' doet Irma een laatste poging tot protest.

'Ooit, ja. Zeker. Maar nu nog niet.'

Misschien had ze beter Vince als vader kunnen hebben.

35

Ze ziet het direct als ze haar auto in de richting van de garage rijdt.

Bandensporen op het grind naast de oprit. Ze heeft twee dagen geleden het grind aangeharkt en onkruid verwijderd. De sporen zijn duidelijk te zien, ze lijken zelfs te willen opvallen.

Ze provoceren.

De paniek komt binnen als een bliksemschicht. Ze schrikt ervan en wil wegduiken. Snel vergrendelt ze alle deuren van haar auto en daarna rijdt ze de garage in. De grote deur valt met een zachte klik in het slot. Een diepe stilte omringt haar.

Hoelang zit ze hier al? De duisternis voelt beschermend aan. Ze zou in de auto willen slapen. De gedachte is vreemd en gaat vergezeld van angst. Ze wil niet bang zijn. Ze moet zichzelf niet toestaan dat haar benen verlamd raken, haar adem te hoog in haar keel terechtkomt en haar handen misgrijpen. Maar ze moet er wel achter zien te komen wie de man was die achter haar stond en haar zo intens liet schrikken.

'Ik wil revanche. Ik wil gerechtigheid. Ik wil je kapotmaken.'

De woorden achtervolgen haar voortdurend en zijn de reden

van haar onrust. Wie was die man? Om dat te weten te komen zal ze de confrontatie moeten aangaan. Dat lukt niet als ze zich verstopt.

Er ligt een dubbelgevouwen briefje op de deurmat met alleen haar voornaam erop. Het handschrift heeft ze eerder gezien. *Beste Irma, Ik vind het jammer dat je niet meer komt. Heb geconstateerd dat ik de verkeerde beslissing heb genomen. De hoofdrol in het thrillerstuk is weer vacant. Daar wil ik met je over praten. Bel je me even? Groet, Martin.* Dit zou haar blij moeten maken. Als ze Denise was, produceerde ze nu een opgewonden geluid, sprong ze een meter in de lucht en voegde ze er waarschijnlijk ook nog een koprol aan toe. In plaats daarvan leest ze het briefje nog een keer en constateert dat de boodschap haar niet opwindt. Er is geen plaats voor een knallende reactie. Ze leest de tekst voor de derde keer en het lijkt of hij nu pas tot haar doordringt.

Martin trekt het boetekleed aan, ze maakt kans op de hoofdrol. Dat zou kunnen betekenen dat ze haar vrije tijd voorlopig moet besteden aan teksten leren en repeteren. Dan heeft ze geen ruimte voor gepieker over een bekende stem die al jaren dood is. Dan kan ze ervoor kiezen zich geen donder aan te trekken van een man die denkt dat ze te bedreigen is. Die nep-Wouter. Yes! No! Ze zou willen dat ze zichzelf een beetje beter begreep.

Het is een vaag geluid, maar ze weet zeker dat ze iets hoort. Ze loopt snel naar het achterraam en tuurt met haar handen tegen het glas naar de donkere achtertuin. Het geluid is weg. Op het moment dat ze de gordijnen wil sluiten, ziet ze de schim. Een witte schim.

Hummel?
Ze gooit de achterdeur open en stapt het terras op. 'Hummel?
Ben jij hier?'
De nacht zwijgt. Ze houdt haar adem in en luistert scherp.
Het kind is heel dichtbij. Haar handen tasten de duisternis af,
maar ontmoeten louter lucht. Ze voelt zich verbijsterd als ze de
tranen op haar wangen ontdekt.

*

De moeder had zichtbaar moeite met het vertellen van het verhaal. Ze haalde eerst een fotoalbum tevoorschijn dat het meisje nog nooit had gezien. 'Dit zijn je babyfoto's,' zei ze. Het meisje wees naar de eerste foto. 'Dat ben ik.' De moeder raakte de foto aan. 'Klopt, je bent goed te herkennen. Dezelfde blik in je ogen, dezelfde lach om je mond. Niemand zal eraan twijfelen of jij dit bent.' Het meisje sloeg het eerste blad om en wees op de foto van de man die een baby op zijn arm had. 'Papa en ik. Heb jij die foto gemaakt?' De moeder bladerde snel verder. 'Kijk, hier word je twee. Mooie taart, hè? Die had ik gemaakt. Het was de eerste keer dat ik een taart bakte. Je schraapte met je vingers de slagroom van de cake af en stopte ze alle tien tegelijk in je mond.' 'Je slaat een paar bladen over,' zei het meisje.

Er waren foto's van een vrouw met een kind op haar buik en in haar armen. Foto's van haar lippen tegen een babyhoofdje, van haar wang tegen een babywangetje. Het meisje tuurde naar het gezicht van de vrouw en keek daarna naar haar moeder. 'Die vrouw ben jij niet,' constateerde ze. 'Dat klopt. Het is Meta.'

'Wie is Meta?'

'Meta is de vrouw die jouw biologische moeder was. De eerste vrouw van je vader. Ze kreeg leukemie toen jij drie maanden oud was en stierf twee maanden later.'

Het meisje kromp in elkaar. 'Dus jij bent mijn moeder niet.'

'Ik ben niet je biologische moeder, maar ik heb vanaf de tijd dat je anderhalf was voor je gezorgd. En ik heb vanaf de eerste dag dat ik je zag van je gehouden. Ik voel me voor honderd procent jouw moeder.'

Het meisje zweeg.

De moeder probeerde het voortdurend uit te leggen, maar iedere keer als ze erover begon werd ze door het meisje in de rede gevallen.

'Nog niet. Ik wil er niet over praten.'

'Maar je moet het weten. Misschien hadden je vader en ik het je veel eerder moeten vertellen. We wilden wachten tot je het goed kon bevatten.'

'Ik zeg wel wanneer ik het wil horen.'

Een paar maanden later trof de moeder het meisje op een middag in de woonkamer met het fotoalbum tegen haar borst geklemd.

Ze trok haar tegen zich aan en kuste de tranen van haar wangen weg.

'Ik mis papa zo erg,' zei het meisje. 'Ik wil dat hij me vertelt wie mijn echte moeder was.'

36

'Ik vind dat je je moet melden,' zegt Denise. 'Dit is al de tweede keer dat er een oproep gedaan wordt voor tips die iets kunnen betekenen bij het onderzoek naar de verdwijning van Floran Haverkort. Het is duidelijk dat ze denken dat er iets met hem is gebeurd. Jij weet daar iets van.'

'Ik weet daar helemaal niets van, hoe kom je erbij?'

'Jij hebt hem toch naar die coffeeshop gebracht en hem niet meer naar buiten zien komen? Dan heb je een tip. Ik begrijp niet waarom je je zo terughoudend opstelt.'

'En ik begrijp niet waar jij je druk om maakt. Het gaat je niets aan en mij evenmin. Ik heb hem een paar keer gezien, ik dacht dat er meer in zat en ik heb me vergist. Het lukt hem vast niet om spoorloos te blijven. Hij zal toch geld nodig hebben? Volgens mij kunnen ze via geldopnames precies achterhalen waar hij zit. Die duikt vanzelf weer ergens op. Toen ik hem naar Alkmaar bracht, vertelde hij me iets. Ik nam het voor kennisgeving aan en dacht er verder niet over na. Eigenlijk wilde ik er niet over nadenken.'

'Wat bedoel je? Wat vertelde hij je toen?'

'Hij vertelde me iets over zijn jonge vriendin waar ik niet vrolijk van werd.'

'Wat dan?'

'Het was vertrouwelijk. Maar het raakte me diep.'

'Waarom heb je hem toen niet meteen de deur uit gemieterd?'

'Ik wilde de betekenis van zijn woorden niet tot me laten doordringen.'

'Je had het stevig te pakken, Irma.'

'Klopt. Veel te stevig.' Irma schenkt nog een glas wijn in voor zichzelf. 'Ik vond een briefje in de bus. Van Martin, de regisseur van de toneelvereniging. Wat denk je? Bij nader inzien blijkt hij de hoofdrol van het nieuwe stuk aan de verkeerde persoon te hebben gegeven. Of ik maar even contact wil opnemen, want hij wil met me praten.'

Denise grijpt haar vast. 'Echt waar? Betekent dit dat de hoofdrol voor jou is? Wat goed! Heb je hem al gebeld?'

'Ik bel hem niet.'

Ze heeft Denise met zachte dwang de deur uit gewerkt. Het onderwerp mogelijke hoofdrol leidde maar een paar minuten de aandacht van de opsporing van Floran Haverkort af en toen Irma bleef vasthouden aan haar mening dat ze zich er niet mee moesten bemoeien, werd de toon van het gesprek grimmiger. Ze heeft het voorlopig helemaal gehad met Denise. Op het moment dat die begon te informeren of er nog vreemde telefoontjes waren binnengekomen, heeft ze gezegd dat het tijd werd om naar bed te gaan. Denise was stug en beledigd en groette nauwelijks toen ze vertrok.

De deur naar het terras staat nog open. De nacht voelt vriendelijk aan. Ze loopt naar buiten en gaat op de schommelbank zitten. Schommelen lijkt op gewiegd worden. Ze spreidt haar armen op de rugleuning en tilt haar voeten op.

Het geluid is binnen en het ergert haar. Het is een indringer die hier niets te maken heeft. Ze vraagt zich af wie haar op dit tijdstip kan bellen en constateert dat het Denise zal zijn. Die wil het natuurlijk weer goedmaken. Denise kan niet tegen ruzie. 'We hebben helemaal geen ruzie,' zegt ze tegen het geluid. 'Hou op met dat stomme gebel, ga slapen en stel je niet aan!' De telefoon blijft rinkelen. 'Ik neem een andere beltoon, iets van klassieke muziek.' Ze glimlacht om haar eigen conversatie.

Het geluid stopt.

Ze loopt de tuin in en kijkt naar de sterren. 'Waar blijf je als je dood bent?' vroeg ze ooit aan haar moeder. Ze herinnert zich die vraag nog goed. Ook het tijdstip. Het was een paar maanden nadat ze had gehoord dat haar echte moeder vijf maanden na haar geboorte was overleden. Ze droomde iedere nacht dat die moeder naast haar bed zat en wegliep als ze haar wilde aanraken. Daar raakte ze van in paniek en daarna werd ze gillend wakker.

'Ik denk dat je opgaat in het heelal,' was het antwoord. 'Dat je een onderdeel wordt van de kosmos.'

'Zie je dan de wereld nog?'

'Misschien, maar niet met ogen. Ik denk dat je zonder lichaam kijkt met je gevoel.'

Irma vond dat een vreemd antwoord. 'Het lijkt soms of ze bij me is. Ik wil met haar praten, maar ik weet niet hoe ik haar moet aanspreken. Ik ken haar niet.'

'Ze is de vrouw die je gedragen en gebaard heeft. Je kunt haar in je dromen toch gewoon mama noemen?'

Er flonkert een ster. En nog een. Ze tuurt naar de lucht en denkt aan haar echte moeder. Meta. 'Ik noem haar Meta in mijn dromen,' vertelde ze aan haar moeder.

Die schrok zichtbaar. 'Meta? Waarom?'

'Zo heette ze toch?'

'Ja, maar waarom noem je haar dan toch geen mama?'

'Omdat ze me verlaten heeft, net als mijn vader.' Het was de eerste keer dat ze besefte hoe kwaad ze was. Hoe woedend ze zich voelde, hoe afgewezen, hoe in de steek gelaten.

Hoe ze verlangde naar wraak.

Het geluid begint haar gewoon opnieuw lastig te vallen. Irma loopt snel naar binnen en zonder op de display te kijken, meldt ze zich. 'Ga slapen, Denise, we praten later wel verder.'

'Dag Reentje, waarom ben je zo boos?'

37

Ze heeft de terrasdeur gesloten en de voordeur op het nachtslot
gedaan. Alle gordijnen zijn dicht, er brandt alleen nog een sche-
merlamp. De stilte is totaal veranderd. Ze wil het liefst naar bed,
maar ze durft niet naar boven te gaan. Ze wil in de gaten kunnen
houden wat er beneden gebeurt. Haar ogen branden, ze gaapt
voortdurend. Ze schrikt van elk geluid dat ze zelf veroorzaakt.
Zondagavond om halftien gaat ze de stem ontmoeten.
Na de eerste verlammende schrik herstelde ze zich snel en
werd ze rustig. In gedachten repeteerde ze steeds dezelfde zin.
Ik laat me niet gek maken door een spook. Dat hielp.
Hij stelde vragen en het leek wel een kruisverhoor. Het waren
vooral vragen die jaren te laat kwamen. Ze gingen over haar be-
reidheid om de getuige van Wouter te zijn toen hij trouwde. De
stem wist alles van die gebeurtenis. 'Ik belde je midden in de
nacht om te vertellen over Cocky,' zei hij.
Irma was op haar hoede. 'Je belt nu ook midden in de nacht,
dus wat is daar zo bijzonder aan?'
'Je was toen niet erg onder de indruk van mijn boodschap.'
Die opmerking dreigde haar te raken, maar dat besefte ze op
tijd. 'Heb je opeens behoefte aan een evaluatie?'
'Niet zo bits doen, Reentje. Zo deed je toen ook niet. Je was altijd lief en meegaand. Je bood zelfs aan om mijn getuige te zijn.'

'Dat was toen. Het is al veertien jaar geleden.'

'Voor mij is het nog heel belangrijk. Ik heb behoefte aan herinneringen en aan een verklaring.'

'Een verklaring waarvoor?' Ze had direct spijt van de vraag.

'Voor de reden dat je me zo gemakkelijk losliet.'

Irma weet niet meer precies wat ze hierop geantwoord heeft. Ze weet wel dat de zin haar ongekend hard raakte. Ze werd een paar seconden teruggeplaatst in de tijd. Het was weer nacht en ze hoorde de stem die zo vertrouwd was opgewekt aankondigen dat hij de vrouw had ontmoet met wie hij wilde trouwen. Ze voelde de schrik en herinnerde zich pijnlijk scherp haar besluit om te denken dat ze het had gedroomd. En het leek alsof ze op dat moment pas de volle omvang van wat hij met haar had gedaan begreep. Alsof ze toen pas besefte hoe hard hij was geweest, hoe grof hij zich had opgesteld. En hoe stompzinnig ze zelf had gereageerd.

Ergens nam het gesprek een andere wending. Irma besloot zijn spel nog even mee te spelen. 'Je bent blijkbaar weer terug en nu schijn je opeens te beseffen dat ik ook nog besta. Laat me met rust en richt je op je vrouw en je kind. Of ben je daar niet welkom meer?' Ze vond haar eigen woorden verbazingwekkend.

'Cocky heeft een nieuwe partner, die zit dus niet op mij te wachten. En mijn kind heeft geen herinneringen aan mij, dat wordt dus nooit meer de band die ik met hem had willen hebben. Je hebt alles verwoest, Reentje.'

'Wat wil je eigenlijk? Waarom bel je me? Waarom overviel je me? Durf je me niet gewoon in de ogen te kijken? Dat zou wel passen bij het laffe gedrag dat je eerder vertoonde.' Ze had direct spijt van deze zin, maar hij was er al uit.

'Ik durf jou best in de ogen te kijken, Reentje. De vraag is eer-

der: durf jij dat ook met mij? Ben je werkelijk zo onverschrokken of doe je maar zo? Heb jij eigenlijk wel een geweten?'
'Ik moet aanstaande zondagavond tot negen uur werken. Om halftien kan ik in Het Roer Om zijn. Dat is in dezelfde straat als het Grand Café.'
'Ik weet waar Het Roer Om is, daar hebben wij samen wel eens wat gedronken.'
Ze liet de opmerking langs zich heen glijden. 'Zondagavond halftien en dat is dan direct de laatste keer dat ik je wil zien. Als je me daarna lastig blijft vallen, stap ik naar de politie en doe ik aangifte van stalking.'
'Jij doet geen aangifte, Reentje. Jij bent veel te bang dat je de aandacht dan op jouw aandeel van mijn verdwijning vestigt.'
Na die woorden verbrak ze de verbinding.
Ze zit met opgetrokken knieën in een hoek van de bank en slaat haar armen om haar onderbenen. Ze zou willen slapen, maar de angst voor wat er kan gebeuren als ze niet oplet, weerhoudt haar daarvan. Ze probeert helder te denken. Wat zou er dan kunnen gebeuren? Alle deuren zijn op slot, de veiligheidssloten maken het onmogelijk hier binnen te dringen. Het huis is een stevige burcht, een onneembare vesting. En de telefoon ligt binnen handbereik.
Toch is ze bang. Ze is zich bewust van een misselijkmakende angst die verder reikt dan de gedachte aan de mogelijkheid van een indringer. De angst zit dieper, gaat verder, heeft een andere oorzaak.
Er blijft maar een vraag door haar hoofd vliegen.

38

Ze heeft al drie koppen espresso gedronken en gaapt nog steeds. Jeltje kijkt haar aan met een bezorgde blik in haar ogen. 'Je ziet eruit alsof je een week niet geslapen hebt. Weet je wat jij nodig hebt? Koolhydraten. Ik ga een paar lekkere boterhammen voor je maken.'

Irma voelt zich lam. Ze is uiteindelijk toch op de bank in slaap gevallen en schrok na drie uur wakker. Ze heeft haar hele huis gecontroleerd en daarna Denise gebeld. Die was niet meer boos en had het gelukkig ook niet meer over tips geven over Floran Haverkort. Misschien houdt ze er nu over op.

De boterhammen smaken goed. Irma knapt ervan op en merkt dat ze nog meer wil eten. Jeltje knikt goedkeurend. 'Volgens mij ben je magerder geworden. Je ziet de laatste tijd erg bleek. Zorg je wel goed voor jezelf?'

Nu mag haar collega wel ophouden, wat Irma betreft. 'We moeten aan het werk. Doe jij het terras?'

Jeltje loopt zonder nog een antwoord te geven naar buiten.

'Ook goed,' mompelt Irma. 'Ik zal eens de juiste tekst hebben.'

Ze loert naar iedere klant die binnenkomt en let er vooral op of iemand speciaal naar háár lijkt te kijken. Een jolige vent vat haar blik op als belangstelling en probeert een afspraakje te maken. Irma voelt de kramp in haar gezicht als ze hem zo vrolijk mogelijk afpoeiert.

Ze is pas drie uur aan het werk en doodmoe. Zo moe voelde ze zich ook toen Wouter op het punt stond om te gaan trouwen. De gedachte overvalt haar en beneemt haar de adem. De stem gonst weer in haar oren.

'Dag Reentje, waarom ben je zo boos?'

Wie kan het toch zijn? Het antwoord komt zo onverwacht in haar op dat ze zich van schrik aan de bar moet vastgrijpen. Ze schudt haar hoofd. Onmogelijk! Wat een idioot idee!

'Volgens mij sta jij in jezelf te kletsen,' zegt iemand. Jeltje lacht een beetje meewarig.

'Hou jij toch je kop,' bijt Irma haar toe.

Het is een onvervalste schele hoofdpijn die haar heeft overvallen. Vanaf het moment dat de gedachte in haar opkwam, kan ze nauwelijks meer recht voor zich uit kijken.

'Je kunt zo echt niet achter het stuur,' beslist Vince. 'Ik ga even iets organiseren om je thuis te brengen.'

Het is snel geregeld. Een van de koks rijdt met de auto van Vince achter de auto van Irma aan. Ze heeft nog geprotesteerd dat die jongen niet gemist kan worden in de keuken, maar Vince was onverbiddelijk. 'Niet mee bemoeien, we brengen je naar huis.' Als ze onderweg zijn, voelt ze zijn bezorgde blikken steeds op zich gericht. 'Wat is er allemaal aan de hand, Irma? Je ziet er niet goed uit. Moe, zelfs een beetje afgemat. Ben je ziek? Maak je je ergens druk over? Kan ik je helpen?'

Vince is lief en hij meent het goed. Maar ze wil met rust gelaten worden. Hoe maakt ze hem dat duidelijk zonder bot te zijn?

'Je wil liever niet praten, ook goed. Maar je weet dat je altijd bij me terechtkunt. En ook bij Ria, als ze straks weer helemaal is opgeknapt.'

Irma grijpt direct de kans om de aandacht naar de vrouw van Vince te verplaatsen en luistert met gesloten ogen naar zijn uitleg over het revalidatiejaar dat zijn vrouw te wachten staat. Als ze haar hoofd niet beweegt en niet te veel tuurt, kan ze de duizeligheid in bedwang houden. Ze is opgelucht als ze de Kruisweg op rijden. 'Wat woon je hier toch mooi,' zegt Vince als ze uit de auto stappen. 'Moet je niet iemand bellen? Het lijkt mij geen goed idee om nu alleen te zijn.'

'Ik ga een paar uur liggen,' antwoordt Irma. 'Ik neem pijnstillers en dan zakt die hoofdpijn wel. Morgen ben ik er weer.'

Vince drukt haar even tegen zich aan. Ze laat het toe en loopt voorzichtig naar de voordeur. Als ze eerst maar binnen is, als ze maar geen bezorgde gezichten meer om zich heen heeft, als ze maar ergens kan zitten of liggen en die dreun in haar voorhoofd kwijt kan raken. Als dat woord maar verdwijnt.

Hoe is het mogelijk dat ze zo onderuit kan gaan van vier simpele letters? Waarom twijfelt ze niet eens aan haar conclusie?

Zelfs nadenken doet pijn.

Wouter had al een zoon toen hij een kind met Cocky kreeg. Die jongen was toen zeventien, dus dan is hij nu eenendertig. Een zoon kan dezelfde stem als zijn vader hebben.

Het ene moment is ze ervan overtuigd dat haar conclusie klopt en het volgende moment weet ze zeker dat ze er volkomen naast zit. Want ook al zou die oudste zoon dezelfde stem hebben, hoe komt hij dan bij haar terecht en hoe kan hij weten dat Wouter haar altijd Reentje noemde? Er was toch geen enkel contact tussen die twee? Irma probeert zich te herinneren hoe hij heette. Wouter heeft dat eens verteld, maar de naam zit ergens heel diep in haar geheugen begraven en de hoofdpijn blokkeert elke vorm van contact met herinneringen.

143

Ze wil liggen, haar hoofd laten rusten op een zacht kussen, haar ogen sluiten en de wereld om haar heen naar de achtergrond verplaatsen. En ze wil nergens aan denken.

Uitkleden lukt niet, dan maar aangekleed in bed kruipen. Irma trekt het kussen in haar nek en spreidt haar armen en benen. Lucht! Rust! Wegwezen!

39

Het geluid heeft haar al twee keer proberen te wekken, maar ze wilde nog niet terugkeren uit de mooie droom die haar heeft verrast. De droom over dansen op de voeten van haar vader. Hij maakte reuzenstappen en deed of hij haar uit de bocht ging laten vliegen, maar greep haar precies op tijd weer stevig vast.

Ze schaterde.

'Wat kan dit kind toch heerlijk lachen,' zei haar vader.

'Later trouw ik met jou,' beloofde ze.

'Ik dacht dat je het nooit zou zeggen,' riep hij. 'Maar wat doen we dan met je moeder?'

'Die mag blijven,' besloot Irma.

'We dansen nog een rondje,' besloot haar vader. Hij zong iets van ABBA. 'I Have a Dream'.

Op de voeten van je vader kan je niets gebeuren. Je wordt opgetild en verliest het contact met de grond. Op de voeten van je vader verander je van een gewoon meisje in een prinses.

Je hoofd op de hoogte van zijn buik, je armen in de lucht om zijn handen te kunnen bereiken, je benen tot het uiterste gestrekt.

Van alle vaders op de wereld is die van jou de liefste, de mooiste, de sterkste, de veiligste.

Vooral de veiligste.

Hij zal er altijd zijn, daar twijfel je niet aan. Hij zal altijd voor je zorgen, want je bent zijn lieveling. Hij is jouw held. Vaders verdwijnen niet, vaders laten je niet in de steek, vaders zijn de meest betrouwbare wezens op de wereld.

Het geluid laat zich niet wegsturen. Irma opent haar ogen en ontdekt dat ze met al haar kleren aan in bed ligt. Het dekbed broeit, ze werpt het van zich af en gaat rechtop zitten.

De hoofdpijn is weg. Iemand roept haar naam.

Het heeft blijkbaar geregend. De tegels van het terras zijn nog nat, aan de planten hangen druppels die glinsteren in het licht van de buitenlamp. De tuin ziet er opgelucht uit. Ademhalen is een verfrissende sensatie.

Hummel wijst naar de beplanting in het perk dat vlak achter het tuinhek ligt. Ze staat weer op haar vaste plek en kijkt ernstig. 'Hoe heten die?'

Irma volgt haar vinger. 'Hoe vind je mijn moestuin? Ik laat er allerlei groenten groeien. Dat is sla. Lust je ook zo graag sla? De kroppen zijn nu nog klein, maar ze worden heel groot.'

'En die?' Hummels vinger priemt naar het andere perk.

'Dat is het wilde bloemenperk. Niet verder vertellen, maar het is voornamelijk onkruid. Vind je die bloemen niet mooi? Ik ben dol op onkruid. Er staan momenteel veel digitalisbloemen tussen, dat zijn mijn lievelingen. Weet je dat die zich niet op een plaats laten dwingen? Ze groeien gewoon op de plek die hun het beste bevalt. In de voortuin staan ze tussen het grind en ik vind ze ook wel eens achter de schuur. Wat zijn ze mooi, hè? Ik moet ieder jaar maar afwachten of ze willen opkomen in dit perk. Ze bloeien altijd maar kort, dat is wel jammer. Waarom ben jij nog zo laat op de avond buiten?'

Het kind antwoordt niet.

'Kun je niet slapen omdat het nog zo warm is?'

'Ik weet het,' zegt Hummel. Ze richt haar vinger op het perk waar de slaplanten staan.

Irma maakt een afwerend gebaar met haar hand. 'Niet zo vijandig doen, dat is toch nergens voor nodig?'

'Ik weet het,' herhaalt het kind. Nu wijst ze naar het andere perk.

De frisse buitenlucht is opeens onaangenaam koud. Irma wrijft haar handen over elkaar. 'Als je zo onaardig doet, kun je beter naar huis gaan.'

Hummel draait zich om en rent weg.

40

'Je hebt me behoorlijk laten schrikken,' zegt Denise. 'Ik dacht dat er iets met je moeder was gebeurd.'

Irma heeft geen zin in verwijten. 'Als je liever weer weggaat...'

'Doe niet zo raar, ik mag toch wel geschrokken zijn? Je was in paniek, dat heb ik nog nooit meegemaakt. Maar het gaat dus niet om je moeder. Wat is er aan de hand?'

Irma heeft er nu al spijt van dat ze Denise heeft gebeld. Ze deed het in een opwelling en ze had beter moeten nadenken. Toch wil ze op dit moment liever niet alleen in huis zijn. 'We nemen eerst iets te drinken,' beslist ze.

'En daarna ga je me vertellen wat er is gebeurd.' Denise staat op. 'Ik ga iets inschenken en jij blijft zitten. Nemen we wijn? Ja, dat doen we. Heb je iets openstaan?'

Irma merkt dat ze het fijn vindt dat er even iemand voor haar zorgt. Als Denise na een paar minuten weer tegenover haar zit, besluit ze om toch maar te praten. Alles is beter dan de dreiging die in haar huis rondsluipt te moeten voelen of de confrontatie met haar eigen angst te moeten aangaan. 'Weet je nog dat ik werd gebeld en zo schrok?' begint ze.

Ze vertelt de gekuiste versie van het verhaal en ook al zit er in haar achterhoofd wel degelijk iets wat te maken heeft met twijfel, ze wil praten. De geschiedenis van Wouter is een explosief geworden dat op ontploffen staat. Praten kan de explosie verhinderen. Maar ze moet uitkijken wat ze zegt. Denise is erg geïnteresseerd en zal alle details willen weten. Het moet erop neerkomen dat Irma zo geschrokken is omdat de stem van degene die haar telefonisch lastigvalt heel erg lijkt op de stem van haar eerste grote liefde.

'Maar daar hoef je toch niet zo overstuur van te raken?' Denise kijkt Irma aan met een peinzende blik in haar ogen. 'Er is meer aan de hand. Komt het alleen doordat zijn stem bekend klinkt? Wat is er eigenlijk gebeurd met die eerste grote liefde? Is dat de man van zeven jaar geleden? Je hebt daar nog nooit iets over verteld.'

'Deze man kende ik veertien jaar geleden.'

'Veertien jaar geleden? Je gaat me toch niet vertellen dat je consequent elke zeven jaar een nieuwe man neemt?'

'Ik neem niet, ik kom ze tegen. En ik verlies ze vanzelf.'

'Maar daar praat je dus nooit over.'

'Ik praat er nu over. Ik heb het dus nu over mijn eerste liefde, Wouter. Hij is met een ander getrouwd en daarna uit mijn gezichtsveld verdwenen.'

'Nooit contact meer gehad?'

'Nee. Ik was er helemaal klaar mee.'

'Toch gebeurt er iets met je op het moment dat je een stem hoort die op die van hem lijkt.'

Irma zucht diep. 'Dat realiseer ik me ook wel.' Ze wil even nadenken over wat ze verder gaat zeggen en neemt een slok wijn. 'Soms zijn herinneringen tamelijk opdringerig. Heb jij daar nooit last van?'

'Over welke opdringerige herinneringen gaat het, Irma?'

'Over de herinneringen aan mijn vader.'

Het is goed om over haar vader te praten. Denise zegt weinig en luistert op een manier die Irma ruimte geeft om te vertellen wat ze kwijt wil. Ze is weer op zee, beschrijft de cruise die ze maakten. Het schip, de luxe, de kleine stad op het water. De vele vreemde mensen die er wel waren, maar nauwelijks door haar werden opgemerkt omdat ze samen was met haar vader en moeder. En de stoorzender die later de minnaar van haar vader bleek te zijn.

Denise is geschokt. 'Dat wist ik niet. Verdorie, Irma, we kennen elkaar al een paar jaar en daar heb je me nog nooit iets over verteld. Ik dacht dat je vader er gewoon met een andere vrouw vandoor was gegaan.'

'Wat je maar gewoon noemt.'

'Dat vind ik in ieder geval gewoner dan met een andere man. Heb je eigenlijk ooit nog contact met hem gehad? Hij moet toch ergens zijn?'

'Ik wil hem nooit meer zien.'

'Maar je hebt wel al die herinneringen en ze vallen je lastig nu je een stem meent te herkennen die belangrijk voor je is geweest. Dat is volgens mij een casus waar een psycholoog graag zijn tanden in zou zetten.'

'Het gaat vanzelf weer over. Ik heb wel vaker periodes gehad waarin de herinneringen aan mijn vader een grote rol speelden en dat ging voorbij. Hoe langer het geleden is, des te meer vervagen de beelden. Ik zeg nu vaak tegen mezelf dat ik zeven mooie jaren heb gehad met hem en het daarna ophield. Meer zat er niet in.'

'Het klinkt alsof je het accepteert.'

'"Accepteren" is niet het juiste woord.'

Gelukkig vraagt Denise niet wat dan wel het juiste woord is.

Het onaangename gevoel over de stem is minder geworden. Irma had nooit kunnen bedenken dat praten over haar vader een soort medicijn zou kunnen zijn. Ze voelt zich weer rustig en ze vraagt zich af op welke manier ze Denise duidelijk kan maken dat ze naar huis moet gaan. Ze gaapt en slaat haar hand tegen haar mond. 'Ik denk dat het tijd wordt om te gaan slapen.'

'Wil je dat ik vannacht hier blijf?'

'Dat hoeft niet, ik red het wel. Dank je dat je wilde komen en naar me wilde luisteren.'

'Maar wat doe je met die vent die je steeds belt?'

'Ik heb een afspraak met hem gemaakt voor zondagavond.'

'Wát zeg je? Dat meen je toch niet?'

'We hebben afgesproken in Het Roer Om. Daar zitten meer mensen, dus dat is veilig. Ik ben echt niet van plan om er een date van te maken. Het enige wat ik hem te melden heb is dat ik wil dat hij me met rust laat.' Ze zegt het zo achteloos mogelijk.

Denise schudt driftig haar hoofd. 'Ik vind dat een slecht idee. Je wordt als het ware telefonisch gestalkt, dus je moet aangifte doen.'

'Ik doe aangifte als ik weet tegen wie ik dat moet doen en als hij me na zondagavond toch lastig blijft vallen.'

'Dat beloof je plechtig?'

Irma moet lachen om het serieuze gezicht van haar vriendin. 'Dat beloof ik superplechtig.'

Denise blijft ernstig. 'Dit idee staat me niet aan,' zegt ze.

Als de auto van Denise is weggereden, loopt Irma nog even de achtertuin in. De nacht is koel, maar minder fris dan eerder op de avond. Ergens in de verte kwaken kikkers.

Ze staat stil bij het wilde bloemenperk. De bladeren van de digitalis hangen een beetje slap. Ze vult de gieter met water en besproeit de aarde.

41

Vince heeft een jolige bui. Het gaat goed met Ria en hij raakt niet uitgepraat over de hoogstaande medische kennis van de hartspecialisten. 'Niet te geloven, toch? Jammer genoeg was dat nog anders toen de moeder van Ria het aan haar hart kreeg. Die was van het ene op het andere moment dood. Ze moest heel erg lachen om een mop die de vader van Ria vertelde en bleef erin. Groot hartinfarct, zevenenveertig jaar. Ze had wel klachten, maar vond het niet nodig om ermee naar de dokter te gaan. Dom, natuurlijk, vooral omdat meerdere familieleden hartpatiënt waren. Als je dan niet oppast, kun je je dus doodlachen.'

Hij grinnikt om zijn eigen woorden.

Irma kijkt op de klok. Het is halfnegen. Nog een uur.

'Wat ben je onrustig,' zegt Vince.

Ze heeft al vanaf het moment dat ze vanmorgen wakker werd de tekst gerepeteerd die ze wil uitspreken. Ze gaat niet zeggen dat hij op zijn vader lijkt, dat is de eerste afspraak die ze met zichzelf heeft gemaakt. Als ze hem ziet, zal ze geen spier vertrekken, zelfs als blijkt dat hij het evenbeeld van Wouter is. Daar houdt ze serieus rekening mee. Hoe het komt dat ze ervan overtuigd is geraakt dat de man die haar steeds telefonisch lastigvalt en haar Reentje noemt de oudste zoon van Wouter is, weet ze niet.

Ze gaat ook geen discussie met zichzelf aan over het feit dat hij de troetelnaam kent die Wouter altijd gebruikte. Hij kan Wouter niet zijn. Wie hij wel is, maakt niet veel uit. Het enige wat telt is dat hij gaat zwijgen. Het liefst goedschiks, maar eventueel kwaadschiks. Ze kent een buitengewoon afdoende manier om iemand voor altijd te laten zwijgen.

Hij moet zwijgen.

'Ga je nog iets leuks doen of wil je direct naar huis?' Vince raakt Irma's schouder aan. 'Die laatste liefde van je is echt helemaal voorbij?'

'Helemaal. Ik heb een afspraak in Het Roer Om.'

'Aha! Ik dacht al zoiets. Je zit maar op de klok te kijken. Ik dacht: die heeft iets in het vooruitzicht. Geniet ervan, kind. Ik gun je een leuke vriend. Ria wil je aan een neef van ons koppelen, maar ik heb tegen haar gezegd dat jij heel goed in staat bent om zelf een kerel te vinden. Mocht je toch belangstelling hebben, dan hoor ik het wel.'

Irma mompelt iets wat lijkt op instemming en pakt haar tas.

'Tot morgen.'

'Tot morgen en veel plezier.'

Het is een warme dag geweest en het is nog broeierig. Irma verlangt naar een lauwwarme douche en daarna met gestrekte benen op het terras zitten. Glas wijn binnen handbereik, toastjes met boerenbrie, eventueel nog een ander hartig hapje. Muziek op de achtergrond. Dromen over ver weg zijn.

Het is druk op straat. Er wordt veel Duits gesproken. Twee knapen van hooguit veertien met een sigaret in hun mondhoek en een glas bier in hun hand bekijken haar op een manier die haar niet aanstaat. De langste van de twee tuit zijn lippen.

Ze loopt snel door.

Als ze Het Roer Om nadert, staat ze stil. Ze moet eerst diep ademhalen en gaat dan naar binnen.

Er zijn maar drie tafels bezet. Ze kijkt snel om zich heen. Aan de tafels zitten stelletjes. Aan de bar drie mannen. Ze doen iets samen. Als Irma naderbij komt, ziet ze dat ze aan het kaarten zijn. De barkeeper steekt zijn hand op. 'Lang niet gezien. Alles goed?'

Irma knikt en kijkt nog een keer om zich heen. Ze gaat op de kruk die aan het einde van de bar staat zitten en bestelt een frisdrank.

De opwinding die ze voelde toen ze hiernaartoe liep is helemaal verdwenen.

Hij komt niet, weet ze.

Als ze twee uur later haar auto de garage in rijdt, gaat haar mobiele telefoon. Ze meldt zich.

'Heb je op me gewacht, Reentje?'

'Blijf uit mijn buurt,' zegt ze, en ze verbreekt de verbinding. Ze klemt haar lippen op elkaar en haalt snuivend adem door haar neus.

Vanaf nu beantwoordt ze alleen oproepen als het nummer dat op de display verschijnt dat van haar moeder, van Denise, van Vince of van het Grand Café is. De rest van de wereld bekijkt het maar een tijdje.

42

Haar moeder ziet er niet goed uit. Irma wil weten hoe dat komt en of ze dat zelf in de gaten heeft.

'Het komt door al die medicijnen die ik moet slikken. Het ene middel maakt weer een ander middel noodzakelijk, om bijwerkingen te voorkomen. Bij iedere nieuwe kwaal komen er pillen bij. Ik slijt in een hoog tempo.'

Irma kan het niet helpen dat ze moet lachen om die uitspraak. Haar moeder ziet er gelukkig ook de humor van in. 'Ik lijk wel een apparaat dat aan vervanging toe is,' doet ze er nog een schepje bovenop. 'Wel jammer dat die oplossing niet geldt voor menselijke lichamen.'

'Je gaat nog lang niet dood,' zegt Irma.

'Meen je dat?'

'Ja hoor.'

'Ik ben nog niet van plan om dood te gaan. Ik vind dat jij mij nog nodig hebt.'

'Ik ben vijfendertig. Over mij hoef je je geen zorgen te maken.'

'Dat doe ik wel, Irma.'

'Sinds wanneer?' Ze wil niet scherp zijn, ze wil geen onaangename dingen zeggen. Waarom doet ze het dan toch?

'Omdat er volgens mij met jou veel aan de hand is.'

'Dat valt wel mee. Ik heb vakantie nodig.'

'Je hebt toch net vakantie gehad?'

'Toen ben ik niet voldoende uitgerust. Ik wil weer eens naar het buitenland. In het vliegtuig stappen en wegwezen.'

'Waar wil je voor vluchten? Of moet ik vragen: voor wie wil je vluchten?'

Wat bedoelt ze met die vraag?

'Heeft je onrust iets met je vader te maken?'

'Hoe kom je daarbij?'

'Zomaar. Maar je weet dat ik eigenlijk liever niet over je vader praat.'

Het gaat altijd op dezelfde manier. Eerst wat losse opmerkingen, dan een vraag en daarna het lijdende gezicht waar het verdriet van afspat en waarmee alle aandacht op het verlies dat haar moeder leed wordt gericht. Er is nooit plaats voor de gevoelens van Irma in dit theaterstuk. Alle pogingen die ze ooit in deze richting deed, werden afgewimpeld met de opmerking dat zij in ieder geval haar moeder nog had. Op dit moment hangt die opmerking al in de lucht en ze weet zeker dat ze daar een scherp antwoord op gaat geven. Ze heeft zin in ruzie. Ze popelt om haar moeder eens recht in haar gezicht duidelijk te maken dat ze haar een onuitstaanbare zeurkous vindt en dat ze de tranen die ze al jarenlang rijkelijk laat vloeien nog nooit heeft geloofd. Ze wil zeggen dat ze godzijdank maar haar stiefkind is. Terwijl ze de aandrang voelt om uit te pakken, wordt ze overweldigd door een ander gevoel en ook al probeert ze het tegen te houden, niets helpt.

Ze huilt. Ze snikt het opeens uit en kan er niet meer mee ophouden.

'Ik zei het al: er is met jou veel aan de hand,' constateert haar moeder.

Ze besluit om binnendoor weer naar Cruquius te rijden. Ze klemt haar vingers om het stuur van de auto en merkt dat ze met haar tanden knarst. Voorlopig gaat ze niet naar haar moeder. 'Ze is mijn moeder niet eens,' zegt ze tegen haar eigen spiegelbeeld. Ze ontdekt een wenkbrauwhaar die rechtop staat en probeert hem met een vinger op zijn plaats te leggen. Ergens in haar tas begint haar mobieltje te rinkelen. Ze ontdekt dat het ding geen verbinding maakt met de carkit en haalt het tevoorschijn. 'En jij bent Wouter niet,' sist ze tegen het nummer dat op de display staat. 'Dus fuck off. Ga je familie lastigvallen, je moeder bijvoorbeeld. Die moest jou toch zo nodig bij je vader vandaan houden? Roep haar maar ter verantwoording en laat mij met rust. Ik heb het verleden achter me gelaten, dus doe jij dat nu ook maar.'

Ze nadert een woonwijk. Er steekt plotseling iemand de weg over en ze moet stevig remmen. Het is een man, hij schrikt zichtbaar. Irma voelt haar hart in haar borstkas bonken. Ze staart naar het gezicht van de man. Dit kan niet waar zijn. Dit is niet waar. Dit is hem niet. Deze man lijkt alleen precies op hem.

Ze dwingt haar gedachten een andere kant op. Het wordt een chaos in haar hoofd als ze zich zo laat gaan. De mannen die een rol speelden in haar leven gaan overal opduiken als ze zich niet beter beheerst. Eerst komt de stem van Wouter tevoorschijn en nu ziet ze opeens iemand lopen die op haar grootste liefde lijkt. Nog even en ze ziet ook Floran weer voorbijkomen. Er flitst een beeld door haar hoofd.

Floran, die bij de keukendeur staat en haar wenkt. Een naakte Floran met een enorme erectie. 'Buk je diep.' Floran die lachend toegeeft dat hij best een portie spinazielasagne lust.

Hij keek haar voortdurend aan toen hij de spinazielasagne naar binnen werkte. 'Dit is goed, ik heb nog nooit zulke lekkere lasagne gegeten. Mag ik het recept hebben?'

Irma lachte. 'Wat moet jij nu met dat recept? Ben je van plan om voortaan zelf te gaan koken?'

'Niet eens een slecht idee,' zei hij. 'Wat ben je cynisch.'

'Zou jij ook niet cynisch zijn als je mij was?'

Hij haalde zijn schouders op. 'Zou kunnen. Maar jij bent een aantrekkelijke vrouw, je zult geen gebrek hebben aan belangstelling van mannen.'

Ze boog naar hem toe. 'Luister, Floran. Ik heb helemaal geen behoefte aan belangstelling van andere mannen. Ik wilde jou. Jij hebt me benaderd, bent bij me binnengedrongen, hebt me gek gemaakt en wuift mijn gevoel nu bijna achteloos van tafel. Dat pik ik niet.'

Hij zat doodstil en ze meende een flits van angst in zijn ogen te zien, maar hij herstelde zich snel. 'Nu niet gaan dreigen, ik heb nergens zo'n hekel aan als aan bedreigd worden. Laten we het gezellig houden. Waarom zei je trouwens net dat je me wilde? Je wil me toch nog steeds?'

'Onze tijd is om,' zei ze.

Toen zag ze pas echt angst in zijn ogen. 'Wat ben jij precies van plan?' vroeg hij. De angst zat ook in zijn stem.

Ze trapt het gaspedaal stevig in en klemt haar lippen op elkaar.

Er staat een auto op de oprit. Haar hart slaat een paar slagen over en ze overweegt snel wat ze gaat doen. Achteruitrijden en wegwezen?

Ze kent deze auto niet. Klopt het wat ze nu denkt? Is de man met de stem hiernaartoe gekomen?

Dit is niet goed.

Ze wil weg en toch blijft ze in haar auto zitten en let op wie er uitstapt. Het is een man. Hij zwaait vrolijk en komt op haar af. Hij opent haar portier en maakt een uitnodigend gebaar. 'Ik wilde even weten hoe het met je gaat. Schrok je van me? Je weet toch nog wel wie ik ben? Dylon. Ga me nu niet vertellen dat ik geen enkele indruk heb gemaakt.'

Irma herstelt zich snel. 'Ik moest even goed kijken, maar nu weet ik het. Wat aardig dat je me opzoekt. Kom binnen.'

Ze moet naar hem kijken, ook al doet ze dat waarschijnlijk net iets te nadrukkelijk. Deze Dylon is echt een heel aantrekkelijke man.

En hij heeft iets vertrouwds.

Hij lacht breed.

Ze zou hem willen aanraken.

43

Een buitenstaander zou zomaar kunnen denken dat ze al jaren een stel zijn. Dylon staat in haar keuken alsof hij hier al talloze keren is geweest en weet zonder iets te vragen waar hij het kaasmes en de mosterd moet vinden. 'Het hangt en staat allemaal op logische plekken,' legt hij uit, ofschoon Irma geen vraag heeft gesteld. 'Dat verbaast mij niet, ik vind jou ook een logisch mens.'

'Wat is een logisch mens?'

'Iemand die zich niet anders voordoet dan hij of zij is, bij wie je krijgt wat je ziet.'

'Heet dat niet eerlijk? En hoe kun je dat over mij zeggen terwijl je me nauwelijks kent?'

Hij kijkt haar ernstig aan. '"Eerlijk" is inderdaad een beter woord en het klopt ook dat ik je nauwelijks ken. Maar zulke dingen zie ik direct.'

Ze voelt dat ze bloost.

'Durf je weer gewoon op straat te lopen, 's avonds? Is die engerd eigenlijk opgepakt?'

'Niet dat ik weet. Ik durf wel weer op straat, maar ik let goed op. Mijn baas staat erop dat ik me laat begeleiden als ik naar mijn auto loop.'

'Denk je dat hij het speciaal op jou had voorzien of was je een toevallig slachtoffer?'

'Ik denk het laatste. Een gelegenheidsslachtoffer, of zoiets. Ik heb het al achter me gelaten.'

Hij laat haar de kaasplank zien. 'We kunnen aanvallen. Ik ben gek op kaas, dus hier blijft niet veel van over.'

De aanvankelijke achterdocht die ze bij zichzelf bespeurde heeft plaatsgemaakt voor een prettig gevoel.

'Je staart naar me,' lacht hij.

'Ik vraag me af waar ik je van ken.'

'Dat weet je toch nog wel? Of was je zo de kluts kwijt toen je me voor de eerste keer ontmoette dat je je dit niet meer kunt herinneren?'

'Ik weet echt wel dat we elkaar al eerder hebben gezien, maar ik bedoel iets anders.' Irma staat op. 'Ik heb zin in nog meer hartigs. In leverworst.' Ze pakt de lege kaasplank.

Dylon duwt haar terug in haar stoel. 'Laat mij het maar doen. Jij bent moe, als ik het goed zie. Heb je gewerkt?'

'Nee. Ik was bij mijn moeder. Dat is soms veel inspannender dan werken.'

Hij grinnikt. 'Vertel mij wat.'

Ze wil vragen wat hij daarmee bedoelt.

Dylon buigt zich naar haar toe. 'Ik vertel je later nog wel eens iets over mijn moeder.' Hij raakt met een vinger bijna terloops het puntje van haar neus aan. 'Ik vind jou leuk, Irma.'

'Ben je écht niet meer met Denise?' De vraag veroorzaakt een stilte. Ze houdt haar adem in.

Hij staat al bij de keukendeur en draait zich om. 'Denise was geen serieuze zaak. Nee, ik ben niet meer met Denise. Stelt dat je gerust?'

Hij wacht het antwoord niet af en loopt de keuken in.

Ze weet niet wat ze van deze situatie moet denken. Het is prettig dat hij er is en toch klopt het niet. Komt het doordat ze zich eigenlijk een beetje overvallen voelt? Of heeft het te maken met het feit dat ze dat juist zo spannend vindt? Wat is hij van plan? Verkeerd uitgangspunt, corrigeert ze zichzelf onmiddellijk. Het gaat er eerder om wat zij van plan is.

'Wat was er zo inspannend bij het bezoek aan je moeder?'

Het is een eerlijke en directe vraag. Dit soort vragen kunnen haar op de vlucht laten slaan, tenzij ze gesteld worden door iemand bij wie ze zich goed voelt. Op dit moment voelt ze zich goed bij deze man. Toch deinst ze terug. Haar gedachten gaan als een razende tekeer.

'Wat gebeurt er nu?' vraagt Dylon.

Ze slikt een paar keer. 'Het is de manier waarop je praat, de vragen die je stelt. Je haalt herinneringen bij me naar boven.'

Hij komt naast haar zitten. 'Vertel me daar maar eens meer van, Irma.'

'Je doet me heel sterk denken aan mijn tweede liefde. Eigenlijk was hij de grootste liefde in mijn leven.'

'Je praat in de verleden tijd over hem.'

'Hij is dood. Als ik van een man hou, gaat hij dood.'

*

Het meisje ontdekte dat de relatie met haar moeder veranderd was. Er was iets ontstaan wat er niet eerder was geweest. Afstand.

Ze probeerde zich voor te stellen hoe haar echte moeder eruit had gezien zonder naar de foto's te kijken. Ze moest van zichzelf op eigen kracht een herinnering naar boven kunnen halen aan haar gezicht en aan haar stem. Aan haar geur.

Ze herinnerde zich niets.

Dat kon ook niet, stelde ze vast. Geen enkel mens kan zich iets herinneren van de tijd dat hij een baby was. De echte moeder was dus een verdwenen deel van haar leven en zou dat altijd blijven.

Ze vroeg of ze nog meer familie hadden. Of er nog grootouders waren, ooms, tantes, neven, nichten. Haar moeder antwoordde dat zowel haar vader als haar biologische moeder enig kind was geweest en ook hun ouders geen broers en zussen hadden gehad. De grootouders waren ook allemaal al dood.

'Ook?' vroeg het meisje. 'Is mijn vader dan dood?'

De moeder stelde haar gerust. 'Hij niet.'

'Waar is hij dan?'

'Denk daar nu eens niet aan. Denk aan ons. Wij zijn samen overgebleven. We hebben alleen elkaar.'

Het meisje liep naar buiten.

Het was de puberteit, volgens haar moeder. Het kwam door de ontwikkeling van vrouwelijke hormonen dat het meisje regelmatig woedeaanvallen had en alles kapotsmeet wat binnen handbereik was. Als de woede een kookpunt bereikte, begon ze te schreeuwen en eiste ze de terugkeer van haar vader en dan begon de moeder te huilen. Daarna sloten ze vrede en beloofde het meisje dat ze zich voortaan beter zou beheersen. De moeder beloofde niets.

Tijdens haar middelbareschoolperiode koos het meisje alleen vriendinnen die uit een compleet gezin kwamen. Als bleek dat de ouders van een vriendin gingen scheiden, verbrak ze direct de vriendschap.

Ze was veel alleen. De moeder drong erop aan dat ze lid werd van een muziekvereniging, omdat de verdwenen vader goed piano kon spelen en hij het op prijs zou stellen als zijn dochter dat ook leerde.

Het meisje weigerde. Ze wilde lid worden van een toneelclub.

'Dat talent heb je ook van je vader,' stelde de moeder vast. 'Maar dat kun je beter niet ontwikkelen.'

'Wat bedoel je daarmee?' wilde het meisje weten. Ze had het gevoel dat het antwoord iets duidelijk zou kunnen maken.

De moeder zweeg.

Het meisje werd lid van een toneelclub en vertelde het opgetogen. Een paar weken later werd de moeder voor de eerste keer ziek.

44

Het komt niet alleen door de gelijkenis. Ze is absoluut eerder mannen tegengekomen die op hem leken. Toen hij net dood was, leek vrijwel iedere man die ze zag op hem. Het gebeurde ook toen Denise vragen begon te stellen over Irma's liefdesleven. En door de conclusie die ze trok.

'*Je gaat me toch niet vertellen dat je consequent elke zeven jaar een nieuwe man neemt?*'

Rondom die vraag begon de geschiedenis zich extra te roeren en kwam het gesprek heel dicht in de buurt van de man over wie ze nooit meer iets wil zeggen en tegelijk alles wil vertellen. De man die een gevoel in haar naar boven bracht dat ze nooit in zichzelf had vermoed en totaal niet kende. De man die ze nog iedere dag in elke vezel van haar lichaam mist.

Dick.

Hij kwam meestal op vrijdagavond en bestelde altijd een saté van de haas. En hij dronk altijd tonic met citroen en ijs.

'Die vent is eenzaam,' stelde Vince vast. 'En hij kijkt naar jou.'

Irma vond die conclusie belachelijk.

Er kwamen wel vaker mensen op dezelfde dag die altijd hetzelfde bestelden. Mannen en vrouwen, van sommige kende ze de naam.

De man van de satéplate en de tonic stelde zich aan haar voor op vrijdag de dertiende. 'Je hebt zo'n mooie naam, Irma. Zo heette mijn moeder ook. Ik ben Dick, met ck.'

Hij had mooie ogen en een nog mooiere lach.

'Hij zou je vader kunnen zijn,' zei Vince. 'Wat zeg ik? Misschien zelfs je grootvader.'

'Hij is achtentwintig jaar ouder dan ik.'

'Moet je je even voorstellen: op de dag dat jij werd geboren, was hij dus al achtentwintig. Je bent toch niets met hem van plan, hè?'

'Wat moet jij toch altijd met zulke oude mannen?' vroeg haar moeder. Ze zuchtte op een dramatische manier. 'Je zoekt natuurlijk in elke man je vader.'

Irma werd chagrijnig. 'Stel je toch niet zo aan.'

'Sorry, dat is natuurlijk al jouw kunstje. De appel valt… Ach, laat ook maar.'

Er waren momenten dat Irma begreep wat haar moeder bedoelde. Die momenten hadden altijd iets te maken met emoties ten opzichte van haar vader. Met het verlies, het in de steek gelaten gevoel, de onmachtige woede.

Ze kon niet op een normale manier omgaan met dergelijke emoties. Ze moest over the top. Als er een toneelstuk op het programma stond met een vrouwelijke rol die op een hysterische manier moest worden uitgevoerd, kreeg zij die rol. Het streelde haar en kwetste tegelijk. Het maakte haar eenzaam en triggerde de behoefte om te praten.

Met Dick kon ze praten. Tegen Dick kon ze alles zeggen wat haar dwarszat, beroerde, tot in de toppen van haar tenen emotioneerde, haar vleugels gaf of haar juist diep de aarde in zoog.

Ze heeft nooit het gevoel gehad dat ze in Dick haar verloren vader vond. Hij was vanaf het moment dat ze samen waren haar man. Haar maat. Haar toekomst.

Ze heeft Dick niet vermoord.

Dick niet.

'Het is vrijdag de dertiende,' zei ze. Ze liepen langs de zee, het was een prachtige lenteavond. 'Ik ga nooit in op uitnodigingen van klanten en dan is het ook nog een ongeluksdatum,' voegde ze eraan toe.

'Nou, nooit...' plaagde hij.

'Bijna nooit, dan.'

'Je hoeft je niet te verantwoorden. Ik vind het fijn dat je mijn uitnodiging accepteerde. En ik weet natuurlijk heel goed dat dit het begin zou kunnen zijn van een hachelijk avontuur. Je bent veel te jong voor mij. Ik heb een dochter die waarschijnlijk ouder is dan jij.'

'Ik ben achtentwintig.'

'Juist. Mijn dochter is vijfendertig. Ik heb ook twee zonen. Die zijn jonger.'

Irma moest het even tot zich laten doordringen. 'Ik wist niet dat je getrouwd was,' was het enige wat ze kon bedenken.

'Dat ben ik niet. Niet meer, we zijn anderhalf jaar geleden gescheiden. Hoewel, we...'

Ze keek naar zijn gezicht. De lach was verdwenen. 'Wat bedoel je?'

'Mijn ex-vrouw heeft zich er nog steeds niet bij neergelegd. Ze onderneemt regelmatig pogingen om me terug te krijgen.'

'Hoelang zijn jullie getrouwd geweest?'

'Te lang. En we zijn te jong aan het huwelijk begonnen. Ik was pas eenentwintig toen mijn dochter werd geboren.'

Ze rekende snel zijn leeftijd uit.

'Ik zei het al: je bent veel te jong voor mij.'

Haar poging om te protesteren werd gesmoord in hun eerste kus.

45

Ze kan hem niet ontlopen, hij volgt haar zoals hij dat ook deed nadat ze hem verloren had. Ze voelt hem in haar buurt, terwijl ze weet dat dit niet mogelijk is. Ze had graag willen weten op welke plek zijn as is uitgestrooid, ze heeft er vaak naar verlangd om naar die plek te kunnen gaan en iets van hem te voelen. Dat verlangen dreigt nu weer de kop op te steken. Maar ze wil niet aan het verlies denken, ze wil zich herinneren hoe ze de maanden dat ze samen waren zweefde in plaats van liep. Ze wil zich ervan bewust zijn dat het jaar dat ze achtentwintig was het mooiste jaar van haar leven is geworden tot nu toe. Het jaar dat ze altijd zal koesteren.

Niemand begreep iets van hun relatie. Hoe leg je aan anderen uit dat een groot leeftijdsverschil niets uitmaakt als je waanzinnig verliefd bent? Hoe verklaar je de onontkoombare wens om samen te zijn? Hoe beschrijf je de passie die je in haar macht heeft?

'Ik geloof dat het goed raak is,' zei Vince.

'Zoiets kan nooit lang duren,' was haar moeder van mening.

Irma had zin om haar verbaal aan te vallen en haar de mond te snoeren. Toch zei ze niets. Ze had geen energie voor discussie en al helemaal niet voor ruzie. Alle energie werd opgeslokt door de liefde. Ze wist zeker dat haar moeder geen gelijk zou krijgen.

'Ik heb aan Venessa verteld dat ik jou zie,' zei Dick.

Irma moest lachen om de manier waarop hij zich uitdrukte.

'Heb je echt alleen over elkaar zien gepraat?'

'Meer kan ze niet aan,' legde hij uit. 'Dit is al nauwelijks te verteren.' Later meldde hij dat zijn ex hem had bevolen om de naam van Irma nooit meer te noemen en dat zijn kinderen ontzettend agressief hadden gereageerd op zijn omgang met haar.

'Ik begrijp het wel,' probeerde ze hem te troosten.

'Ik niet. Ik vind het kortzichtig en kwetsend. Mijn dochter is nota bene getrouwd met de grootste lapzwans die ooit het levenslicht heeft gezien. Wij hebben haar al heel wat keren van een financiële ondergang moeten redden, maar we hebben nooit geweigerd haar te helpen. En nu dit.'

Ze probeerde zich voor te stellen hoe hij zich moest voelen, maar ze kwam niet verder dan een loyale afkeer van zijn kinderen. De rol van de ex-vrouw vond ze ronduit belachelijk. Gescheiden is gescheiden, wat een onmogelijke truthouding had die vrouw zich aangemeten. Wat een afhankelijkheid, wat was ze een slechte verliezer. Ze vroeg nooit naar haar. Dat was ook niet nodig, want Dick had geen aanmoediging nodig om te vertellen op welke manier deze Venessa aanwezig bleef in zijn leven.

'Dat krijg je ervan als je aanpapt met een man die je vader kan zijn,' blèrde Irma's moeder. 'Hij heeft al een leven achter zich en dat wis je niet uit. Waar je maar zin in hebt.'

In de maanden dat Dick en zij samen waren haatte ze haar moeder meer dan ooit.

Ze heeft opeens heimwee naar Dick. Hoe kon ze denken dat hun geschiedenis lang genoeg geleden was om herinneringen een onbereikbare plaats te geven? Hij is terug in haar leven en elke spier, elke zenuw, elke vezel in haar verlangt naar hem. Ze ziet hem lopen, hoort hem praten, voelt dat hij haar aanraakt. Hij beheerst op precies dezelfde manier als zeven jaar geleden haar gedachten, ze voert weer hele gesprekken met hem. Maar alles verdwijnt in een enorme leegte om haar heen. Alles wordt weggezogen, van haar af gerukt. Ze grijpt in het niets.

Het komt door Dylon. De gebaren die hij maakt leggen iets bloot wat beter verborgen kan blijven. Ze wil de pijn niet meer voelen, het is te heftig en te grof. Ze weet zeker dat ze ervoor moet zorgen dat Dylon uit haar buurt blijft. Maar hoe is het dan mogelijk dat deze conclusie vergezeld gaat van een heftig verlangen om hem vaker te zien?

46

Er staat een bericht van Martin op haar antwoordapparaat. 'Hallo Irma, ik heb al een paar pogingen gedaan om je te bereiken. Misschien ben je toch nog te boos en reageer je daarom niet. We nemen aanstaande dinsdag een beslissing over de definitieve rolverdeling en ik wil nog steeds graag met jou over de hoofdrol praten. Bel me alsjeblieft, we kunnen hier een prachtige productie van maken.' Begrijpt ze het goed? Smeekt hij haar bijna om te reageren? Wat is er met de andere spelers gebeurd? Hebben die soms massaal het lidmaatschap van de toneelvereniging opgezegd? Zoiets moet het zijn. Een onverwachte leegloop en paniek. Maar gelukkig hebben we Irma nog. Die loopt zich al jaren uit te sloven om een hoofdrol te bemachtigen, dus laten we die maar benaderen. We kunnen ons niet permitteren om over een paar maanden geen voorstelling te hebben, want dan verspelen we gegarandeerd de riante subsidie van de gemeente.

Ze merkt dat ze in zichzelf loopt te praten. Dat doet ze vaak als ze zich opwindt. Dick moest daar ontzettend om lachen. 'Je doet het weer,' riep hij. 'Ontken het maar niet, ik zie het toch? Wie wordt er nu weer op een ongezouten mening getrakteerd?'

Stap even achteruit, Dick, alsjeblieft.

Ze luistert het bericht van Martin nog een keer af. Zijn woorden zouden haar eerder in een ongelooflijke staat van opwinding hebben gebracht. Hoofdrol, prachtige productie. Het even losjes melden tegen haar moeder. En zich niets aantrekken van het negatieve antwoord dat ongetwijfeld volgen zal.

Hoofdrol, prachtige productie.

Er gebeurt niets wat ook maar enigszins lijkt op blijdschap. Ze is niet eens van plan om Martin terug te bellen. Waarom zou ze? Wat moet ze met een hoofdrol?

'Ik had het gevoel dat jij vandaag vrij was,' lacht Dylon. Hij leunt tegen de brievenbox aan die links van de voordeur zit. 'Heb ik je niet iets horen zeggen over dringend in de tuin moeten werken? Hier is de hulptuinman.'

Als ze koffie drinken op het terras vraagt ze zich af of ze dit leuk vindt. Ja en nee. Ja, omdat ze ertegen opzag om vandaag de hele dag alleen te zijn. Er hangt iets in de lucht en dat maakt haar onrustig. Nee, omdat ze totaal geen zin heeft om in de tuin te werken. Ze weet het, er moet nodig onkruid gewied worden en gras gemaaid. De terrastegels zouden ook wel eens even onder handen genomen mogen worden door de hogedrukspuit. Ze heeft er alleen totaal geen puf voor.

'Je ziet er moe uit,' stelt Dylon vast. 'Heb je toevallig alleen maar zin om lekker lui in de zon te liggen? Ook goed, dan werk ik en kijk jij toe.'

Ze wil niet dat hij in haar tuin werkt, maar hoe maakt ze hem dat duidelijk?

'Bezwaren? Zeg het maar gewoon, ik zie aan je gezicht dat je het er niet mee eens bent.'

Hij lijkt echt heel erg op Dick en dat is de reden dat ze zich inhoudt. Als ze hem nu wegstuurt, komt hij misschien niet meer terug. En ook al probeert ze zichzelf ervan te overtuigen dat dit geen slecht idee zou zijn, de gelijkenis bevalt haar. Ze weet natuurlijk goed dat het niet meer is dan een gelijkenis en dat ze last kan krijgen van heimwee. Ze beseft wel degelijk dat ze op deze manier zelf alles oprakelt waar ze liever niet meer mee wordt geconfronteerd.

Hij lag naast haar in bed en zei dat hij zich erg benauwd voelde. Ze lachte erom en plaagde hem dat hij gestraft werd omdat hij al begon te vrijen terwijl hij nauwelijks wakker was. Toen hij probeerde om rechtop te gaan zitten, zakte hij opzij en stierf. Ze keek naar hem en wilde niet weten wat ze zag. Ze rende naar de telefoon en belde het alarmnummer, rukte de voordeur open en liep terug. Ze hees hem overeind en fluisterde in zijn oor dat het goed zou komen, dat er hulp onderweg was, dat ze nog heel lang samen zouden zijn, dat ze een kind van hem wilde. Er waren stemmen in de gang, voetstappen op de trap, mannen in de deuropening en iemand die zei dat het te laat was. Later zat ze in de woonkamer en verscheen Venessa. Irma vroeg aan een van de mannen waarom zij er was en hij antwoordde dat in de agenda van Dick genoteerd stond dat zijn ex-vrouw gewaar-schuwd moest worden als hem iets overkwam. Venessa bekeek haar alsof ze een stuk stinkend ongedierte was en meldde dat ze kon vertrekken. Irma ging. Tijdens de crematie van Dick voerde Venessa het woord. Er was maar één zoon van hem aanwezig. De andere zoon en de dochter zaten ergens in een oerwoud, hoorde Irma achter zich fluisteren. Ze ving ook op dat het een avon-tuurlijke vakantie was en dat het tot nu toe niemand was gelukt om hen te traceren. De zoon die er wel bij kon zijn, sprak ook. Alom lof over Dick, die hij een toffe vader noemde. Hij meende bovendien te moeten melden dat het huwelijk van zijn ouders altijd een voorbeeld voor hem zou zijn. Irma zag om zich heen wat opgetrokken wenkbrauwen en er werd gesmiespeld achter handen. De aula zat vol mensen, maar zij was eindeloos alleen.

'Waar denk je aan?' wil Dylon weten. Zijn gezicht is heel dicht bij dat van haar.

'Aan de man op wie jij lijkt.'

'Die dood is gegaan? Hoe kwam dat?'

'Hij kreeg een hartinfarct toen we samen in bed lagen. We hadden net gevreeën.'

Dylon gaat weer rechtop zitten. 'Ik ga jou meenemen, je lekker rondrijden en je op een geweldige lunch trakteren. Die tuin komt nog wel.'

'Zoiets zou hij ook geantwoord hebben,' zegt ze.

47

Er zijn steeds momenten dat ze elkaar bijna aanraken, maar iedere keer trekt een van hen zich terug. Het valt haar op dat Dylon geen verdere vragen stelt over de man op wie hij lijkt. Ze heeft de indruk dat hij dit onderwerp vermijdt en ze denkt dat het te maken heeft met jaloezie. Ze ziet aan zijn ogen dat hij in haar geïnteresseerd is. Ze hoort de verleiding in zijn stem. Ze voelt de opwinding vibreren en ze geniet van het spel. De gedachte komt binnen als een mokerslag. Laat ze snel aan iets anders denken, aan iemand anders, aan iets positiefs.

Verdwijn, donder op! Het gezicht weigert van haar netvlies af te gaan. De ogen die in de verte staren, de halfopen mond. Het ontbreken van een ademhaling. Ze wil het beeld ontwijken, maar het houdt haar blik gevangen. Het boort zich in haar oogkassen, het doet pijn.

'Je bent helemaal van de wereld.' Dylon raakt haar gezicht aan. 'Wat is er toch met je aan de hand?'

'Ik wil graag naar huis.'

'Dan breng ik je terug. Heb ik iets gezegd wat je stoorde? Heb ik je ergens mee beledigd?'

Ze vindt de verwardheid in zijn stem aandoenlijk. 'Jij doet

niets fout, echt niet. Ik heb vandaag mijn dag niet zo, denk ik. Dat gebeurt wel eens vaker.'

'Wat gebeurt wel eens vaker?'

'Dat ik geplaagd word door herinneringen die ik liever van me af houd.'

'Zou het toelaten van herinneringen niet kunnen helpen om iets te verwerken?'

Ze vraagt zich af wat hij precies bedoelt. De stilte die na zijn vraag is gevallen heeft een onaangename lading.

'Verkeerde vraag, sorry. Volgens mijn moeder stel ik te veel vragen, net als mijn vader.'

'Leeft je vader nog?'

'Ja hoor, gelukkig wel. Heb jij nog ouders?'

'Mijn biologische moeder is dood, maar ik heb haar nooit gekend. Mijn vader is na haar dood hertrouwd met de vrouw die voor mijn gevoel mijn moeder is. Ze leeft nog. Van mijn vader weet ik dat niet. Hij verdween toen ik zeven was.'

'Wat verschrikkelijk. Maar hebben jullie dan nooit meer...'

'Nee, nooit meer iets van hem gehoord. Hij verdween met zijn nieuwe liefde en liet alles achter, zelfs mij.'

'Wat moet jij je afgewezen hebben gevoeld, Irma.'

'Dat voel ik nog steeds.' Op het moment dat ze dit zegt, gebeurt er iets vreemds. Ze ziet het schip, loopt over het dek, iemand fluistert in haar oor dat ze zo op haar moeder lijkt, ze kruipt in een leeg bed. De vloedgolf van herinneringen overspoelt haar en opeens jankt ze om haar vader.

48

Irma had de indruk dat Dylon bij haar wilde blijven, maar ze heeft hem naar huis gestuurd. Haar gedachten zijn te verward, ze voelt zich te onzeker en vooral te labiel. Een aardige man die stevig op haar grootste liefde lijkt is iets te veel van het goede. Ze vermoedt dat juist door de gelijkenis met Dick de gedachten aan de andere belangrijke mannen in haar leven alle ruimte krijgen. Dimmen dus. Geen plaats voor Dylon. Nu even niet.

Ze had verwacht dat ze rustiger zou worden als hij eenmaal weg was, maar ze kan niet stilzitten en evenmin ophouden met het nutteloos verplaatsen van dingen in de woonkamer. Het zou haar heel goed uitkomen als Vince nu belde met de mededeling dat er iemand ziek is geworden en hij hulp nodig heeft. Maar niemand belt. Vince niet, haar zeurkous van een moeder niet, haar vriendin niet. Waar hangt Denise eigenlijk uit? Irma heeft al tien dagen niets van haar gehoord. Zou ze in de gaten hebben dat Dylon... Het was over tussen haar en hem, zo was het toch? Ze doet niets verkeerd, er is zelfs nog niets tussen hen gebeurd.

Nog niet.

Er moet ook niets tussen hen gebeuren. Voorlopig wil ze geen man in haar huis en zeker niet in haar bed. En als er iemand komt, mag hij niet op Dick lijken. Ze moet haar fantasieën over Dylon geen ruimte meer geven.

Ze ziet in de achtertuin twee vogels die elkaar achternazitten. In de verte vliegt een reiger. Die gaat natuurlijk landen bij de sloot. De natuur ziet er vriendelijk uit. Het is een vriendelijke dag en zij vult de uren met somberheid en laat zich plagen door foute gedachten. Dat moet anders. Ze kan beter in beweging komen. Het is bijna vier uur, de lucht is strakblauw en de temperatuur buiten is aangenaam. Ze wil naar Zandvoort fietsen en daar in een strandtent iets gaan eten, de spoken die om haar heen dwalen van zich afschudden en haar gedachten weer op orde krijgen. Op het moment dat ze op haar fiets stapt, stopt er een zwarte auto bij de oprit. Er zitten twee mannen in. Ze wacht.

De man die op haar afkomt, bekijkt haar snel van top tot teen. 'Bent u Irma Esfeld?' Hij toont een legitimatiebewijs. In een flits ziet ze de blauwgetinte omlijsting van het kaartje. 'Van Drongelen, politie Alkmaar. Dit is mijn collega Heeres. Wij willen u graag een paar vragen stellen over Floran Haverkort.'

Ze zorgt ervoor dat ze het stuur van haar fiets goed vasthoudt en rechtop loopt als ze de mannen voorgaat naar de tuin.

'U woont hier mooi,' zegt Heeres. Hij wijst op het perk met de wilde bloemen. 'Schitterend, die digitalis ertussen. Dat zijn mijn lievelingsbloemen.'

'Het zijn wel giftige rakkers,' bromt Van Drongelen. Irma voelt zijn blik op haar gericht.

'Hoe bent u bij mij terechtgekomen?' Het lijkt haar verstandig om de vragen niet lijdzaam af te wachten. Haar hersenen werken koortsachtig. Hoe is het mogelijk dat deze mannen hier verschijnen en haar vragen willen stellen over Floran? Niemand in haar omgeving weet dat ze met hem omging. Met een schok beseft ze dat ze zich vergist. Ze heeft het aan Denise verteld. Heeft zij de politie gewaarschuwd? Ze drong erop aan dat Irma zich zou melden.

'We hebben uw naam van de echtgenote van de heer Haverkort gekregen.' Van Drongelen is vriendelijk. Hij kijkt haar voortdurend aan. 'Ze was op de hoogte van uw... relatie met haar man.'

'Ex-man. Ze zijn gescheiden.'

'Als ik mevrouw Haverkort goed begrepen heb, had haar man, ex-man, plannen in meerdere richtingen.'

Irma haalt haar schouders op. 'Het maakt mij niet uit. Er is overigens geen sprake van een relatie. We hebben elkaar een paar keer ontmoet, maar het werd niets tussen ons.'

'Wanneer hebt u hem voor het laatst gezien?'

'Op Moederdag.'

'Waar hebt u hem toen gezien?'

'Hier. Hij heeft de nacht ervoor hier geslapen.' Ze moet minder snel praten en goed nadenken voordat ze iets zegt.

'Hoe laat is hij weggegaan?'

Ze kan de tocht naar Alkmaar achterwege laten. Maar ze heeft hier met haar domme hoofd iets over gezegd tegen Denise. Stel je voor dat ze gaan wroeten in haar leven en op haar vriendin stuiten. Als zij een ander verhaal vertelt dan Irma, kan dat verregaande gevolgen hebben. Veel te verregaande gevolgen.

'Weet u niet meer hoe laat hij vertrok?'

Hoort ze nu iets van achterdocht in de stem van Van Drongelen? Ze kijkt hem recht aan. 'Ik heb hem in het begin van de middag naar Alkmaar gebracht. Hij wilde hasj halen in een coffeeshop. Ik wachtte op hem in de auto en hij bleef heel lang binnen.'

'Kregen jullie daar ruzie over?'

Ze grijnst. 'Dat feest heb ik niet afgewacht. Het was Moederdag, mijn moeder verwachtte me en dat wist hij. Ik werd ongeduldig en later boos. Ik ben weggereden en heb hem dus in zijn sop laten gaarkoken.'

'Hebt u daarna nog contact met hem gehad?'

Nu goed nadenken en de man recht aankijken. 'Hij heeft me de dag daarna gebeld en zijn excuses aangeboden.'

'Waarvoor?'

'Omdat hij me te lang had laten wachten voor die coffeeshop. Hij was daar iemand tegengekomen die hij lang niet had gezien en totaal vergeten dat ik buiten stond. Dat geloofde ik niet en dat heb ik gezegd. Ik heb toen het contact verbroken.' De leugen komt zonder hapering tevoorschijn.

'Weet u dat hij wordt vermist?'

'Nou, vermist... Ik heb een programma op de televisie gezien dat aandacht besteedde aan zijn verdwijning. RTL *Boulevard*. Daar concludeerde men dat hij er waarschijnlijk met zijn minderjarige vriendin vandoor was.'

'Waarom hebt u zich niet bij de politie gemeld?'

'Waarom zou ik me melden? Ik heb het contact verbroken, ik wil niets meer met die man te maken hebben.'

'Alleen omdat hij u daar heeft laten staan?'

'Niet alleen daarom. Ik kon eerlijk gezegd ook niet goed leven met die geschiedenis met dat jonge meisje. Hij sprak daarover alsof het niets voorstelde, maar ik kon er toch niet omheen dat hij zich aan dat kind vergrepen heeft. Het stond me tegen. Misschien vindt u dat burgerlijk.'

'Kunt u me het adres van die coffeeshop geven?'

Daar was ze al bang voor. Ze kan zichzelf wel voor de kop slaan dat ze dat domme coffeeshopverhaal ooit heeft verteld.

49

De heren zijn vertrokken en ze zit te shaken op haar stoel. Dit gaat de verkeerde kant op. Ze merkt dat ze bezweet is en verlangt naar een stevige douche. Ze schenkt een glas frisdrank in en voelt haar benen trillen. Hier zat Floran tegenover haar aan de keukentafel en zei dat hij niet wist dat spinazielasagne zo lekker kon zijn. Ze kijkt naar zijn stoel. De stoel waar ook Wouter op zat toen hij haar excellente spinazielasagne at. Ze ziet ze allebei zitten.

Ze wil ze niet zien, ze wil niet aan ze denken, ze wil deze mannen uitwissen. Het waren gebruikers, leugenaars, bedriegers. Ze lieten haar in de steek en ze wil door niemand in de steek gelaten worden.

Door niemand.

Het glas in haar handen breekt en ze staart naar haar eigen bloed.

Ze denkt na over het gesprek dat ze met de rechercheurs voerde. Hoe begon het? Hoe hebben ze haar gevonden?

De vrouw van Floran wist wie ze was. Betekent dit dat hij over Irma gepraat heeft? Waarom heeft die vrouw eigenlijk niet eerder haar naam genoemd? Het is al meer dan anderhalve maand geleden dat hij verdween, waarom is er nu opeens een onderzoek gestart? Iedereen dacht toch dat hij er met dat domme wicht vandoor was?

Ze vraagt zich af wat de rechercheurs precies van haar te weten wilden komen. Ze vond hun vragen vrij algemeen en ze had de indruk dat zij zich niet goed hadden voorbereid. Ze leken alle antwoorden die zij gaf te geloven. Of deden ze maar alsof en komen ze later terug? Was dit hooguit een verkennend gesprek en willen ze binnenkort meer weten over haar omgang met Floran?

De vragen maken haar onrustig. En ongerust. Wat haar het meeste dwarszit is het feit dat de vrouw van Floran geweten schijnt te hebben dat hij met Irma omging. Wat wist ze precies?

Klopt het wel dat ze iets wist? Was zij wel degene die de politie tipte over zijn relatie met Irma?

Ze moet met Denise praten.

'Ik was net van plan om je te bellen. Ik ben een week naar Torquay geweest. Het idee kwam nogal onverwacht, ik werd uitgenodigd door een ex-collega. Heb je wel eens van Torquay gehoord? Dat is de geboorteplaats van Agatha Christie. Het ligt aan de zuidkust van Engeland, die streek wordt ook wel de Engelse Rivièra genoemd. Het is er prachtig!'

'Ik heb net twee rechercheurs op bezoek gehad.'

Irma hoort dat Denise schrikt. 'Wat zeg je nu? Waarom? Is er iets met je moeder gebeurd?'

'Ze kwamen vragen stellen over mijn relatie met Floran.'

Stilte.

Denise schraapt haar keel. 'Je denkt dat ik… Maar ik heb er met niemand over gesproken. Echt niet, dat zweer ik op het graf van mijn moeder. Je moet me geloven.'

'Ik geloof je.'

'Ik kom naar je toe.'

Denise ziet er goed uit. Haar gezicht is gebruind, haar ogen glanzen. Ze omhelst Irma stevig en begint direct te verkondigen dat ze echt met niemand heeft gepraat. Irma probeert haar gerust te stellen. 'Ik beschuldig je nergens van.'

'Maar ik voel me rot, omdat jij hiermee bent lastiggevallen. Hoe kwamen die rechercheurs in hemelsnaam bij jou terecht?'

Ze vertelt dat de vrouw van Floran op de hoogte schijnt te zijn geweest van zijn omgang met haar.

Denises mond vertrekt. 'Zo zie je maar weer dat hij toch onbetrouwbaar was.'

'Of is. Waarom spreek je in de verleden tijd over hem?'

'Is, zoals je wilt. Als hij dan zijn kunstjes maar verder buiten ons gezichtsveld vertoont. Laat hij dat meisje dat zijn dochter kon zijn maar lekker inpalmen, waar hij ook mag zitten.'

'Je kijkt zowaar gevaarlijk. Maar verder zie je er erg goed uit.'

Irma neemt het zichzelf kwalijk dat ze toch nog meer vragen aan haar vriendin zou willen stellen en dat de antwoorden zouden moeten uitsluiten dat Denise met iemand over haar korte relatie met Floran heeft gesproken. Ze bedenkt dat Denise kwaad zou kunnen worden en ze wil geen ruzie maken. Het onderwerp Floran Haverkort kan de rest van de avond beter gemeden worden. Er komt binnenkort wel een andere gelegenheid om te achterhalen of Denise de waarheid spreekt. Ze raakt even de arm van haar vriendin aan. 'Vertel eens, hoe kwam het dat je opeens met vakantie ging? Ik wist niet dat je die plannen had.'

'Ik had geen plannen. Ik werd gebeld door een ex-collega. We spreken elkaar eens in de twee maanden, ik ga ook wel eens met haar naar de bioscoop. Ze had een reis geboekt naar Torquay voor haar en een vriendin. Belt die vriendin drie dagen voor vertrek en vertelt ze dat haar moeder plotseling is overleden. Die kon dus niet mee en toen heeft ze mij gevraagd of ik zin had in een reisje.'

'Zal ik koffie maken? Of wil je iets alcoholisch?'

Denise loopt mee naar de keuken. Op het moment dat Irma twee wijnglazen van de bovenste plank van de servieskast plukt, hoort ze in de kamer haar mobiele telefoon overgaan. Voordat ze iets kan zeggen loopt Denise de kamer in. Even later is ze terug en reikt Irma het mobieltje aan. 'Ik denk dat dit zo'n telefonische verkoper is. Laat je niets aansmeren, hè?'

Irma meldt zich met een kort hallo.

'Kwam de politie jou soms vragen stellen over de verdwijning van je meest recente verovering, Reentje? En heb je het eventueel ook nog over die andere verdwijning gehad?'

Ze smijt het toestel in een hoek.

50

Ze wil dronken worden. Als ze te veel drinkt, krijgt ze een lichter gevoel in haar hoofd en voelt ze zich zorgelozer. Ze wil licht in haar hoofd en zorgeloos zijn. Toch kan ze beter niet losgaan zolang Denise hier nog zit. Het risico dat ze te veel gaat vertellen is te groot. Ze heeft een te grote behoefte om te praten. Maar Denise zit hier wel en ze is nieuwsgierig.

'Ik ben je beste vriendin, je kunt me vertrouwen,' dringt ze aan. 'Ik zie aan je dat iets je dwarszit. Gooi het eruit, ik praat er echt met niemand over.'

Irma twijfelt.

'Dat bezoek van die rechercheurs uit Alkmaar klopt niet, volgens mij. Je hoort of leest de laatste tijd niets meer over die Haverkort, ik geloof niet dat ze naar hem zoeken. Weet je wat ik denk? Ik denk dat iemand jou op stang probeert te jagen en dat je die iemand moet zoeken in de richting van de man die je telefonisch lastigviel. Je zou hem toch ontmoeten? Wanneer was dat precies? Op een zondagavond, als ik me niet vergis.'

'Dat klopt, ik heb je verteld dat we een afspraak hadden. Hij is niet verschenen.'

'Dat klinkt niet goed. Wat zijn dit voor streken? Waarom zou iemand jou op deze manier te pakken willen nemen? Weet je echt niet wie dit is?'

En opeens zegt ze het. Terwijl ze nog twijfelt, gooit ze het er toch uit. 'Ik denk dat het de zoon is van de man met wie ik iets had toen ik eenentwintig was. Van Wouter. Ik heb je al iets over hem verteld.'

'Hoe heette die zoon?'

'Dat weet ik niet. Maar ik denk dat hij degene is die mij lastigvalt.'

'Echt? Waarom zou hij dat doen?'

'Daar moet ik dus achter zien te komen.'

'Ik zei het al eerder: doe aangifte. Je weet nooit wat die vent precies van plan is. Ik zie aan je dat hij je behoorlijk de stuipen op het lijf jaagt. Geef hem aan.'

'Misschien heb je wel gelijk. Ik zal erover nadenken.'

Denise slaakt een diepe zucht. 'Dat kunnen we dus schudden.'

Denise grijpt Irma's vraag om meer te vertellen over haar vakantie naar Torquay gretig aan. Ze brandt los over blauwe luchten, een serene zee, haventjes met plezierjachten en zeer interessante vissers. Maar gelukkig weidt ze daar niet verder over uit en vertelt ze wat ze allemaal te weten is gekomen over Agatha Christie. 'Weet je dat die vrouw tachtig detectives heeft geschreven? Táchtig! En ook een paar romans, negentien toneelstukken en talloze verhalen. Ik heb nog een hele serie boeken van haar, die ga ik allemaal opnieuw lezen. Het huis waar ze met haar tweede echtgenoot woonde, Greenway House, staat niet ver van haar geboorteplaats en het is tegenwoordig voor publiek toegankelijk. Ik heb er mijn ogen uitgekeken, maar ik was ook heel erg onder de indruk van de tuin die erbij hoort. Wat heet tuin? Greenway Garden is ruim honderd hectare groot en er staan bomen uit alle delen van de wereld. Als je daar rondloopt, komen de ideeën voor moordcomplotten vanzelf bij je binnen. Over moord gesproken: zeg eens eerlijk, denk jij dat het mogelijk is dat Floran Haverkort is vermoord?'

De sfeer was net weer wat gemoedelijker aan het worden. De buitenwereld was net wat verder weg geplaatst. Irma wil de schrik die zich meester van haar maakt niet tonen. Ze houdt haar gezicht in de plooi als ze antwoordt dat Floran Haverkort haar geen ene moer meer interesseert en dat hij wat haar betreft mag rusten in vrede.

'Maar je zult toch nog wel eens aan hem denken? Je hoort wel eens van die verhalen over mensen die hun eigen dood in scène zetten en spoorloos verdwijnen. Ik vraag me af waarom hij dat zou doen. Hij werd toch niet vervolgd voor dat avontuur met dat jonge meisje? Het heeft hem zijn baan gekost en zijn huwelijk. Maar zijn dat redenen om spoorloos te willen zijn?'

Irma heft haar handen in de lucht. 'Moeten we het nu echt steeds weer over Floran hebben? Leg mij uit wat kerels precies bezielt. Ik ben er nog nooit een tegengekomen die me dat duidelijk heeft kunnen maken.' Ze spoelt haar woorden direct weg met een grote slok wijn.

'Meen je dat nou?' vraagt Denise.

Denise is eindelijk naar huis, nadat ze Irma heeft laten zweren dat ze aangifte zal doen als de man met de bekende stem haar nog een keer belt. 'Jij bent zo cool, Irma, maar ik vraag me af of je daardoor niet het risico loopt dat je bepaalde situaties verkeerd inschat. Ik vind je wel stoer. Ik zou zelf ook wel een beetje stoer willen zijn.' Het klonk aandoenlijk en Irma heeft haar stevig omhelsd. De fles wijn is bijna leeg. Bijna is nog niet helemaal, daar zal ze wat aan moeten doen. Ze staat niet bepaald stevig meer op haar benen, maar dat was ook precies wat ze wilde. De dronkenschap bezorgt haar een aangename euforie. In deze toestand kan ze het uitstekend met de rest van de wereld vinden. De levenden zijn beter te verdragen en de doden minder ernstig dood. Wie het nu ook in zijn hoofd mag halen om haar te bellen en bedreigende boodschappen af te geven of kritische vragen te stellen, ze maakt zich er even niet druk om. Ze bevindt zich in een roes die haar hoofd lichter maakt en haar geweten minder bezwaard. Morgen ziet ze wel verder.

De volle maan legt een feeëriek waas over de tuin. Ze ademt de nacht diep in en voelt de uitademing langs haar lippen glijden. Op het moment dat ze de tuindeur sluit, hoort ze het geluid van haar telefoon. Dat had ze wel verwacht. Denise moet nog even melden dat ze veilig thuis is en dat Irma voorzichtig moet zijn.

Denises stem klinkt alsof ze net een kilometer heeft gerend. 'Ik keek nog even op nu.nl, dat doe ik iedere avond voor ik ga slapen. Heb je het niet gezien? Dat kind met wie Floran Haverkort het deed, die vriendin van zijn dochter, blijkt nu ook spoorloos te zijn. Haar ouders hebben alle mogelijke moeite gedaan om dit buiten de publiciteit te houden, maar een vriendin van hun andere dochter heeft tegen de pers gekletst. Men vermoedt dat ze samen zijn uitgeweken naar het buitenland. Denk jij dat dit klopt?'

'Wat een stompzinnig gezwam, zeg. Is het wereldnieuws niet interessant genoeg?' Het ontspannen gevoel is zomaar verdwenen.

*

De moeder wilde een cruise maken, dezelfde cruise van tien jaar geleden. Ze was ervan overtuigd dat het de enige manier was om afscheid te nemen van de vader. Haar verklaring werd een soort mantra. 'Het wordt tijd dat we hem achter ons laten.' Haar wens veranderde langzaam in een eis en veroorzaakte een verstikkende spanning in huis.

Na een tijdje gaf het meisje haar verzet op en stemde toe.

Het schip was te groot, stelde het meisje vast. Het was niet alleen te groot, er waren ook te veel mensen. Ze zaten op het dek, in de eetzalen, bij de zwembaden, ze waren overal. Zelfs als de moeder en het meisje zich in hun hut terugtrokken, hoorden ze stemmen op de gang. De moeder vond het vreemd dat haar dochter zich zo ergerde aan de medepassagiers. Ze beweerde dat het allemaal vriendelijke mensen waren en dat niemand hun in de weg liep.

Het meisje was opstandig. Ze zei dat ze terug naar huis wilde. De moeder berispte haar voor haar ondankbaarheid. 'Dit is een dure reis, ik wil geen gemok en zeker geen gedrein om terug te gaan. We gaan afscheid nemen van je vader.'

'Ik wil helemaal geen afscheid nemen.'

'Waarom toch niet?'

'Afscheid nemen klinkt als vergiffenis schenken voor wat hij heeft gedaan. Ik wil weten waar hij is en hem ter verantwoording roepen. Ik wil dat hij inziet wat hij heeft veroorzaakt.'

'Wat heeft hij dan precies veroorzaakt?'

Het meisje keek de moeder aan met een felle blik in haar ogen. 'Hij heeft me bedrogen. En waag het niet om te zeggen dat hij jou ook bedroog. Het gaat nu om mij.'

De moeder verheugde zich op het bezoek aan Casablanca. Ze wilde de moskee graag nog eens zien.

Het meisje bleef aan boord.

De moeder drong erop aan dat ze samen gingen zwemmen in het grootste zwembad. 'Ik was toen zo trots op je, omdat je al een zwemdiploma had.'

Het meisje zat zwijgend aan de kant.

'Ik wilde dat ik je niet had meegenomen,' mopperde de moeder.

'Ik neem aan dat jij weer aan boord blijft?' De moeder controleerde de inhoud van haar tas. 'Tenerife is heel erg mooi, je weet niet wat je mist.'

'Hier is de slapende vulkaan,' mijmerde het meisje.

'Dat je dat nog weet.' De moeder was verrast, haar stem had een juichende ondertoon.

'Welke herinneringen had mijn vader aan Tenerife?'

De moeder schrok zichtbaar. 'Dat weet je dus ook nog.'

'Hij gaf geen rechtstreeks antwoord toen ik daar een vraag over stelde en jij kletste eroverheen. Dat is altijd al een vervelende gewoonte van je geweest.'

'Je vader is op huwelijksreis geweest naar Tenerife.'

'Met mijn biologische moeder, dus. Waarom was het zo moeilijk om dat gewoon te vertellen?'

'Zijn eerste huwelijk was een verboden gespreksonderwerp.'

De moeder zuchtte diep. 'Hij heeft de dood van jouw moeder niet goed verwerkt.'

'Ging hij er daarom met een kerel vandoor?'

De moeder liep naar de deur. 'Ik ben weg. Blijf jij maar hier.'

Op de ochtend van de zevende dag trof de moeder het meisje met een ingepakte koffer in hun hut. Het schip zou twee uur later weer gaan varen. Het was een stralende dag en de moeder had voordat ze de hut verliet om te gaan ontbijten enthousiast geroepen dat ze de hele dag konden gaan zwemmen.

'Ik wil weg,' zei het meisje.

De moeder keek haar verschrikt aan. 'Weg? Waarheen?'

'Ik wil naar huis.'

'Waarom?'

'Ik kan het niet. Ik kan hier niet zijn. Het is de zevende dag.'

'Dat weet ik. We zouden afscheid nemen.'

'Jij wil afscheid nemen. Ik niet. Ik wil geloven dat er een dag komt dat hij terugkeert. Ik wil hem horen zeggen waarom hij mij in de steek liet. Dat moet.'

'Ik begrijp het,' zei de moeder.

51

'Ik heb de laatste weken een leuk contact met Dylon.' Irma zegt
het op een zo luchtig mogelijke manier, maar ze houdt de reactie van Denise wel scherp in de gaten.

'Met Dylon? Hoe kan dat zo?'

'Hij stond hier opeens voor de deur en een paar dagen later nog
eens. Hij is gezellig gezelschap, ik kan goed met hem praten.'

'Alleen praten?'

'Tot nu toe is het bij praten gebleven en ik denk dat daar voorlopig ook geen verandering in gaat komen.'

'Waarom vertel je dit aan mij?'

Irma probeert te ontdekken of Denise nu wel of niet geïrriteerd is. 'Jij ging een tijdje met hem om en ik wil niet dat je me
als een kaper beschouwt.'

'Dylon betekende niet veel voor mij. Hooguit goede seks *for
the time being*. Maar ook weer niet goed genoeg om er mijn hele
leven aan op te hangen. Je mag hem hebben, hoor.'

'Ik stelde geen vraag en vroeg ook niet om toestemming.'

'Nee, maar je bent wel gespannen. Het lijkt wel of je ruzie
zoekt.' Denise lijkt te aarzelen. 'Kom ik soms te dichtbij? Vind
je dat je me te veel hebt verteld? Die indruk heb ik namelijk.
Je bent de laatste tijd opeens spraakzamer over je verleden en je
hebt me zelfs toevertrouwd wat je met Floran Haverkort hebt

beleefd. Die overigens nog nergens opgedoken is en dat blijf ik vreemd vinden.'

'Ga er maar van uit dat Floran Haverkort nergens meer opduikt. Iemand die absoluut niet gevonden wil worden, zorgt er wel voor dat hij geen sporen nalaat.'

'Heb je het nu over Haverkort of over je vader?'

'Ik heb het over mensen die ervoor kiezen om te verdwijnen zonder de achterblijvers duidelijk te maken waarom ze dat deden en hoe. Het komt veel vaker voor dan wij ons kunnen voorstellen.'

Denise kijkt Irma aan met een peinzende blik in haar ogen.

'Zeg nu eens eerlijk, Irma, hoe jij denkt over het feit dat Haverkort is verdwenen. Wat kan er volgens jou aan de hand zijn geweest?'

'Ik denk dat hij gewoon op de vlucht geslagen is voor zijn allesoverheersende ex-vrouw die hem terug wilde en dat hij dat schaap met wie hij het deed heeft meegesleurd. Floran kan niet zonder vrouw, of zonder aandacht van een vrouw, of zonder seks. En nu wil ik het onderwerp Floran Haverkort afsluiten. Hij is alle aandacht niet waard, ik ben helemaal klaar met die man.'

'Dus jij denkt niet dat hij het slachtoffer is geworden van een misdrijf?'

Irma lacht. 'Nou nee, maar als ik eerlijk ben mag hij gerust ergens onder de groene zoden zijn weggemoffeld.' Ze heeft direct spijt van haar antwoord.

Er dringt zich voortdurend een vraag aan haar op die haar onrustig maakt. Ze kan het twijfelachtige gevoel over het recente bezoek van de twee rechercheurs die beweerden dat de ex van Floran Haverkort hen op het bestaan van Irma had geattendeerd niet van zich af zetten. Er komen niet zomaar rechercheurs aan je deur en als ze komen zullen ze je duidelijk maken waarom. Het gesprek dat ze voerden was vaag, ze maakten de indruk dat ze zich niet op hun gemak voelden en iedere keer als Irma aan hun bezoek terugdenkt, betrapt ze zich op twijfel. Ze heeft niet goed gekeken naar de identiteitsbewijzen die de heren vluchtig toonden.

Waren de mannen wel rechercheurs? En zo niet, wie waren ze dán? En wat was het doel van hun bezoek?

Vince wil een week vrij nemen. Er komt een neef van Ria op bezoek en hij moet de rol van gastheer vervullen. Hij vraagt aarzelend of Irma het ziet zitten om een hele week achter elkaar te werken. 'Ik voel me het meest gerust als ik weet dat jij iedere dag aanwezig bent. Maar ik wil je ook niet overvragen. Je hebt genoeg aan je hoofd, ik heb de indruk dat je ergens over piekert. Heeft het nog met die overval te maken? Denk je dat hij het nog een keer probeert?'

Irma stelt hem gerust. 'Maak er maar tien dagen van en geniet zelf ook een beetje. Ik denk niet meer aan die overval. Er worden dagelijks overal mensen overvallen, die man had het echt niet speciaal op mij voorzien. En ik loop niet meer in mijn eentje naar de auto. De bodyguards uit de keuken begeleiden me heel serieus.' Terwijl ze tegen Vince praat, poetst ze de bar. 'Er lagen vanmorgen al weer drie gebroken glazen in de afvalbak,' zegt ze. 'Dat is iedere keer het geval als Jeltje achter de bar staat. Ik wil haar daarop aanspreken.'

Vince geeft met een handgebaar te kennen dat hij het met Irma eens is.

Ze voelt dat er ogen op haar gericht zijn en kijkt op.

'Ik ga,' kondigt Vince aan. 'Ik bel je elke dag en als er iets is wil ik dat je mij belt. Afgesproken?'

Irma staart naar de plek waar ze zitten. Ze leunt tegen de bar en probeert haar knieën strak te houden. Het lukt niet. Ze trillen, ze geven haar het gevoel dat haar beide benen elk moment onder haar vandaan geslagen kunnen worden.

De man staart ook. Naar haar. Er ligt een vage glimlach om zijn lippen. Zijn ogen spotten met haar blik.

Die ogen.

Die mond.

Hij is het, ze weet het zeker. Hij is de man die steeds belt, die haar Reentje noemt. En ze heeft goed gegokt, hij is de zoon van Wouter uit zijn eerste relatie. Hij is een kopie van Wouter, bijna de man die ooit hier zat en haar verleidde. Maar hij is Wouter niet. Hij kan Wouter niet zijn. Niemand kan Wouter meer zijn. Irma richt haar blik op de vrouw die naast de man zit. Ze roert in het kopje dat op tafel staat en neemt een slok. Ze kijkt heel nadrukkelijk niet naar Irma. Maar Irma weet zeker dat het Cocky is.

52

Ze breekt achter elkaar twee glazen en krijgt het voor elkaar om daarna twee cappuccino's te laten mislukken. Ze vloekt binnensmonds en houdt haar gezicht in de plooi. Toch heeft ze het gevoel dat de man en Cocky in de gaten hebben wat er gebeurt.

Jeltje heeft de serveerster die in het restaurant liep afgelost en ze staat gezellig met de man en Cocky te kletsen. Je zou zweren dat ze elkaar kennen.

Kennen ze elkaar?

Irma houdt haar adem in.

Jeltje komt naar de bar toe en geeft door dat de gasten overgaan op de wijn en een saté van het huis willen eten.

'Ken je die mensen?' vraagt Irma zo achteloos mogelijk.

'Die man en die vrouw? Nee, hoor. Jij?'

'Nee, natuurlijk niet.'

'Ik heb ze hier nog nooit gezien. Hoewel, die man komt me bekend voor. Maar ik weet niet zo snel waarvan. Nou ja, dat denk ik zo vaak. Je ziet hier veel verschillende mensen, op een bepaald moment haal je ze allemaal door elkaar.'

Irma wrijft wat voorzichtiger de pilsglazen droog en kijkt niet naar het tafeltje waar de man en Cocky zitten.

Jeltje brengt de wijn en praat nog even met de man. Als ze terugkomt bij de bar, glimlacht ze nadrukkelijk. 'Hij wilde weten hoe je heet.'

'Dat heb je toch niet verteld?'

'Waarom dan niet? Is dat tegenwoordig geheim?'

Irma wenkt haar mee naar de keuken. 'Dat heet privacy, Jeltje. Wat is dit voor een stompzinnige reactie? Ben jij soms vergeten dat ik onlangs nog ben lastiggevallen?'

'Nou zeg, dat was díé man toch niet? Wel soms? Jij bent niet een beetje achterdochtig, hè Irma? Overdrijf je nu niet?'

'Ik probeer jou duidelijk te maken dat het geen pas geeft om namen van je collega's bekend te maken aan klanten. Dat doe je gewoon niet en als je dat niet begrijpt, dan heb je hier niets te zoeken.'

'Betekent dit dat je me nu ontslaat?'

'Dit betekent een waarschuwing en een vriendelijk maar dringend verzoek om je toon tegen mij te matigen. Ik ben hier nog altijd de bedrijfsleider.'

'En wat voor een.'

'Wat bedoel je daarmee?'

'Wat zou ik daarmee kunnen bedoelen?'

'Ga aan je werk, Jeltje, en laat ik niet merken dat je dit soort kunstjes nog eens flikt.' Irma loopt snel naar het kantoor en sluit de deur. Ze gaat aan het bureau zitten en belt Vince.

Ze zijn weg. Jeltje loopt met een donker gezicht rond en negeert Irma. Het is druk en de volgende twee uren vliegen voorbij. Irma voelt zich rustiger. Ze heeft aan Vince verteld wat er is voorgevallen tussen haar en Jeltje en hij was het volledig met haar eens dat die een waarschuwing heeft gekregen. 'Je mag haar van mij ook direct wegsturen,' zei hij.

'Ik ben bekaf,' meldt Jeltje. Ze probeert duidelijk weer vriendelijk te doen, maar ze kijkt Irma niet aan. 'Als ik thuiskom, ga ik minstens een uur met mijn voeten in een teil met koud water zitten.'

Irma geeft geen antwoord. Ze wil naar huis en ze hoopt dat Jeltje snel vertrekt. Die vrouw maakt iets in haar wakker waar ze op dit moment geen zin in heeft.

'Irma, luister eens.' De stem van Jeltje klinkt aarzelend. 'Het spijt me. Je had gelijk, ik moet beter nadenken voordat ik iets zeg. Sorry dat ik je naam bekend heb gemaakt aan die man. Denk je dat hij je gaat lastigvallen?'

'Nee, dat denk ik niet en ik heb ook geen zin om me daarmee bezig te houden. Ga maar naar huis, ik kan het verder wel alleen af.'

Jeltje loopt naar de deur. 'Hij gaf me een briefje, dat heb ik tussen de schone glazen gezet. Heb je het gevonden?'

Irma voelt haar hart een paar slagen overslaan. Ze controleert de rij schone glazen en ontdekt een wit papiertje. 'Ik had het niet gezien. Nu wel. Dank je.'

'Lees je het niet?'

'Straks misschien. Tot morgen, Jeltje.'

Het briefje is opeens een blikvanger geworden. Irma overweegt het te verscheuren en in de prullenbak te gooien. Ze pakt het voorzichtig vast en draait het een paar keer om. Er staat geen naam op. Is dit briefje wel voor haar? Ze vouwt het open.

Een misdrijf is pas na vijfentwintig jaar verjaard. We hebben dus nog elf jaar de tijd om uit te vinden waar jij Wouter Majoor hebt begraven. Daar gaan we achter komen.

Er is een vreemd geluid in de buurt. Een piepend geluid. Irma luistert scherp en ontdekt dat het haar eigen ademhaling is.

53

Ze heeft het briefje in haar tas gestopt en heeft zich naar haar auto laten begeleiden. Als ze op de A9 de afslag naar Haarlem passeert, realiseert ze zich dat ze de route die achter haar ligt blindelings heeft afgelegd. Voor haar rijdt een bestelwagen. Op de achterkant staat in sierlijke letters een bekende naam.

VAN DRONGELEN

Ze ziet de mannen weer uit de auto stappen en op haar afkomen. Ze waren van de politie Alkmaar, zeiden ze. Ze zijn na hun tamelijk onhandige vragen weggegaan en hebben niets meer van zich laten horen. Ze hebben ook geen visitekaartjes afgegeven. Waarom niet?

Irma denkt na. Stel dat ze controleert of ze inderdaad van de politie waren. Ze zou het bureau in Alkmaar kunnen bellen, maar wat zegt ze dan? Misschien wordt haar poging tot contact opgevat als een signaal dat ze toch meer weet over de verdwijning van Floran Haverkort dan ze heeft aangegeven. En het logische vervolg zal zijn dat men ook weer gaat graven in het dossier over Wouter Majoor.

Niet doen, niet doen.

Ze moet zich niet zo laten gaan, ze moet haar gedachten beter in bedwang houden. Geen rechercheurs bellen, briefjes negeren, zich niets aantrekken van onverwachte gasten in het Grand Café. Cocky is op oorlogspad, samen met die man. Ze doen maar.

Haar huis geeft haar altijd een warm gevoel. Als ze haar eigen erf op rijdt is ze vaak trots. Dit is haar bezit, haar veilige haven. Hier kan haar niets gebeuren.

Zo was het, maar zo is het niet meer. Ze verlangt opeens naar de tijd dat alles anders was.

Ze zet haar auto in de garage en schakelt de motor uit. Ze zit doodstil en tuurt in de achteruitkijkspiegel. De lamp van de enorme straatlantaarn verlicht haar oprit. Die is leeg. Beweegt daar iets? Ze drukt snel op de knop van de afstandsbediening die de garagedeur laat zakken. De duisternis valt over haar heen. Ze moet uitstappen.

Haar ogen zijn gericht op de deur die toegang geeft tot de achtertuin. Het grote raam in de deur toont de nacht. Ze weet dat de buitenlamp zal aangaan als ze de deur opent. Ze weet ook dat het licht van de lamp tot ver in de tuin reikt, zelfs tot halverwege de perken.

Ze opent het portier en zet haar linkervoet op de grond. Op hetzelfde moment gaat haar mobiele telefoon over. Ze kijkt niet op de display en neemt aan. 'Ja?'

'Kom je niet uit de garage, Reentje?'

Ze heeft het portier weer gesloten, de deuren vergrendeld en zit als bevroren op haar stoel. Ze klemt het mobieltje tegen haar oor en hoort hem ademen. Bij elke uitademing maakt zijn stem een zwak sissend geluid.

Ze wil naar binnen, maar ze durft zich niet te verroeren.

Nu maakt hij geluiden met zijn tanden.

Ze verbreekt de verbinding en toetst direct het nummer van Denise. 'Kom alsjeblieft direct naar me toe,' weet ze uit te brengen. 'Ik zit in de garage.'

'Wat zeg je? Ben je gevallen? Gewond?'

Er loopt iemand in de tuin. Ze hoort voetstappen op de terrastegels.

'Kom alsjeblieft.' Haar stem is weg.

'Blijf waar je bent,' zegt Denise. 'Doe maar rustig. Ik kom eraan.'

In een flits ziet ze iemand langs de deur rennen. Ze hoort dat de klink van de toegangsdeur naar de oprit, die vlak naast de garagedeur ligt, wordt opgelicht. De deur is nu open. De indringer rent weg. Ergens in de buurt wordt een motor gestart. Het geluid verwijdert zich snel. De nacht is weer stil.

Doodstil.

Irma klemt haar handen om het stuur en probeert adem te halen.

54

Er klopt iemand op een raam, het geluid is vlak bij Irma's oren. Ze opent haar ogen en kijkt recht in het verschrikte gezicht van Denise. Die wijst naar het slot van de autodeur en Irma drukt de knop van de ontgrendeling in. Denise trekt haar naar buiten en blijft maar vragen of ze gewond is, of iemand haar pijn heeft gedaan, wat er in hemelsnaam allemaal is gebeurd. De stem van Denise slaat een paar keer over. Irma maakt een geruststellend gebaar met haar handen. 'Niets aan de hand, ik ben niet gewond.'

Denise staart haar aan. 'Maar waarom heb je jezelf hier dan opgesloten? Volgens mij was je bewusteloos toen ik kwam.'

'Ik was inderdaad even van de wereld. Het kwam door de schrik.' Irma kijkt om zich heen. De deur naar de oprit is gesloten. De tuin ligt kalm voor haar. Vredig.

Onschuldig.

'Waar ben je zo van geschrokken, Irma?'

'Hij was hier in de tuin. Hij belde me en wist dat ik nog in de garage was. Ik heb gehoord dat hij wegliep en zijn auto startte.'

'Over wie heb je het?'

'Over die man. Je weet wel, die me telefonisch lastigviel.'

'Bedoel je die zoon van je eerste vriend? Je dacht toch dat het zijn zoon was? Was hij hier in de tuin? Waarom?'

Irma heeft alweer spijt dat ze Denise heeft gebeld. Ze wil

alles, behalve naar haar ratelende vriendin moeten luisteren en antwoord moeten geven op stompzinnige vragen.

'Ik klets als een kip zonder kop,' stelt Denise vast.

'Je zegt het. Het lijkt wel of jij je kapot geschrokken bent in plaats van ik.'

'Ik ben me inderdaad kapot geschrokken. Je stem klonk zo vreemd, ik was bang dat je een hartinfarct had of zoiets.'

'Wat scheelt het?' Irma's stem begeeft het.

'Ik breng je naar binnen. Je hoeft niet bang te zijn, ik blijf bij je.'

Irma's benen zijn loodzwaar, het lukt haar nauwelijks om ze op te tillen. Haar voeten lijken vastgekleefd aan de grond. Denise duwt haar in de richting van de voordeur. Ze is vriendelijk, maar toch zit er een ongeduldige ondertoon in haar stem.

'Het gaat echt heel moeilijk,' legt Irma uit. 'Ik bedoel lopen. Mijn benen wegen opeens honderd kilo.'

'Het is de stress, denk je ook niet? Ontspan je maar. Die vent is weg en ik ben bij je. Er gebeurt niets.' Deze vriendelijkheid is echt. Misschien heeft ze de stem van Denise net niet goed begrepen. Misschien moet ze er rekening mee houden dat ze op dit moment niet in staat is om zelfs de meest eenvoudige woorden of gebaren van wie dan ook op de juiste manier te interpreteren. Misschien is ze bezig haar gezonde verstand te verliezen. Tot haar eigen verbazing constateert ze dat ze die mogelijkheid een geruststellend idee vindt.

Verstand verliezen, weg kwijtraken, ontoerekeningsvatbaar zijn. Allemaal begrippen die iets met verlossing te maken hebben. Ze wil verlost worden. Van de dreiging die zich in toenemende mate manifesteert, van het opgejaagde gevoel dat haar lastigvalt, van de onrust die van plan lijkt te zijn een definitieve plaats in te nemen.

Van haar geweten.

'Waar denk je aan?' wil Denise weten.

'Aan niets.'

Ze zijn binnen. Denise knipt de schemerlampen aan en sluit de gordijnen. Ze duwt Irma in de richting van de bank. 'Zo, jij zit en ik ga iets inschenken. Geen alcohol, we nemen een frisdrank. Want we gaan praten. Jij gaat praten. Mens, je ziet eruit als een geest. Gewoon eng, dat zeg ik je. Hallo, ben ik in beeld?' Irma staart naar de hoek van de kamer waar de eettafel staat. Ze knippert met haar ogen. Dit kan niet, sust ze in gedachten haar schrik. Dit is een soort hallucinatie. Denise heeft gelijk, ze moet nu geen alcohol drinken. Zelfs zonder sterke drank ziet ze al dingen die er niet zijn. Behalve haar vriendin en zij is er niemand in deze kamer en zeker geen meisje dat Hummel heet. Ze spert haar ogen wijd open. Het klopt, er is niemand. Het was een flits, een schim, een hersenspinsel. Het bewijs dat ze in de war is, dat ze heel erg geschrokken is, dat de angst een loopje met haar neemt.

'Je kijkt of je spoken ziet.' Denise zet een glas frisdrank voor Irma neer. 'Zal ik ook iets te eten maken? Iets hartigs? Mijn moeder zegt altijd dat je schrik het beste weg kunt eten. Hoor mij nu, ik begin er ook al naast te praten. Ik bedoel natuurlijk dat ze dat altijd zei.'

'Mijn vader noemde me altijd Gekkie als mijn fantasie op hol sloeg,' zegt Irma.

'Je bent de laatste tijd veel met je vader bezig, is het niet? Heb je nooit overwogen om hulp te zoeken bij het verwerken van je verlies?'

'Er valt niets te verwerken zolang hij ergens rondloopt en zolang hij niet uitlegt waarom hij mij achterliet.'

'Dat lijkt mij an sich al een reden om hulp te zoeken. Ik begrijp je niet. Je worstelt al jaren met dit probleem en toch doe je geen enkele moeite om het op te lossen.' Denise gaat naast Irma zitten. 'Probeer eens rustiger te worden, je hijgt verschrikkelijk. Had ik dat beter niet kunnen zeggen? Sorry, ik wilde je niet nog erger overstuur maken. Maar je trekt iedere keer een muur op en daardoor maak je me machteloos. Praat toch eens, Irma. Gooi het er allemaal gewoon een keer uit. Ik zweer dat het tussen ons blijft. Erewoord!'

Irma slaat haar handen voor haar gezicht en drukt haar vingers stevig tegen haar ogen. Denises woorden galmen na in haar oren. Maar dat hindert niet, daar gaat het nu niet om. Het gaat om wat ze steeds ziet. Om dat kind bij de eetkamertafel, in de deuropening, bij het raam. Om die starende ogen, die beschuldigende blik, de woorden die onuitgesproken om haar heen hangen. 'Ik ben zo bang,' fluistert ze. 'Ik ben opeens zo verschrikkelijk bang.' Ze laat zich vastpakken, kruipt tegen Denise aan, maakt zich klein. Maar ook al houdt ze haar ogen gesloten, ze weet dat Hummel er is.

55

Hoelang zit ze nu al dicht tegen Denise aan op de bank? Hoelang masseren de vingertoppen van haar vriendin al haar hoofdhuid? De tijd heeft plaatsgemaakt voor een ongrijpbare leegte, die haar verzwelgt. Het maakt niet uit, het is zelfs prettig. Het verlies van contact met de werkelijkheid geeft haar een licht gevoel. Een verlicht gevoel. Het maakt haar los van de banale waarheid.

Denise grijpt Irma's schouders vast en kijkt haar aan. 'We kunnen volgens mij beter over het heden praten, over wat er vanavond is gebeurd en over wat jij zou moeten doen.' Ze laat Irma los. 'Die acties van dat mannetje bevallen me niet. Het is een stalker en zulke lui moet je zo snel mogelijk van je af zien te krijgen. Het is toch te dwaas voor woorden dat hij nu ook al om je huis heen zwerft? Wat bezielt hem? Wat wil hij van je?'

'Hij wil weten waar... Hij denkt dat ik...' Irma zwijgt. Ze realiseert zich dat ze, als ze vertelt wat er gaande is, te veel zal prijsgeven. Denise is niet gek, die zal direct opmerken dat twee mannen met wie Irma iets had spoorloos zijn verdwenen. Ze zal verbanden leggen, vragen stellen, haar doorzagen. Ze zal er iedere keer als ze elkaar spreken op terugkomen. Dat moet niet gebeuren. 'Mijn stalker wil weten wat er precies met zijn vader is gebeurd.' Nu goed nadenken, opletten wat ze zegt, details vermijden, zich niet verspreken. 'Ik heb Wouter, zijn vader, destijds de deur uit gezet. Ik was klaar met zijn smoesjes, ik wilde niet langer aan het lijntje gehouden worden. Hij kon die afwijzing niet verwerken.'

'Wat deed hij?'

'Hij verdween zonder voor iemand een bericht achter te laten. Op een dag was hij zomaar spoorloos verdwenen. Volgens Cocky, zijn vrouw, was dat mijn schuld. En ik denk dat ze dat idee op deze zoon heeft overgebracht. Ergens in de tijd die volgde zullen ze contact met elkaar gekregen hebben. Ergens is er misschien een band ontstaan. Ik weet het niet, het kan me ook niet schelen. Ik heb me gedistantieerd van de ideeën die Cocky had, geweigerd erop in te gaan, niet gereageerd. Ze is na een paar maanden gestopt met me lastigvallen en ik ging verder met mijn leven. Wat moest ik anders? En nu krijg ik dit, nu word ik opeens achtervolgd door dit ongeleide projectiel dat meent mij ter verantwoording te kunnen roepen.'

'Je moet aangifte doen van stalking, Irma.'

'Je hebt gelijk. Morgen ga ik naar de politie.'

Irma kijkt voorzichtig om zich heen. Hummel is nergens meer te bekennen. 'Ik zag echt spoken,' zegt ze.

'Pas maar op dat je zelf geen spook wordt,' grinnikt Denise.

*

Vanaf het moment dat ze weer thuis waren, wilde het meisje
over haar vader praten. Ze stelde eindeloos vragen over wie hij
was toen haar moeder hem leerde kennen. Ze wilde precies
weten op welke manier ze elkaar hadden ontmoet en wie als eerste verliefd was geworden.
    'Ik,' antwoordde de moeder. 'Ik werd verliefd. Je vader was
daar niet toe in staat. Hij rouwde nog te veel om je biologische
moeder.'
    'Maar later dan? Werd hij later wel verliefd op jou?'
    De moeder zweeg.
    'Jullie zijn toch met elkaar getrouwd? Als je trouwt, ben je
toch verliefd?'
    'Was het leven maar zo eenvoudig,' zuchtte de moeder.

    'Ik droom weer iedere nacht dat hij er is,' vertelde het meisje.
'Ik dans weer op zijn voeten.'
    De moeder was zichtbaar ontroerd. 'Hij betekende veel voor
jou.'
    'Niet: hij betekende. Hij betekent nog altijd veel voor mij.
Maar ik haat hem ook. Hij is een lafaard, hij is er stiekem met
die man vandoor gegaan, hij heeft mij gewoon achtergelaten.'
    'En toch beweer je dat je om hem geeft?'

Het meisje was grimmig. 'Ik begrijp het soms zelf ook niet goed. Hij is een engel en tegelijk een naar spook.'

'Wist je eigenlijk al eerder dat mijn vader ook op mannen viel?' De vraag verraste de moeder zichtbaar. Ze begon te stotteren. 'Nee. Ja, toch wel. Ik sloot mijn ogen voor de mogelijkheid.' 'Hoe merkte je dat dan?' 'Kind, stel toch niet van die verschrikkelijke vragen.' Het meisje drong aan, de moeder raakte in paniek. Er kwam ruzie van. Het meisje verweet de moeder dat ze informatie achterhield. 'Als je hier al niet eerlijk over bent, wat heb je dan nog meer te verbergen?' De moeder schreeuwde dat ze zich niet verdacht liet maken door een snotaap. Het meisje liep weg. Toen ze weer thuiskwam, trof ze de moeder met een migraineaanval in bed. Ze moest fluisteren, het licht mocht niet aan, de gordijnen moesten potdicht blijven. 'Ik mis hem ook,' zei de moeder.

'Ik vond het zo leuk dat hij me ieder jaar anders noemde,' zei het meisje. 'Weet je dat nog?' De moeder haalde haar schouders op. 'Toen ik vijf werd, kondigde hij plechtig aan dat ik het hele jaar dat ik vijf zou zijn Lady ging heten. Papa had vroeger thuis een hondje met die naam.' 'Is mogelijk,' antwoordde de moeder. 'Ik vertelde het op school en toen wilden alle meisjes in mijn klas opeens een koosnaam hebben. Daarom vertelde ik er nooit meer iets over. Het moest uniek blijven. Toen ik zes werd kreeg ik een echte babypop van hem. En van jou kreeg ik een poppenwagen. Dat weet je toch nog wel?' De moeder drukte een zakdoek tegen haar ogen. 'Het mooiste moment van mijn zesde verjaardag was de bekendmaking van mijn nieuwe naam. Toen ik zes was, heette ik Pop.'

'Dat was volgens mij je laatste koosnaam,' zei de moeder.

'Nee, hoor. Toen ik zeven werd, kreeg ik een nieuwe.'

De moeder wilde weten welke dat dan was geweest.

Toen het meisje antwoord gaf zei de moeder dat ze zich volgens haar vergiste.

Het meisje werd boos. 'Wel waar,' gilde ze.

'Dat is een naam voor een peuter,' beweerde de moeder.

56

Nu het weer ochtend is, ziet de wereld er minder bedreigend uit. Irma is al vroeg wakker geworden en heeft een uurtje in de tuin gewerkt. Ze is vooral het zevenblad stevig te lijf gegaan, dat had zich explosief uitgebreid in de perken.

Ze schrobt haar nagels schoon en hoort Denise achter zich. Die wijst op de modderstroom in de gootsteen. 'In de tuin gewerkt? Doe je dan geen handschoenen aan?'

'Ik niet. Ik vind het heerlijk om met mijn blote handen in de aarde te wroeten.'

Denise werpt een blik op de tuin. 'Je hebt de perken onder handen genomen.'

'Klopt. Straks maai ik ook nog even het gras.'

Denise gaat aan de keukentafel zitten. 'Ik heb nog eens goed nagedacht, Irma. Volgens mij moet je juist geen aangifte doen van stalking. Ik denk dat we die lijpe gast zelf te grazen moeten nemen.'

Irma is verrast. 'O ja? Hoe dan?'

'We lokken hem in de val.'

'Wie zijn we?'

'Jij en ik en ik denk dat Dylon ook wel wil meedoen. Die heeft het volgens mij aardig van jou te pakken.'

'Ik wil even niets met een man.'

'Even niet, nee. Maar je bent toch niet voor eeuwig genezen?'
Irma heeft geen zin in dit onderwerp. 'Eeuwig is wel erg lang,
maar laten we het over iets anders hebben. Ik kan me niets voorstellen bij wat jij een lijpe gast noemt te grazen nemen. Je bedoelt toch niet dat we hem fysiek iets moeten aandoen?'
'Nee, natuurlijk niet. Ik bedoel dat we hem met gelijke munt
moeten terugbetalen. Hoe? Nou, ik stel voor dat we eens gaan
uitzoeken waar die kneus woont of werkt en zijn sociale omgeving gaan inlichten over het feit dat hij jou lastigvalt. Ik wil wel
op zijn vrouw af stappen en haar vertellen dat ze het met een
ongenadige klojo doet.'
'Wie zegt dat hij een vrouw heeft?'
'Dat zoeken we dus uit. Kom op, Irma, word eens kwaad. Ga
de strijd eens aan. Laat je toch niet altijd zo op je kop zitten.'
'Altijd? Ben ik dan zo'n watje?'
'Je gedraagt je in ieder geval als een slachtoffer. Je kunt ook
je tanden laten zien. Geloof me maar, dat levert je meer op dan
afwachten wat hij vandaag of morgen weer van plan is.'
'Hij zat in het Grand Café, samen met Cocky. De vrouw van
Wouter.'
'Wanneer?'
'Gisteren. Jeltje, een van de serveersters, kletste met hem. Ze
kwam vertellen dat hij wilde weten hoe ik heette en die gnoom
heeft dat dus verteld.'
'Dat is toch niet waar? Wat een sufkut is dat, zeg!'
Irma schiet in de lach. 'Wij zijn lekker bezig.'
'Maar wat vind je van mijn idee? Lijkt het jou ook niet veel doel-
treffender om hem persoonlijk aan te pakken? Als dat niet het ge-
wenste effect heeft, kunnen we altijd nog naar de politie stappen.'
'Ik denk dat je gelijk hebt. Maar ik zou niet weten hoe ik erachter moet komen waar hij woont. Ik kan me niet eens zijn
voornaam herinneren.'

'Hij was toch samen met Cocky? Die kan het vertrekpunt worden van onze zoektocht.'

'Maar wanneer moet ik dat doen, Denise? Ik werk momenteel iedere dag, het is niet mogelijk om zomaar vrij te nemen.'

'Jij blijft gewoon werken en ik bel Dylon. Die wil vast wel assisteren. Laat mij maar een plan maken. Ik hou je op de hoogte. En de komende dagen slaap ik hier. We geven die gek geen enkele gelegenheid meer om jou op stang te jagen. Of wil je liever dat ik regel dat Dylon de nachten bij je is?' De vraag klinkt leuk, maar is het niet echt.

Irma heeft Denise een sleutel van haar huis gegeven. Haar vriendin heeft gezworen dat ze hem heel zorgvuldig zal bewaren. 'Zodra we de zaak met jouw stalker hebben opgelost, geef ik hem weer terug,' beloofde ze. 'Maar nu hoef ik in ieder geval niet te wachten tot jij thuiskomt om erin te kunnen. Je vindt het moeilijk, hè? Heeft er echt niemand anders dan jijzelf een sleutel van je huis?'

'Ik vond het nooit nodig om sleutels uit te delen,' heeft Irma geantwoord. Het idee staat haar nog steeds niet aan, maar ze ziet ook wel in dat ze hier niet moeilijk over moet doen. Denise is haar vriendin, ze kennen elkaar al een hele tijd, er is nog nooit iets gebeurd waardoor Irma haar zou moeten wantrouwen. Toch wil ze de sleutel later terug hebben.

Ze controleren samen of alle ramen en deuren van het huis goed dichtzitten, voordat ze het huis verlaten. Denise moet vanmiddag naar een receptie en ze zal vanavond tegen een uur of negen terugkomen. Irma verwacht dat ze tegen die tijd ook wel thuis kan zijn. Het is maandag, dat is altijd een rustige dag in het Grand Café. Ze kan Jeltje wel laten sluiten.

'Waar woont die Cocky eigenlijk?' vraagt Denise, als ze buiten staan.

Irma noemt het adres in Heiloo. 'Maar daar woonde ze natuurlijk toen Wouter nog... er nog was,' aarzelt ze. 'Het is heel goed mogelijk dat ze verhuisd is.'

'We zoeken het uit,' roept Denise opgewekt. 'Ik ga eerst Dylon bellen en hem vragen of hij wil meewerken. Ik denk dat hij dat wel doet. Hij kan dan misschien vandaag nog een kijkje nemen op dat adres.' Ze drukt Irma stevig tegen zich aan. 'Niet piekeren, jij, denk erom. Beschouw het als een uitdaging. En mocht dat stel opnieuw op je werk verschijnen, blijf dan vooral rustig en behandel ze gewoon als klanten. En laat het me weten als ze verschijnen, bel me dan direct. Ik kan me niet voorstellen dat ze opeens iedere dag daar zitten, maar je weet het nooit.'

Irma zwaait haar na als ze wegrijdt. Ze vindt dat ze blij zou moeten zijn. Opgelucht.

Toch heeft ze het gevoel dat haar longen zijn dichtgeschroefd.

57

Het is in geen enkel opzicht een gewone maandagavond. Het Grand Café is afgeladen en Irma is blij dat de twee invalkrachten die ze heeft gebeld beschikbaar waren. Jeltje coördineert de bediening binnen en een van de invalkrachten doet het terras. De chef-kok meldt dat het werk in de keuken op rolletjes loopt en raadt Irma aan zich niet te druk te maken. 'Het wordt vanzelf sluitingstijd,' lacht hij. 'Ik moet alleen niet vergeten morgen een paar extra bestellingen te doen, anders hebben we de rest van de week een probleem.'

Irma voelt haar voeten nauwelijks meer, maar ze weet uit ervaring dat ze er vooral voor moet zorgen dat ze zich niet bewust wordt van haar vermoeidheid. Op het moment dat ze die de ruimte geeft, zal het moeilijk worden om de avond door te komen. De sfeer in de zaak is goed. Er zijn steeds vrolijke mensen binnen die hun tevredenheid betuigen. Jeltje meldt dat de fooien er niet om liegen.

De wijzers op de grote klok boven de ingang wijzen aan dat het tien uur is. Het is een warme dag geweest en het is nog niet donker. In de keuken klinkt een schaterlach, die aanstekelijk werkt voor de vier meisjes die aan de bar zitten. Het zijn vier vriendinnen die hun jaarlijkse meidendag hebben gehad. Ze nemen nog een afzakkertje voordat ze naar huis gaan. Irma luistert naar hun verhalen. Het zijn vrolijke verhalen over geestige gebeurtenissen. Ze lacht met de dames mee.

Ze heeft niet in de gaten gehad dat hij binnenkwam. Het ene moment was de kruk nog leeg, het volgende moment zat hij erop.

De kruk van Wouter. Hij kijkt haar strak aan. Ze vraagt of hij iets wil bestellen. 'Whisky.' Zijn ogen priemen in haar rug.

De dames zeggen dat ze willen afrekenen. Irma zou hun willen smeken om nog even te blijven, maar ze staan al naast hun krukken. De gezellige sfeer is verdwenen. In de keuken is een oorverdovend lawaai, dat wordt gevolgd door een heftige vloek. Het is allemaal de schuld van die vent. Hij moet hier weg, hij heeft hier niets te zoeken. Hij hoort hier niet.

'Proost,' zegt hij.

Irma knikt, maar zegt niets.

De dames roepen dat ze volgend jaar terugkomen.

Het restaurant loopt nu snel leeg. Jeltje brengt dienbladen naar de afwaskeuken en groet verrast de man die kaarsrecht op Wouters kruk zit. Maar halverwege haar groet ziet ze de blik van Irma en loopt haastig door.

Hij buigt zich over de bar. Irma gaat zo ver mogelijk van hem vandaan staan. 'Hier kun je geen kant op,' zegt hij.

'Hier kan ik gemakkelijk de politie bellen,' snauwt Irma. 'Juist hier. Je staat buiten voor je er erg in hebt.'

'Ik zou een beetje dimmen, als ik jou was.'

'O ja? En anders?' Ze gaat dichter bij hem staan en kijkt hem recht in zijn ogen. Hij is echt het evenbeeld van Wouter. Hetzelfde sluike zwarte haar, dezelfde volle lippen, dezelfde brede, platte neus.

Dezelfde ogen.

Wouter had mooie ogen, vooral als hij tijdens het vrijen naar haar keek. Bruine ogen met lange wimpers. Deze man heeft ook bruine ogen met lange wimpers. Maar deze ogen zijn koud en kil. Dreigend.

Toch is ze niet bang, ze is juist woedend. Die woede kwam tevoorschijn toen ze die blik van verstandhouding tussen Jeltje en deze man zag. Op dat moment kwamen de kwalificaties die Denise hem toedichtte opeens tevoorschijn. *Lijpe gast, kneus, klojo.*

'Heb je mijn briefje gekregen?'

'Je bedoelt die aankondiging over het verjaren van een misdrijf? Ben je soms advocaat?'

'Ik ga jou niets over mezelf vertellen. Ik ga jou alleen maar vertellen wie jij bent, wat jij op je geweten hebt en hoe we dit gaan oplossen.'

'We? Spreek voor jezelf.'

'Er zijn verschillende mensen die jou graag zien hangen.'

Irma neemt een blad vol lege glazen van een van de serveersters aan en loopt in de richting van de afwaskeuken. Ze kijkt strak voor zich uit. Ze zou het hele blad graag tegen een betonnen muur kieperen.

Als ze terugkomt, zit hij er nog steeds. Hij leunt met zijn ellebogen op de bar, zijn kin rust op zijn handen. Hij volgt elke beweging die Irma maakt. 'Hij zat stevig met jou in zijn maag, Wouter.'

Irma negeert hem. Ze denkt aan het advies van Denise: bellen als hij weer verschijnt. Ze moet even iemand regelen die achter de bar kan staan, maar nu komt er natuurlijk net niemand uit de keuken.

'Hij had een collega met wie hij vertrouwelijk praatte. Een vrouw, uiteraard een vrouw, en het bleef ook niet bij praten. Wouter was een liefhebber, hè? Vertel me eens, Irma, wipte jij werkelijk langs op zijn werk? Deden jullie het gewoon in zijn spreekkamer? Was je echt zo hitsig dat je niet kon wachten tot hij bij je thuis kwam? Ja dus. Ik zie heus wel dat je schrikt van deze informatie. En hij noemde je Reentje, dat klopt toch ook? Van dat troetelnaampje werd je toch supergeil? Volgens mij schrok je niet echt toen ik me meldde en je zo noemde. Er gebeurde heel iets anders met je, is het niet? Kun je je voorstellen wat het voor Cocky betekende toen die collega zo nodig haar biecht moest doen en ze alles te weten kwam over wat jullie samen hadden uitgespookt?'

Irma wrijft een paar glazen droog en zet ze net iets te hard op hun plaats.

'Jij bent een gruwelijke bedrieger, Irma.'

Ze buigt zich naar hem toe. 'Ik heb met jou niets te maken, begrijp je? Ik wil door jou niet worden lastiggevallen. Je kletst uit je nek en ik ben er niet van gediend. Maak dat je wegkomt.'

Hij blijft in dezelfde nonchalante houding zitten. 'Iedereen wilde geloven dat hij er met een verpleegster vandoor was gegaan. Dat was op de een of andere manier het beste te verteren. Maar ik heb me dat niet laten wijsmaken en uiteindelijk heb ik Cocky er ook van kunnen overtuigen dat er iets ernstigs is gebeurd en dat jij daarmee te maken hebt. Waar heb je hem gelaten, Irma?'

Een van de serveersters komt op de bar af. Irma wenkt haar en fluistert dat ze even moet opletten. Ze schiet de keuken in en loopt direct door naar de buitenplaats. Snel toetst ze het nummer van Denise. 'Hij zit er weer en hij beschuldigt me van moord, geloof ik.'

'Is hij dronken?'

'Volgens mij niet. Hij is gewoon gek.'

'Ik zit bij Dylon. We komen eraan.'

'Wat ga je dan doen?'

'Dat hebben we net besproken. Ik kom binnen en Dylon blijft buiten wachten. Als die kneus vertrekt, gaat Dylon hem volgen. We moeten eerst maar eens te weten komen waar hij woont.'

Het klinkt spannend. Toch zou Irma het hele plan willen afwimpelen. Ze zou deze strijd in haar eentje willen voeren. 'Ik weet niet...'

'Blijf rustig, Irma. En laat je niet op je kop zitten door dat stuk verdriet. Wie zou jij eigenlijk volgens hem dan vermoord hebben?'

'Wouter. Zijn vader.'

'Heeft hij gezegd dat Wouter zijn vader was?'

'Nee, niet expliciet. Maar hij is het evenbeeld van Wouter. Dat kan echt niet missen.'

'Ik zou daar, als ik jou was, toch zekerheid over willen hebben. Vraag het gewoon.'

'Nee, ik vraag niets. Ik wil die man niet ontmoeten, ik wil niet met hem in mijn maag zitten. Ik wil dat hij verdwijnt.'

'Wat bedoel je daarmee?'

'Laat maar. Wanneer komen jullie?'

'We zijn al op weg. Hou hem dus even aan de praat.'

Irma loopt terug naar de bar. Ze ziet het direct. De kruk van Wouter is leeg. Het whiskyglas is ook leeg. En naast het glas ligt een briefje waar haar naam op staat.

We praten later verder. En binnenkort rekenen we af.

'Die mag van mij vaker komen,' zegt Jeltje. 'Hij gaf vijf euro fooi.'

Zodra Jeltje in de keuken is, grist Irma het vijfeurobiljet uit de fooienpot, scheurt het met opeengeklemde lippen in kleine stukjes en gooit die in de prullenbak.

58

Dylon omhelst haar hartelijk en informeert of ze het allemaal nog een beetje trekt. Irma blijft even tegen hem aan geleund staan. Ze zou iets willen zeggen, maar vertrouwt haar stem niet. Het Grand Café is nu bijna leeg, de laatste klanten rekenen af. Jeltje biedt aan om verder op te ruimen en af te sluiten. 'Ga maar weg, Irma, volgens mij zit je er goed doorheen.'

'Wat is dat een aardig mens,' zegt Denise, als ze buiten staan. 'Wat doen we? Op een terrasje bij de concurrent evalueren of thuis verder praten?'

'Ik wil graag naar huis.' Irma kijkt snel om zich heen. Er is nergens een spoor van de man zonder naam te bekennen.

Dylon legt een hand op haar arm. 'Niet bang zijn. Er gebeurt jou niks.'

'Ik weet niet eens hoe hij heet.'

'Daar komen we heus wel achter,' is Denise van mening. 'Zal ik met jou meerijden? Dan kan Dylon volgen.'

'Laat Irma maar niet rijden,' adviseert Dylon.

Er klopt iets niet en Irma probeert te bedenken wat dat kan zijn. Ze verwijt zichzelf dat ze achterdochtig is zonder een aannemelijke reden. Waarom laat ze niet gewoon het briefje zien dat hij heeft achtergelaten?

Ze moet er iets over zeggen. Dylon en Denise doen hun best om haar te helpen, het klopt niet dat ze zich zo terughoudend opstelt. Door die gedachte gaat ze met een schok rechtop zitten. 'Wat gebeurt er?' informeert Denise.

'Ik spoor niet,' mompelt Irma. Ze wacht op een heftig verweer van haar vriendin.

'Ik denk dat er onweer komt,' zegt Denise.

De eerste bliksem flitst langs de gevel van Irma's huis op het moment dat ze bij de oprit zijn en er volgt direct een knetterende donderslag.

'Die was raak,' roept Denise opgewekt. 'Ik vind onweer eng en tegelijk ook fascinerend. Maar ik zit graag veilig, dus laten we snel naar binnen gaan.

'Het is nog droog,' merkt Irma op.

'Nog wel, maar ik denk dat de zondvloed in aantocht is.' Denise wenkt Dylon, die in zijn auto is blijven zitten. 'Rennen, Irma, maak snel de voordeur open. Wij volgen wel.'

Irma rent. Ze krijgt de sleutel niet direct in het slot en merkt dat haar handen trillen. Als het eindelijk lukt, hoort ze achter zich een portier dichtklappen. Het volgende moment staat Dylon achter haar. Hij slaat zijn armen om haar heen. 'Vind jij onweer ook zo prachtig?' vraagt hij.

Haar vrienden overleggen wat ze zullen drinken en vooral wat er aan hartigheid op tafel moet komen. Irma hoort het, maar luistert niet. Ze is gevlucht, ze heeft zich opgesloten in de herinnering die ze al lang vergeten waande.

'Vind jij onweer ook zo prachtig?' fluisterde Dick. 'Ik begrijp niet dat mensen er soms bang voor zijn. Je moet er natuurlijk niet mee spotten en niet manmoedig in een open veld gaan lopen dollen als het losbarst, maar verder is het voor mijn gevoel het meest fascinerende natuurgeweld dat wij in ons klimaat hebben. Zeg nu zelf, we zijn eigenlijk slecht bedeeld. Hier zie je geen tornado's, je hoeft niet te rekenen op echte aardbevingen en op één stevige overstroming na begin jaren vijftig hebben we hier ook nauwelijks wateroverlast. Wij moeten het doen met soms een magere storm en onweer.'

Ze lagen dicht tegen elkaar aan en luisterden naar de donderslagen.

'Het is nog ver weg,' stelde Dick vast. 'Als het dichterbij komt, kunnen we er samen naar kijken.'

Irma zei niet dat ze liever niet naar onweer keek; samen met Dick durfde ze de confrontatie wel aan. Ze keken. Zijn armen lagen beschermend om haar heen. Zijn mond plaagde haar oor.

Ze trok haar hoofd weg. 'Ik kan er niet tegen als je mijn oor aanraakt.'

'Dat weet ik,' lachte hij.

'Ik hou van je.'

Zijn antwoord ging verloren in een donderslag die de muren liet trillen.

'Waar ben je gebleven?' Dylon zwaait met zijn handen langs haar ogen. 'Je was even heel ver weg, is het niet? Kom, ga zitten en ontspan je. Vertel me eens wat die man allemaal te melden had.'

Irma aarzelt.

'Was het zo erg?' Dylon is echt bezorgd. Ze mag hem niet wantrouwen en Denise evenmin. Dit zijn vrienden. Ze helpen haar, ze zullen ervoor waken dat haar niets overkomt. Waarom moet ze toch dergelijke gedachten hebben? Waarom moet ze zichzelf overtuigen?

'Vertrouw je ons eigenlijk wel?' vraagt Denise.

Irma kon niet anders, ze moest het doen. De vraag van Denise kwam hard aan en maakte haar extra onzeker. Ze heeft alles verteld wat de man zei en ten slotte het briefje tevoorschijn gehaald. Denise leest de tekst hardop voor. 'Getver,' zegt ze. Er komt popmuziek uit Dylons broekzak. Hij haalt zijn mobieltje tevoorschijn en heft zijn hand op. 'Even horen wat Sherlock te melden heeft.' Hij luistert en maakt een schrijfbeweging. Irma pakt een pen en een blocnote uit de kast. Dylon schrijft. 'Goed werk, jou kan ik om een boodschap sturen. Hou hem in de gaten, ik hoor van je als er meer nieuws is.' Hij kijkt Irma aan met een tevreden blik in zijn ogen. 'Een goede vriend van me is achter jouw belager aan gegaan. Sorry dat ik je daarvan niet op de hoogte heb gesteld. Ik had hem gevraagd om te posten in het Grand Café en in de gaten te houden of iemand jou benaderde. Hij belde net voordat jij Denise sprak om te vertellen dat hij de indruk had dat iemand jou lastigviel en ik heb hem gevraagd die man te volgen. Zegt de naam Edwin Majoor je iets?'

Irma slaat verschrikt een hand voor haar mond. Natuurlijk, Edwin! Die naam heeft Wouter een keer genoemd. Ooit, lang geleden. 'Wouter heeft me een keer verteld dat hij bij zijn eerste vrouw een zoon had die Edwin heette. De naam was erg diep in mijn geheugen weggezakt, maar het klopt. Edwin Majoor is de zoon van Wouter.'

Denise stoot haar aan. 'Ik wil je iets vragen, maar ik wil niet bot overkomen.'

'Berg je dan maar,' adviseert Dylon.

Denise houdt haar aandacht op Irma gericht. 'In hoeverre kan het kloppen wat die man beweert? Heb jij iets te maken met de verdwijning van je eerste vriend?'

'Hoe dúrf je?' schreeuwt Irma.

59

Ze blijft boos en luistert niet naar de verontschuldigingen van haar vriendin. Dylon probeert te bemiddelen en pleit voor de goede bedoelingen van Denise. 'Goede bedoelingen? Het is een regelrechte verdachtmaking. Dat pik ik niet.' 'Maar ze biedt toch haar excuses aan? Ze zegt toch duidelijk dat het niet kwaad bedoeld was?' 'Het is gezegd en dat had niet mogen gebeuren.' 'Ik denk dat ik beter naar huis kan gaan,' zucht Denise. 'Maar dan is Irma hier alleen,' protesteert Dylon. 'Ik wil ook liever alleen zijn. Breng Denise maar naar huis, ik beloof je dat ik bel als er iets gebeurt.' Irma is moe. Doodmoe. Ze wil naar bed en nergens meer over nadenken. Die Edwin kan haar gestolen worden. Hij wauwelt maar een slag in de rondte en hij fantaseert maar wat hij wil. Ze laat zich niet langer bang maken. Ze gaat voor het plan. Eerst uitvinden wie de man is en dan gaan rommelen in zijn sociale netwerk. Zijn positie onmogelijk maken bij iedereen die iets met hem te maken heeft. Hem als leugenaar te kijk zetten en zijn kwalijke aantijgingen luid en duidelijk verkondigen. En intussen op geen enkele manier laten merken dat het zweet op haar rug staat als ze eraan denkt dat iemand op het idee kan komen om in haar tuin te gaan graven.

'Ik wil geen ruzie,' zegt ze tegen Denise. 'Maar ik ben nu zo moe dat alles wat je zegt verkeerd kan binnenkomen. Die man is gestoord en ik wil hem niet de kans geven om ons te splitsen.'

'Duidelijk,' beslist Dylon. 'We gaan en morgen praten we verder. Zullen we afspreken dat we om elf uur komen?'

Irma probeert een reden te verzinnen om dit voorstel te torpederen.

'Dat is dan afgesproken.' Dylon geeft haar drie kussen en raakt bij de derde kus vluchtig haar lippen aan. Irma ziet dat Denise naar hen kijkt.

Ze weet zeker dat er vanavond niets gaat gebeuren waar ze door van slag kan raken. Die Edwin is naar huis gegaan en zijn adres is nu bekend. Irma heeft niet gevraagd waar hij precies woont. Het kan haar niet schelen, al woont hij op de maan.

Ze strijkt met haar vingertop over haar lippen. Raakte Dylon deze plek per ongeluk aan? Ze glimlacht bij de herinnering. Het voelde goed. Er komt vanzelf een tweede keer. En een derde keer. En een echte kus.

Ooit.

Ze staat voor het raam achter in de kamer en tuurt naar de donkere lucht. Er zijn dalende lichten in de verte te zien, dat betekent veel landende vliegtuigen. Op dit uur van de dag is het meestal juist rustig. Maar wat maakt het uit?

Er beweegt iets in de tuin.

Hummel staat met haar rug naar het raam bij het bloemenperk. Irma opent heel voorzichtig de terrasdeur en stapt naar buiten.

'Niet dichterbij komen,' zegt het kind.

'Dit is de eerste keer dat je in de tuin bent.'

'Ik kijk naar de mooie bloemen. Ze slapen nu. Weet je dat ze giftig zijn?'

'Ja, dat weet ik. Kon je niet slapen?'

'Niet dichterbij komen.'

Irma doet een stap terug en vraagt zich af hoe het kind in de gaten kan hebben wat ze van plan was. 'Ik wil je troosten, je klinkt zo verdrietig.'

'Je bent zelf verdrietig.'

Irma weet even niet wat ze hierop moet antwoorden.

'Mijn moeder zegt dat alle mannen leugenaars zijn.'

'Hoe kom je daar opeens op? Over zulke onderwerpen hoef jij je toch nog niet druk te maken? Alle mannen? Ik weet het niet. Mannen kijken volgens mij in bepaalde opzichten anders tegen de waarheid aan dan vrouwen. Maar denk daar nu verder maar niet meer over na, daar ben je veel te jong voor.'

'Ik ben al zeven.'

Irma strekt haar armen uit. 'Kom toch bij me, Hummel.' De afwerende rug van het kind veroorzaakt een onaangename trilling in haar borstkas.

'Ik wil een hondje,' zegt het kind. 'Maar het mag niet van mijn moeder. Ze is bang voor honden.'

'Ik wilde vroeger ook een hondje en mijn moeder was ook bang voor honden.' Irma twijfelt of ze de vraag die in haar opkomt zal stellen.

'Vraag maar,' zegt Hummel.

'Waarom kom je hier steeds?'

Het kind wijst naar het bloemenperk. 'Het is niet erg. Het is juist goed.'

'Wat is niet erg? Wat is juist goed.'

'Wat daar ligt.'

'Wat ligt daar dan?'

'Dat weet jij wel.'

'Wie ben jij toch, Hummel?'

Het kind draait zich om. 'Dat weet jij ook.' Ze heft haar hand op en huppelt de tuin uit.

60

Het is drie uur in de nacht en Irma zit aan de tafel en bladert in het fotoboek. Het zijn vooral de eerste bladzijden die ze steeds opnieuw bekijkt. Ze bestudeert het gezicht van de vrouw die haar biologische moeder was en zoekt naar gelijkenissen. Het hoge voorhoofd klopt en ook de donkere wenkbrauwen. Ze herkent haar eigen mond. Haar ogen branden, ze gaapt voortdurend. Toch wil ze niet naar bed. Ze besluit om een deken en een hoofdkussen uit de logeerkamer te halen en kruipt op de bank. Ze sluit haar ogen.

Haar rug is kletsnat en aan de binnenkant van haar handen zitten blaren. Ze trekt haar trui uit en pakt de schop op een andere manier vast. Zo moet het lukken. Nog even doorspitten, de kuil is niet diep genoeg. Hij moet diep worden, anders kunnen loslopende dieren het lichaam opgraven. Er zitten vossen in de buurt, ze worden overal gesignaleerd. In de krant staan alarmerende berichten over leeggeroofde kippenhokken en verwoeste moestuinen. De vossen zijn vreselijk brutaal en naderen mensen op een onnatuurlijke manier. In het laatste artikel dat ze over dit onderwerp las, stond dat er sprake was van een vossenplaag en dat er maatregelen genomen moesten worden om de dieren af te schieten.

Ze rust even uit en kijkt om zich heen. Haar buren zijn een week met vakantie, maar de moeder van de buurvrouw komt regelmatig planten water geven en post sorteren. Dat doet ze 's morgens, maar je weet het nooit zeker. Irma moet er even niet aan denken dat de vrouw opeens haar hoofd om de heg steekt en vraagt wat ze aan het doen is.

Bij de buren is het stil. De avond valt, over een uur is het donker. Dan moet het gat in de grond weer dicht zijn.

Het lichaam is zwaarder dan ze had gedacht. Ze voelt haar rugspieren protesteren en laat de dode massa even op de grond zakken om zich uit te rekken. Ze bestudeert het verwrongen gezicht. Het gebeurde eerder dan ze had verwacht, al een kwartier nadat hij gretig de spinazielasagne had verorberd greep hij naar zijn borst en stokte zijn ademhaling. Zijn verwilderde ogen zochten die van haar en smeekten om hulp. Ze zeiden ook dat ze begrepen wat er gebeurde.

Ze kiepert de laatste scheppen zand over het perk en leunt op de stok van de schop. Ze ruikt haar eigen zweet. Op hetzelfde moment wordt haar hand stevig vastgegrepen en trekt Wouter haar het graf in. Ze verzet zich, trapt hem weg, probeert te schreeuwen. Haar stembanden zijn droog, het geluid dat ze veroorzaakt doet pijn in haar keel.

Ze ligt naast de bank en beseft dat het dezelfde nachtmerrie was die haar jaren geleden teisterde. Ze strompelt naar de keuken, grijpt een glas en vult het met water. Er zijn drie glazen nodig om haar verkrampte strot enigszins soepel te maken. Ze leunt met haar vrije hand op het aanrecht en probeert haar trillende knieën onder controle te krijgen.

Hoe laat is het? Pas halfacht? Dylon en Denise komen om elf uur. En dan? Ze zucht diep als ze eraan denkt dat haar vrienden zich niet zullen laten weerhouden van de acties die ze richting

Edwin Majoor hebben bedacht. Gisteren zagen hun plannen er redelijk onschuldig uit, maar na de nachtmerrie kijkt Irma er anders tegenaan. Het is belangrijk om het verleden niet op te rakelen. Maar hoe houdt ze de aasgieren die haar willen grijpen van zich af? Hoe zorgt ze ervoor dat haar naam niet interessant is voor mensen die een klopjacht hebben geopend op mannen die spoorloos verdwenen zijn? Ze heeft het benauwd en gooit de keukendeur wijd open. De ochtendlucht is aangenaam koel en ze loopt de tuin in. Het volgende moment lijkt het of ze fysiek wordt aangevallen. Toch raakt niemand haar aan, toch doet niemand haar pijn. Ze wil terug, haar huis in. Deuren vergrendelen, gordijnen sluiten, haar hoofd leegmaken. Maar de zinnen galmen in haar oren. Ze hoort weer wat Edwin tegen haar zei en het lijkt of ze nu pas beseft dat Wouter met andere mensen over hun relatie sprak en intieme details verraadde. Hij verbrak daarmee niet alleen de intimiteit tussen hen, hij vermoordde hun privacy. Hij heeft hun liefde op straat gegooid, er een banaliteit van gemaakt, iedere vorm van integriteit met voeten getreden. Ze staat doodstil in de tuin en haat hem.

Hij heeft zijn lot verdiend.

Laat ze maar komen, de op wraak beluste misbaksels. Laat ze haar maar verdenken, beschuldigen, desnoods voor het gerecht slepen. Wouter krijgen ze er niet mee terug.

En hetzelfde geldt voor Floran Haverkort.

61

Dylon smoort haar bijna in zijn omhelzing. Irma maakt zich snel los en kijkt achter hem.

'Ik ben alleen. Denise belde me, ze heeft de hele nacht wakker gelegen van de kiespijn. Die moet eerst even langs de tandarts, ze meldt zich later. Hoe is het hier? Is het jou gelukt om een beetje te slapen?'

'Gaat wel. In ieder geval geen schimmen in de tuin gesignaleerd en mijn mobieltje heeft me ook met rust gelaten.' Irma hoort de geforceerde luchtigheid in haar eigen stem en vraagt zich af of Dylon daar iets van in de gaten heeft. Ze loopt naar de terrasdeur en opent hem. 'Laten we buiten gaan zitten. Het wordt weer een prachtige dag en ik kan er maar een paar uur van genieten.' Ze speurt zo onopvallend mogelijk de tuin af.

'Zoek je iets?' Dylon volgt haar blik. Hij raakt haar arm aan. 'Wat ben je onrustig. Nou ja, waarom zou je dat ook níét zijn? Maar we gaan dit aanpakken, Irma. We maken het die kneus onmogelijk om jou nog langer lastig te vallen.'

'Zo noemde Denise hem ook al, een kneus.'

'Wat is het anders? Hoe gestoord kun je denken? Maar ik begrijp de man misschien ook wel een beetje. Het is niet te verteren dat iemand van wie je houdt plotseling uit je leven verdwijnt.'

'Wouter maakte geen deel uit van zijn leven, daar zorgde de moeder van Edwin wel voor. Dus die conclusie klopt niet.'
'Weet je zeker dat ze geen contact hadden met elkaar?'
'Ja. Nee. Ik weet op dit moment niets meer zeker.'
'Het maakt niet uit, we gaan er wat aan doen.'
'Waarom help je me?'
Hij raakt op een speelse manier het topje van haar neus aan.
'Omdat ik je leuk vind.'

Ze had zich voorgenomen om de vergelijking met Dick uit haar hoofd te zetten. Het is al ingewikkeld genoeg dat er opeens een man achter haar aan zit die bijna een kopie van Wouter is. Er kan gewoon geen tweede man die op een van haar verloren liefdes lijkt meer bij.
'Je staart naar me.'
'O. Het spijt me.'
'Hoeft niet, als je me vertelt wat je denkt als je naar me kijkt.'
Hij flirt. Niet nadrukkelijk, zelfs een beetje aarzelend, maar hij doet het wel. Irma weet niet hoe ze hierop moet reageren, of ze erop wil reageren. 'Heb je wel eens meegemaakt dat je iemand ontmoet en je vanaf het eerste moment iets in die persoon herkent?'
'Je hebt het weer over die man op wie ik lijk.'
'Dick.' Verbeeldt ze het zich of vertrekt zijn gezicht echt een seconde? Het moment is direct weer voorbij. 'Ken je iemand die zo heette?'
'Nee. Hij heeft blijkbaar enorm veel indruk op je gemaakt.'
'Hij was mijn grootste liefde.'
'Groter dan die voor Wouter?'
Irma denkt na. 'Anders. Gelijkwaardiger, al was het leeftijdsverschil tussen Dick en mij veel groter dan tussen Wouter en mij. Dick was achtentwintig jaar ouder dan ik.'

Hier reageert Dylon niet zichtbaar op. 'Wat is er precies met Dick gebeurd?'

'Hij kreeg een hartinfarct toen we samen in bed lagen. Het ging heel snel, hij was niet meer te redden.'

'Nou, zeg! Schrok je niet?'

'Het was erger dan schrikken. Ik verdween in mijn eigen verdriet.'

'Dat begrijp ik niet goed.'

'Laat maar.'

'Nee, praat toch, Irma. Het spijt me voor je dat je zoiets verschrikkelijks hebt meegemaakt. Wanneer is dat gebeurd?'

'Zeven jaar geleden.'

Dylon staart voor zich uit. 'Eerst Wouter, daarna Dick en nu dus ook nog Floran.'

'Wat weet jij over Floran?'

'Denise heeft het me verteld. Ze moest het verhaal ergens kwijt, maar ik weet zeker dat ik de enige ben tegen wie ze er iets over heeft gezegd. Dat moet je geloven. En ik spreek er verder met niemand over.'

'Je doet of er iets niet klopt.'

'Zo bedoel ik het niet en daarom houd ik het ook voor mezelf. Voor je het weet vinden mensen het verdacht dat jij twee mannen hebt verloren door spoorloze verdwijningen.'

'Ik verloor ze niet door spoorloze verdwijningen. Ze dumpten me en verdwenen.'

'Ja natuurlijk, maar je weet hoe mensen kunnen redeneren. Ik bedoel: het kan vreemd overkomen dat jij alle mannen die een belangrijke rol in je leven spelen verliest.'

'Alle mannen? Dat klinkt of ik ze bij bosjes verslijt. Ik ben vijfendertig en heb drie mannen gehad. Guttegut, wat een aantal.'

'Moeten we het hier echt over hebben? Ik wil je helpen, Irma.

Ik wil juist dat die man jou verder niet lastigvalt en stopt met zijn gore verdachtmakingen.'

Irma probeert te bedenken hoe het komt dat ze hem niet gelooft.

62

Hij gedraagt zich alsof hij haar al jaren kent en dat is prettig, maar er zit ook een onaangename kant aan. Het maakt Irma wantrouwig. Hoe weet Dylon dat ze in IJmuiden is opgegroeid en dat haar moeder daar nog altijd woont? Ze heeft hem daar zelf niets over verteld en ze heeft ook geen mededelingen gedaan over hoelang ze al bij Vince werkt en wat precies haar functie is in het Grand Café. Toch stelt hij vragen die erop duiden dat hij van deze feiten op de hoogte is. Er is maar één mogelijkheid en die heet Denise. Maar waarom heeft Denise zoveel over Irma's leven aan hem verteld?

Hij tikt haar op een schouder. 'Waar zit jij op te broeien? Ik vroeg je wat.'

Ze schrikt. 'Wat vroeg je?'

Hij glimlacht. 'Wat ben je mooi. Vooral als je een beetje in jezelf gekeerd bent, als je je even terugtrekt uit de grote boze wereld.'

Er is opeens spanning tussen hen. Hun gezichten zijn dicht bij elkaar, ze voelt zijn ademhaling. Ze ziet zijn mond. En ze weet niet of ze het wil, of ze die mond echt dichterbij wil zien komen, of ze zijn lippen echt die van haar wil laten aanraken.

Hij trekt zich terug. 'Ik vroeg of die Edwin je daadwerkelijk bedreigd heeft. Of hij meer heeft gedaan dan je beschuldigen. Ik heb het gevoel dat je iets achterhoudt.'

'Ik houd niets achter, waarom zeg je dat?'

Nu pakt hij haar stevig vast. 'Je hoeft dit niet alleen te doen, Irma. Ik wil je helpen, dat meen ik. Zoals ik al zei: ik vind je leuk, maar dat is zwak uitgedrukt. Ik ben gewoon verliefd.'

Ze kijkt hem aan en ziet de onzekerheid in zijn ogen. Maar ook de aantrekkelijke glimlach om zijn mond. Ze voelt de sensatie van het moment dat aan iedere eerste kus voorafgaat.

Het geluid van de mobiele telefoon van Dylon scheurt plotseling de opwinding aan flarden. Het is gewoon weer ochtend en ze staan gewoon weer in de tuin. Hij graait met een geïrriteerde frons op zijn voorhoofd in zijn zak. 'Ja?' Hij luistert en kijkt langs haar. 'Goed gedaan, dat opent perspectieven. Ik bespreek het met haar. Bel je terug.'

Irma wacht.

'Mijn vriend heeft ontdekt dat Edwin psycholoog is en in een gezondheidszorginstelling werkt. Dat is mooi. Daar werken nog veel meer mensen en er is dus veel publiek beschikbaar dat kan toekijken als we hem aan de schandpaal nagelen.'

'Wouter was ook psycholoog.'

'Je bedoelt dat Edwin hetzelfde beroep heeft gekozen als zijn vader? En nu loopt hij als een gestoorde gek achter jou aan om te bewijzen dat je zijn *daddy* iets hebt aangedaan. Het lijkt er volgens mij sterk op dat de man een tik van de molen heeft. Dat zie je wel vaker bij die lui, ze zijn soms nog gekker dan hun patiënten. Ik denk dat hij snel zijn acties zal staken als hij in de gaten krijgt dat we hem kunnen beschadigen, denk je ook niet?'

Irma haalt haar schouders op.

'Hij zal in ieder geval geen enkele kans krijgen om jou nog langer lastig te vallen. Ik breng je straks naar je werk en ik haal je vanavond weer op.'

'Dat wil ik niet, Dylon. Ik ga me dan een gevangene voelen.'

Dylon lacht breed. 'Wil je mijn gevangene niet zijn?'

Ze weet niet wat ze nu moet zeggen.

Hij komt op haar af. 'Je bent met afstand de mooiste gevangene die ik ooit moest beschermen, Irma. Ik meen het. Wat vind ik je mooi.'

'Toch wil ik dit niet,' zegt ze.

Hij blijft aandringen op een antwoord. Hoe komt het dat ze zich opeens zo terughoudend opstelt? Heeft hij iets verkeerd gezegd of gedaan? 'Jij schijnt veel van mij te weten en ik weet bijna niets van jou.' Het antwoord komt van heel ver en ze is opgelucht als ze het eindelijk heeft geformuleerd.

Hij kijkt haar aan met een peinzende blik in zijn ogen. 'Je hebt gelijk. En ik denk dat je nu aan Denise denkt, ik kan alles wat ik over jou te weten ben gekomen maar van één persoon gehoord hebben. Dat klopt, maar je moet het haar niet kwalijk nemen. Ik heb haar uitgehoord, belaagd met vragen en haar net zo lang doorgezaagd tot ze overstag ging. Dat komt doordat ik sinds ik je voor de eerste keer zag aan niemand anders meer kan denken. Misschien vind je het raar of overdreven, maar het is niet anders.'

'Ik weet niet eens waar je woont, waar je werkt, of je een gezin hebt. Ik weet zelfs niet eens je achternaam.'

'Ik woon in Uithoorn. Nog wel, mijn huis staat te koop. Ons huis, moet ik zeggen, het is nog steeds van mijn ex en mij. We zijn al bijna anderhalf jaar uit elkaar en het lukt niet om het huis verkocht te krijgen.'

'Waar in Uithoorn?'

'Dit lijkt wel een kruisverhoor. In de Nijhofflaan, met dubbel f. Het is een hoekhuis met vier slaapkamers en een grote tuin. De vraagprijs is nog geen drie ton. Toch zijn er in anderhalf jaar tijd nog maar twee kijkers geweest, het is echt niet te geloven.'

'Heb je nog contact met je ex?'

'Ik zal wel moeten. We hebben twee kinderen en een huis.'

'Wonen je kinderen bij haar?'

'Ja, ze is verhuisd naar een huurhuis, drie straten verder. De kinderen kunnen zo vaak als ze willen naar me toe komen. Dat is niet vaak.'

'Wat klinkt dat wrang.'

'Zo is het ook bedoeld. Mijn ex is niet bepaald stimulerend in dat opzicht en ik wil geen ruzie veroorzaken. Dan blijven ze misschien helemaal weg. Je wilde ook weten waar ik werk. Ik ben momenteel werkloos. Ik was ambulanceverpleegkundige, maar door alle stress van de scheiding maakte ik fouten en een van die fouten werd een patiënt bijna fataal. Ik werd geschorst en later ontslagen. In een goede verstandhouding, zoals dat heet. Dat betekent: een zak geld incasseren en opdonderden.' Hij grijnst. 'Dat klinkt waarschijnlijk nog wranger.'

'Kun je nooit meer terug in je werk?'

'Ik wil niet meer terug op de ambulance. Maar misschien kan ik later weer aan het werk in een algemeen ziekenhuis. Zover ben ik nog niet.'

'Het spijt me voor je.'

'Dat zeg je lief. Je bent ook lief. En mooi. Ik val in herhalingen, geloof ik.'

'Ik ben helemaal niet lief en ik ben ook niet mooi.' Ze voelt de nagels van haar vingers in haar handpalmen.

Hij lacht breed. 'We gaan er maar geen discussie over voeren. En mijn achternaam is Van Dam.'

*

'Ik hoor je nooit over jongens,' zei de moeder. 'Zitten er geen leuke jongens in je klas?'

Het meisje reageerde niet direct en de moeder herhaalde de vraag. 'Jongens? Leuke jongens? Ik heb ze tot nu toe niet kunnen ontdekken. Alleen aanstellers en macho's.'

'Je valt toch wel op jongens?'

Het meisje ontplofte bijna. 'Nou wordt ie mooi, zeg. Denk jij soms dat ik net als mijn vader op de homoseksuele toer ga? Ben je soms van mening dat het erfelijk is?'

De moeder weerde de verbale aanval af met haar handen. 'Beheers je eens! Ik denk niets, ik stel alleen een vraag. En mocht je niet op mannen maar op vrouwen vallen, dan blijf je me even lief. Ik hoor nooit iets over vriendschappen, met wie dan ook. Je vertelt alleen dat je het leuk vindt op die hotelschool en ik moet maar raden naar wat je verder nog interesseert.'

'Mijn diploma halen en zelfstandig gaan wonen, dat interesseert me.'

'Je wil thuis weg. Is het zo erg om bij je moeder te zijn?'

'Daar gaan we weer, doe alsjeblieft vandaag een keer niet dramatisch. Kinderen gaan uit huis, je bent toch zelf ook ooit bij je ouders weggegaan? Het heeft niets te maken met of het erg is om bij je moeder te wonen, doe me een lol en hou op met die onzin.'

'Kan ik het ooit goed doen in jouw ogen?'

Het meisje sloeg een hand tegen haar voorhoofd. 'Help! Ik trek dit niet meer. Altijd die sentimentele uitspraken, altijd dat theater.'

De moeder trok haar mond in een dunne streep. 'Theater, zeg je. Alsof jij te verslaan bent als het daarop aankomt. Je lijkt...'

'Ja, ik lijk op mijn vader, ik weet het, je hebt het me nu echt wel genoeg ingepeperd. Ja, dat toneelspelen is alleen maar olie op het vuur, was ik daar maar nooit mee begonnen. Wordt het niet eens tijd voor een ander deuntje? Dit lied ken ik al en ik kan het niet meer hóren.'

'Je bent soms zo bot,' klaagde de moeder.

'En hoe zou dat komen? Zou dat iets te maken kunnen hebben met de sluier die jij weigert op te lichten?'

De moeder sloeg een hand voor haar mond. 'Wat bedoel je daarmee?'

Het meisje kwam vlak voor haar staan. 'Ik wil weten wat je achterhoudt over de verdwijning van mijn vader.'

'Ik houd niets achter, ik heb het je allemaal eerlijk verteld. Hij heeft gekozen voor die man.'

'Hoe komt het toch dat ik je niet geloof?'

'Niet geloof? Sinds wanneer geloof je me niet?'

Het meisje liet haar blik door de kamer dwalen. 'Sinds...' Haar uitgestrekte vinger ging de kamer door. 'Hij kwam vaak naar me toe in mijn dromen, maar daar is hij mee opgehouden. Tegenwoordig voel ik hem soms hier. En daar, en daar.' Ze wees. 'Hij wil me iets vertellen.'

'Kind toch, bedaar een beetje. Je draaft door. Je kunt niet iemand zien die er niet is, dat is ziek. Je fantasie slaat op hol. Stop hiermee, het klopt niet en het leidt nergens toe.' Ze trok het meisje mee naar de spiegel die boven het dressoir hing. 'Je zit in de overgangsfase van jeugd naar volwassenheid,' zei ze.

'Kijk naar jezelf, je verandert. Het kind is een jonge vrouw geworden. Een mooie jonge vrouw, die de trots van haar vader zou kunnen zijn. Ze is in ieder geval de trots van haar moeder. Kijk! Zie jezelf! Stap je volwassen leven binnen en laat je fantasiewereld achter je.'

Het meisje keek.

De moeder stond achter haar en sloeg haar armen om haar schouders. 'Wat ben je mooi. Dat zie je zelf toch ook wel?'

'Ik zie niets,' zei het meisje.

63

Het Grand Café valt over haar heen, zodra ze een voet over de drempel zet. Irma deinst ervan terug en grijpt zich vast aan het eerste het beste object dat daarvoor in aanmerking komt. Dat is de kapstok bij de deur. Ze klemt haar handen om de paal en sluit haar ogen.

Er staat iemand naast haar. 'Ga even zitten,' hoort ze Jeltje zeggen. 'Hier is een stoel.'

Irma houdt haar ogen gesloten en drinkt uit het glas water dat tegen haar lippen wordt gedrukt. Ze merkt dat ze doodmoe is en vraagt zich af hoe ze vandaag ooit de avond kan halen.

'Je moet eens even een dag vrij nemen,' stelt Jeltje vast. 'Nee, niet protesteren. Ik bel Vince en ik regel het met hem.'

Er komen meer mensen om haar heen staan. Ze zijn het er allemaal over eens dat ze vandaag niet moet werken. De chefkok helpt haar overeind en begeleidt haar naar het kantoor van Vince. Jeltje reikt haar de telefoon aan. 'Het is Vince. Hij komt vandaag naar de zaak en jij kunt vrij nemen.'

Irma heeft niet de moed om te protesteren en ze verwacht ook niet dat dit enig nut zal hebben. Ze laat zich ervan overtuigen dat ze het beste naar huis kan gaan en zit opeens in de auto. De situatie voelt vreemd aan, ze is meer toeschouwer dan speler. Ze kijkt naar haar eigen leven, naar zichzelf, naar acties die ze uitvoert maar die niet tot haar doordringen.

Slaapt ze? Is dit een droom? Ze ziet op het laatste moment het rode stoplicht en kan net op tijd remmen. Haar hart knalt bijna uit haar borstkas.

Ze wil niet naar huis, nog niet.

De buurvrouw van haar moeder zet demonstratief haar handen op haar heupen als ze Irma ziet. 'Zo, kom jij ook nog eens tevoorschijn? Je mag wel eens een beetje meer aandacht aan je moeder besteden, die stakker wordt zo kreupel als de neten. En ze haalt ook steeds meer vreemde mensen in huis. Is ze soms bekeerd tot een geloof? De buren van een kennis van me hadden opeens ook iedere week een stel mensen op bezoek. Blijken die lui lid geworden te zijn van een kerk en zitten ze iedere donderdagavond met z'n allen te klappen en te zingen en halleluja te roepen. Je zult er maar naast wonen.'

'Wordt er bij mijn moeder geklapt en gezongen?'

'Nee, dat niet.'

'Waar hebben we het dan over?'

'Over wat ik al zei, dat jij wel eens een beetje meer aandacht mag besteden aan je moeder.'

Voordat Irma een vinnig antwoord kan bedenken, wordt de deur geopend en wenkt haar moeder haar op een ongeduldige manier. 'Niet met de buurvrouw praten, ze wil iedereen uithoren en heeft overal kritiek op.'

Irma omhelst haar moeder. 'Wat is er met je heupen?'

'Dat is niet best, kind. Ik denk dat ik er nu toch aan zal moeten geloven. Links gaat nog wel, maar rechts is het helemaal mis. Pijn, pijn, pijn, ik kan er niet van slapen. Ik moet volgende week naar een specialist, de huisarts heeft me doorverwezen. Hij heeft ook gezegd dat ik volgens hem toe ben aan een nieuwe heup. Vreselijk, een narcose, een ziekenhuisopname en daarna revalidatie. Ik heb nu al heimwee naar mijn eigen huis.'

Irma glimlacht. 'Beetje voorbarig, vind je ook niet? En wat bedoelde de buurvrouw met die opmerking over vreemde mensen die je in huis haalt?'

'Dat mens is gek, luister niet naar haar. Ik haal nooit vreemde mensen in huis, ik kijk wel uit. Ik doe niet eens de deur open als ik niet weet wie ervoor staat. Je hoort tegenwoordig de meest vreselijke dingen over oude mensen die in hun eigen huis worden beroofd en neergestoken. Nee, ik kijk wel uit. Moet jij niet werken?'

Irma volgt haar moeder met haar ogen als ze naar de keuken loopt. Eigenlijk loopt ze niet, ze strompelt. Ze sleept met haar rechterbeen.

'Dat van die nieuwe heup zou wel eens hard nodig kunnen zijn,' zegt ze.

'Hou op!' gebiedt haar moeder.

Er ligt een dikke laag stof op het dressoir en in de vensterbank hangen de bloemen van de cyclamen er troosteloos bij. Irma ziet dat haar moeder haar blik volgt en probeert iets te verzinnen wat niet te confronterend klinkt.

'Ik kan het allemaal niet goed meer bijhouden,' zegt haar moeder. 'Ik zie je wel kijken.'

'Je hebt hulp nodig. Het wordt tijd dat we iets in de vorm van thuiszorg gaan regelen.'

'Geen denken aan. Ik wil niet iedere week een vreemde in mijn huis.'

'Die verzorgsters blijven geen vreemden en je zegt zelf dat je het allemaal niet goed meer kunt bijhouden. Hulp vragen is geen schande. Kijk om je heen, je huis vervuilt. Hoe zit het eigenlijk met douchen? Lukt dat je nog wel zelfstandig?'

'Ik gebruik een douchekruk. Laat het me alsjeblieft zelf regelen. En nu een ander onderwerp, ik moet je iets vertellen.'

Ze zitten samen aan de eettafel en drinken koffie. Haar moeder blijft eindeloos lang in haar kopje roeren. 'Ik heb de gemeente gebeld,' zegt ze. 'Ik heb gevraagd op welke manier ik je vader dood kan laten verklaren.'

64

Irma zou honderden vragen willen stellen, maar ze weet er niet één. Het enige wat lukt is luisteren, het enige wat nodig lijkt is overeind blijven. De kamer draait, haar hoofd suist, de stem van haar moeder komt dichterbij en verwijdert zich. Het verhaal dringt nauwelijks tot haar door, ze ontvangt flarden en begrijpt er weinig van.

Het is volgens haar moeder tijd om iets te ondernemen, ze had het al veel eerder moeten doen, de hoop dat hij zou terugkomen heeft haar geblokkeerd, ze had kwaad moeten worden, ze heeft haar eigen vrijheid in de weg gestaan.

Waar gaat dit over? Waar komt opeens die woede vandaan? Waarom moet zij dit aanhoren? Ze wil de stem van haar moeder laten zwijgen, maar ze zit alleen als verlamd op haar stoel en ondergaat de woordenstroom waar maar geen einde aan lijkt te komen.

Ze houdt haar handen tegen haar borst gedrukt en vraagt zich opnieuw af of ze dit misschien droomt.

'Voel jij je wel goed?' Iemand raakt haar aan.

Irma haalt diep adem. 'Waarom nu, waarom nu pas? Wat levert het je nu nog op? Is er een financiële reden?' De vragen komen opeens tevoorschijn.

'Het gaat niet om geld. Je weet dat ik altijd goed in staat ben geweest om voor jou te zorgen. Ik heb het geld dat ik van mijn ouders erfde verstandig belegd. De tijd is er nu rijp voor, het is nodig om iets af te sluiten. Ik heb dat nodig.'

'Ik niet,' zegt Irma. Ze staat op. 'Ik nu in ieder geval even niet. Ik heb andere dingen aan mijn hoofd.'

'Wat dan? Ga nog even zitten. Wat is er aan de hand?'

Irma aarzelt. 'Ik ben een beetje overwerkt, denk ik. Misschien kan ik beter gas terugnemen. Al mijn energie gaat in de zaak zitten en ik moet ingrijpen voordat ik afknap.'

'Weet je zeker dat het door te hard werken komt?'

'Waar zou het anders door komen?'

'Doe je nog iets met toneel? Maak je je daar misschien te druk over?'

'Toneel? Ik ben totaal niet meer met toneel bezig. Martin heeft me alsnog de hoofdrol in het nieuwe stuk aangeboden, maar ik heb geweigerd.'

'Geweigerd? Waarom? Je was eerst zo kwaad dat je die rol niet kreeg en nu weiger je? Ik begrijp niets van jou. Wat zei Martin toen je weigerde?'

'We hebben elkaar niet meer gesproken. Eigenlijk heb ik niet gereageerd op zijn telefoontjes en briefje. Ik heb hem genegeerd. Vind je dat vreemd? Zou jij tweede keus willen zijn?'

'Als het om een felbegeerde hoofdrol ging? Waarom niet? Nee, ik begrijp echt niets van jou, Irma. Wie weet, zou het de rol van je leven kunnen worden. Misschien zou het zelfs je hele leven kunnen veranderen.'

'Ik wil niets veranderen,' zegt Irma.

Ze is snel de tuin uit gelopen en heeft de buurvrouw niet gegroet. Ze moet hier weg, in het huis van haar moeder gebeurde hetzelfde als vanmorgen in het Grand Café. De muren leken op haar af te komen en veroorzaakten het gevoel dat ze ging stikken. Als ze bij haar auto staat, trekt ze eerst haar schouders naar achteren en ademt diep in.

De kramp in haar borstkas trekt weg.

Ze stapt in en haalt de afstandsbediening van de routeplanner tevoorschijn.

Uithoorn. Nijhofflaan, dubbel f.

Ze volgt geconcentreerd de aanwijzingen van de routeplanner. Er is veel verkeer op de weg, ze ziet auto's rechts voorbijflitsen. Er flitst nog meer. Controlepalen, een goede reden om zich aan de maximumsnelheid te houden.

Ze nadert Uithoorn. Pas als ze het bord met de plaatsnaam is gepasseerd, vraagt ze zich af wat ze hier wil gaan doen. Ze kan de auto even aan de kant zetten en Dylon bellen dat ze onderweg is. Maar stelt hij dat op prijs? Wie weet zit zijn ex net moeilijk te doen over de kinderen en werkt hij zich in het zweet om het gesprek op de rails te houden. Dan zal hij het niet fijn vinden om door Irma te worden overvallen. Even verderop is een parkeergelegenheid. Ze rijdt door.

Misschien is hij niet thuis. Misschien belt ze helemaal niet aan. Misschien is het genoeg om gewoon te weten waar hij woont en hoe zijn huis eruitziet. Het huis dat te koop staat. Welk huisnummer noemde hij? Hij noemde geen nummer. Eens kijken hoeveel huizen er in de Nijhofflaan te koop staan. En dan naar huis gaan. Ze heeft haar dag niet, ze is niet in staat om een normaal gesprek te voeren, ze raakt overal van in de war. Zich afzonderen zal het enige zijn wat helpt. Isolatie. Rust. En als de zoon van Wouter weer begint te klieren, zal ze hem kort en bondig van zich afschudden.

Er staat maar één huis te koop in de Nijhofflaan. Het is een hoekhuis.

'Het is een hoekhuis met vier slaapkamers en een grote tuin. De vraagprijs is nog geen drie ton.'

Naast het huis zit een schutting met een deur erin. De hele voortuin bestaat uit tegels.

Tegels! Irma bekijkt de stenen massa vol afgrijzen. Er is nergens een vleugje groen te bekennen. Ze kan zich niet voorstellen dat iemand als Dylon hier woont. Hij maakt een warme indruk, is attent, straalt uit dat hij een liefhebber is van gezelligheid. Een dergelijk type heeft geen betegelde voortuin. Het zijn ook nog gewone stoeptegels, gruwelijk goedkoop. Er stapt iemand in de auto die drie huizen van de hoek geparkeerd is. Irma zet die van haar op de vrijgekomen plek. Ze schakelt de motor uit en kijkt naar het huis.

Saai huis, saaie straat, saai dorp. Of oordeelt ze nu te snel?

Ze wil hier weg. Ze gaat Dylon niet bellen en hem vooral niet overvallen. Misschien is hij helemaal niet thuis. Ze kijkt om zich heen, en ziet zijn auto niet staan. Op het moment dat ze de contactsleutel weer wil omdraaien, schrikt ze.

De voordeur van het hoekhuis gaat open en Dylon verschijnt in de deuropening. Hij lacht en zegt iets tegen iemand die blijkbaar achter hem aan komt. Irma schuift een stukje naar beneden.

De tweede persoon is een vrouw. Ze kent dat gezicht, maar ze weet niet direct waarvan. Is het een klant van het Grand Café? Nee. Is het iemand uit de kennissenkring van haar moeder? Ook niet. Iemand van toneel? Ze slaat een hand tegen haar mond en spert haar ogen wijd open.

Dat is... Het kan niet. Ze vergist zich. Ze heeft die vrouw toen niet goed bekeken. Ze was te geschokt, te veel met zichzelf bezig, te lamgeslagen. En deze vrouw wilde alles, behalve met haar praten.

Ze kan het niet zijn.

De vrouw kust Dylon drie keer, terwijl hij zijn armen om haar heen geslagen heeft. Voordat hij haar loslaat, drukt hij haar nog even tegen zich aan. Hij zwaait haar na, als ze de straat oversteekt en in een auto stapt.

'Ze kan het niet zijn,' mompelt Irma. Maar ze is het wel degelijk. Het kan niet missen, die vrouw is Venessa, de ex van Dick.

65

Ze is terug in het huis, ze ligt weer met Dick in bed en ontdekt dat hij dood is. Ze ziet politie, er zijn ambulancebroeders en opeens verschijnt die vrouw. Venessa. Koel, hooghartig en vijandig. Ze zegt dat Irma kan vertrekken.

Ze voelt de pijnlijke kramp die zich verspreidt door haar hele lijf. De scheurende pijn, die haar de adem beneemt, haar verbijstert, verblindt, verdooft. Die haar verlamt.

Dick is dood, dreunt in haar hoofd. Ze zit uren voor zich uit te staren, eet niets, drinkt nauwelijks. Ze staart nog als ze in bed ligt en kan nachten achter elkaar niet slapen.

Ze voelt zich ook dood. Ze wil zelf ook dood.

Ze plukt digitalisbloemen.

De dood was heel dichtbij in die tijd. Ze spelde overlijdensadvertenties in de krant en speurde naar namen die haar bekend voorkwamen. Ze ontdekte de naam van een vrouw met wie ze op de middelbare school had gezeten. Het was een hartverscheurende tekst met namen van kinderen en van een hond. Een volkomen onverwacht overlijden. De krant stond vol onverwachte overledenen. Allemaal hartinfarcten? Ze kon aan niets anders denken.

Ze kreeg natuurlijk geen rouwkaart van Dick, maar moest de

aankondiging van zijn crematie ook uit de krant halen. Op de dag van de uitvaart regende het. In de aula waar iedereen ontvangen werd en waar het condoleanceboek getekend kon worden, hoorde ze iemand mopperen dat het echt begrafenisweer was en dat ze gelukkig binnen konden zitten. De familie was daar niet aanwezig, die werd pas toen alle belangstellenden in de grote aula zaten binnengeleid.

Irma zag niemand, alleen de kist. En de bloemen. Een zee van bloemen. Er was muziek, er werd in zakdoeken gesnoten, er werd gefluisterd. De zoon die niet op vakantie was sprak en loog. Ze hoorde het en was zich opeens bewust van de reacties om haar heen. En toen verscheen zij. Die vrouw, Venessa. Toen leek het pas tot Irma door te dringen dat het echt gebeurde, dat het werkelijk om Dick ging, dat hij daar in die kist lag en niemand anders. Ze zou de eerste zin die Venessa uitsprak uit haar geheugen willen verwijderen, maar tot nu toe is dat niet gelukt. Ze zou het beeld van de vrouw die zich vooroverboog naar de mensen in de aula willen wissen. Maar ook nu, zeven jaar nadat het gebeurde, staat ze er weer en zegt ze het. *'In ons lange huwelijk heeft liefde altijd de boventoon gevoerd.'*

De woorden voelden aan als fysiek geweld. Ze verkilden haar tot in haar botten. Ze zogen alle kracht die nog aanwezig was uit haar weg.

Later wankelde ze naar buiten en ving iemand haar op. Er waren mensen die aanboden om haar naar haar auto te begeleiden, maar ze bedankte. Terwijl de mensenmassa zich snel verplaatste naar de aula waar gecondoleerd kon worden, zat zij ergens op het gras en liet zich natregenen. Er kwamen nieuwe groepen mensen langs, ze werd meewarig bekeken. Maar ze bleef zitten, doorweekt en verkleumd, totdat een man in een zwart pak haar bij haar arm greep en naar de parkeerplaats bracht.

Ze moet haar auto gestart hebben en Uithoorn hebben verlaten, maar ze herinnert zich er niets van. Toch staat ze nu op de oprit bij haar eigen huis en kijkt om zich heen. Er is niemand te bekennen. Ze opent de garage en laat de deur snel weer zakken. Ze stapt de tuin in.

Stilte. Diepe stilte.

Ze zakt weg in een tuinstoel en staart voor zich uit.

Wat klopt er niet?

66

Nu zou het fijn zijn om een zus te hebben. Een zus met wie ze zich verbonden voelt en op wie ze blind kan varen. Maar die heeft ze niet, ze heeft alleen een vriendin die kan luisteren. En een moeder, maar die hoort altijd alleen wat ze wíl horen. 'Ik begrijp hier echt helemaal niets van,' zegt Denise. 'Vertel het nog eens een keer, langzaam en duidelijk. Je haalt alles door elkaar.'

'Ik haal niets door elkaar. Het is precies zoals ik het zeg. Volgens mij heeft Dylon iets te maken met Dick, de man met wie ik zeven jaar geleden een relatie had. Hoe heb jij hem eigenlijk leren kennen?'

'Op een feestje, geloof ik. Nee, toch niet, in de kroeg. Met dat vrijgezellenfeest van een van mijn collega's. Toen was het, nu weet ik het zeker. De kroegentocht in Amsterdam en hij zat opeens naast me. Zo is het gekomen.'

'Wat weet je van hem?'

'Schat, we hebben maar een paar weken echt contact met elkaar gehad. Heftig contact.' Denise lacht nadrukkelijk. 'Hij is een tijger, maar ik neem aan dat je dat zelf ook al hebt gemerkt?'

'Je had anders snel genoeg van die tijger.'

'Klopt helemaal, maar dat had vooral te maken met alle problemen die hij meebracht. Het klinkt misschien niet aardig, maar ik heb tegenwoordig geen zin meer in mannen met problemen. De ene keer kunnen ze niet besluiten om hun vrouw te verlaten, de andere keer zit hun ex ze juist achterna. Dat was dus met Dylon het geval. Jankverhalen over de streken van dat mens en de gevolgen.'

'Dat was ook het geval met Dick en zijn vrouw.'

Denise kijkt haar met grote ogen aan. 'Waar gaat dit nu weer over?'

'De ex van Dick wilde hun scheiding niet accepteren. Ze bleef achter hem aan zitten, ze bleef proberen hem ervan te overtuigen dat hij terug moest komen. Toen hij was overleden, nam ze gewoon weer de positie in van zijn echtgenote. Alsof er niets was gebeurd. Alsof hij haar niet had verlaten. En ze deed ook of ik niet bestond. Ze negeerde mijn relatie met Dick; als ik niet in de krant had gelezen wanneer de uitvaart was zou ik er niet eens bij hebben kunnen zijn.'

'Dat is heftig, Irma. Jeetje, wat een verhaal. Vertel eens iets over Dick. Wat was hij voor een type man? Of wil je liever niet over hem praten?'

Ergens diep in Irma sluimert het heftige verdriet dat ze liever niet meer naar boven laat komen. Maar de drang om over hem te vertellen is sterker. Het verlangen hem weer even door woorden dicht bij haar te voelen is te groot. 'Ik wil heel graag over hem praten,' zegt ze.

Opeens blijkt dat Denise ook aandachtig kan luisteren en niet halverwege een verhaal al haar conclusies trekt. Wat Irma vertelt lijkt haar te raken.

Irma is zelf een beetje verbaasd over de soepele manier waarop ze haar relatie met Dick schetst. Het lukt haar om zonder emotioneel te worden zijn karakter te beschrijven, voorbeelden te geven van zijn aandacht voor haar, zijn zorgzaamheid, zijn onweerstaanbare humor, de attente minnaar die hij was. De jaren van zijn afwezigheid vallen weg, ze heeft het gevoel dat hij bij haar is.

'Je praat over hem alsof hij niet dood is,' merkt Denise op. 'Zit hij zo diep of heb je je verlies nog steeds geen plaats gegeven?'

'Hij zit diep en dat wil ik ook. Of ik het een plaats heb gegeven? Voor zover dat mogelijk is. Het simpele cliché over het leven dat doorgaat is hier van toepassing. Dat geldt voor ieder verlies, hoe erg het er ook inhakt.'

'Is er nog onderzoek geweest naar zijn doodsoorzaak?'

Irma kijkt verrast op. 'Onderzoek? Dat weet ik niet, waarom zouden ze het onderzocht hebben? Hij was zesenvijftig, rookte en hield van lekker eten. Als we beter hadden opgelet en de signalen die er waren serieuzer hadden genomen...'

'Waren er signalen?'

'Hij was snel moe, soms opeens kortademig. Als ik daar opmerkingen over maakte, weerlegde hij die. De druk die zijn ex op hem uitoefende benauwde hem letterlijk. Hij hoopte dat ze hem met rust zou laten als ze merkte dat zijn relatie met mij serieus was.'

'En toen ging hij opeens dood.'

'Ja, en nam zij haar oude positie weer in omdat hij haar daar dus de gelegenheid voor gaf. In zijn agenda bleek een verwijzing naar haar te staan als hem iets overkwam. Ik denk dat hij gewoon vergeten was dat te schrappen. Zo was Dick, gemakkelijk en erop vertrouwend dat alles vanzelf weer goed kwam. Gelukkig heeft hij niet gemerkt dat hij werd overgeleverd aan de kuren van dat secreet.'

'Weet je zeker dat de vrouw die je bij Dylon zag dezelfde was?'

'Heel zeker, dat was Venessa.'

'Ga je het met hem bespreken?'

Irma staat op en loopt naar de terrasdeur. Ze gooit hem open en stapt de tuin in. Ze wenkt Denise. 'Waarom zitten wij binnen met zulk mooi weer? Ik heb gehoord dat er na vandaag een storing wordt verwacht, dus laten we er nog even van genieten.' Ze haalt kussens uit de garage en legt ze in de stoelen.

Denise volgt haar. 'Je geeft geen antwoord op mijn vraag.'

'Ik bespreek het met jou en het is vertrouwelijk. Kan dit tussen ons blijven?'

'Natuurlijk, maar wat doe je dan met Dylon?'

'Ik doe niets met Dylon. Hij is een leuke man, we zaten heel dicht aan tegen meer dan praten, maar nu ik weet dat hij Venessa kent, blijft het daarbij.'

'Je denkt toch niet dat...' Denise kijkt haar met grote ogen aan. 'Denk je soms dat Venessa zijn moeder is?'

Irma gaat in een van de tuinstoelen zitten. 'Dat zou betekenen dat Dick zijn vader is. Beetje erg toevallig, vind je niet? Dan zou Dylons achternaam Mensink moeten zijn en hij vertelde dat hij Van Dam heet.'

'Je hebt gelijk, het zou allemaal wel erg toevallig zijn. Maar wat weerhoudt je er dan van om iets met Dylon te beginnen?'

'Het zou toch aanvoelen als verraad ten opzichte van Dick. Vraag me niet om dat uit te leggen, want dat kan ik niet.'

'Ik wil je iets anders vragen...' Denise bijt op haar onderlip.

'Nou ja, waarom ook? Wat doet het ertoe?'

'Vraag maar.'

'Heb je de kinderen van Dick wel eens ontmoet?'

'Nee, nooit. Ik weet niet eens hun namen. Waarom wil je dat weten?'

'Het doet er echt niet toe,' mompelt Denise.

67

Irma laat Denise haar gang gaan, als die aanbiedt om een lekkere lunch klaar te maken. Ze hoort haar vriendin in de keuken rommelen en sluit haar ogen. Ze ziet Venessa weer naar buiten komen en Dylon omhelzen en ze hoort zichzelf weer aan Denise vertellen wat er is gebeurd. Toen ze erover sprak, klopte het en vond ze het zelfs plezierig om te praten. Nu ze eraan terugdenkt, ontdekt ze de twijfel.

En de achterdocht.

Kan er sprake zijn van opzet en was haar kennismaking met Dylon niet toevallig? Is hij via Denise haar leven binnengedrongen? Ze fluit haar gedachten direct terug. Onzin! Nog even en ze verdenkt iedereen die ze kent van kwalijke praktijken.

Het komt doordat de zoon van Wouter is opgedoken in haar leven. Door zijn onaangename manier van doen, door de dreiging die hij uitstraalt.

Door de angst die hij bij haar teweegbrengt.

Ze loopt de tuin in en trekt wat onkruid uit het moestuinperk. Vanuit haar ooghoeken ziet ze dat ze bezoek heeft.

'Waarom ben je verdrietig?' wil Hummel weten.

Irma doet een stap in de richting van het tuinhek, maar staat direct stil als ze ziet dat het kind achteruitdeinst. 'Ik ben niet verdrietig, ik denk diep na.'

'Waarover?'

Irma glimlacht. 'Wat ben jij toch een wijsneus. Over wat mensen met je doen, wat ze je aandoen, dat ze niet altijd te vertrouwen zijn.'

'Met wie doen ze dan wat?' Het meisje is ernstig, ze lijkt opeens ouder dan zeven. Is ze nog wel zeven? 'Ben je al jarig geweest, Hummel? Ben je al acht geworden?'

'Ik word nooit acht.'

'Kom maar aan tafel,' klinkt het achter Irma. 'Snel, anders worden mijn supergeslaagde hartige omeletten koud. Wat sta je daar te doen? Toch niet in jezelf te kletsen?'

Irma knippert een paar keer met haar ogen. 'Ik kom.' Ze trekt ook nog een sliert onkruid uit het wilde bloemenperk.

'Was goed je handen als je aan die bloemen hebt gezeten,' adviseert Denise.

'Altijd,' glimlacht Irma.

'Ik heb vanmiddag een afspraak met een jongen die mijn heg kan komen snoeien,' meldt Denise. 'Die wil ik liever niet afbellen, maar ik wil jou ook niet in de steek laten. Ga met me mee en eet vanavond bij mij.'

'Je laat mij niet in de steek, ik ben blij dat je kon komen. Ik blijf lekker thuis en ga vroeg naar bed.'

'En met Dylon begin je niets? Of moet je daar toch even dieper over nadenken?'

'Daar heb ik diep genoeg over nagedacht. Nee, met Dylon begin ik niets. Ik zie wel op welke manier ik hem dat duidelijk maak.'

'Wat dacht je van gewoon de waarheid zeggen?'

Irma veegt haar mond af met een servet. 'Dat was lekker, wat ben jij toch handig in de keuken.' Ze begint de tafel af te ruimen. 'Gewoon de waarheid zeggen? Kan ook. Maar soms is de waarheid te heftig.'

'Voor wie in dit geval?'

'Voor mij,' zegt Irma zacht.

Denise knuffelt haar. 'Maak het jezelf niet te moeilijk. En bel me als je me nodig hebt. Heeft die malloot zich nog gemeld?'

'Je bedoelt Edwin Majoor? Nee, maar het zal me niet verbazen als dat toch nog gebeurt. Ik wil me er vandaag niet druk meer over maken. Ik zie het wel.'

'Wat ga je de rest van de dag doen?'

'In de tuin liggen en mijn zonden overdenken.' Irma lacht. 'Daar ben ik tot laat in de avond mee bezig.'

'Valt me nog mee,' grinnikt Denise.

Als ze met haar vriendin meeloopt naar haar auto, ziet ze de postbode stoppen bij de brievenbus die aan het begin van haar oprit staat. Ze pakt het stapeltje post van hem aan. Denise informeert nieuwsgierig of er iets leuks tussen zit. Irma bekijkt de vier enveloppen. Een nieuw staatslot, een rekening, twee brieven. Brieven? 'Niet veel bijzonders,' antwoordt ze.

'En die blauwe envelop? Die is volgens mij niet van de belasting.'

'Ook niets bijzonders. *See you.*' Ze loopt terug naar het huis en sluit de voordeur achter zich. Ze wacht tot ze hoort dat de auto van Denise de oprit af rijdt. Pas als het geluid verdwenen is, pakt ze de blauwe envelop. Haar naam en adres zijn in keurige schuine blokletters geschreven. Op de achterkant staat een zwierige krul. De andere envelop is een witte met een onbekend handschrift. Ze legt de post op de trap.

68

Ze houdt het niet uit in huis. Het ongedurige gevoel valt op geen enkele manier te bestrijden. Het beeld van Venessa en Dylon blijft haar plagen. De innige omhelzing, de manier waarop hij haar uitzwaaide.

Ze moet hier weg. Ze zou met iemand willen praten, raad willen vragen, gerustgesteld willen worden. Maar de enige persoon tot wie ze zich zou willen wenden is precies degene die haar zo onzeker maakt.

Het geluid van haar mobiele telefoon laat haar schrikken. Zonder op de display te kijken neemt ze op en daar heeft ze onmiddellijk spijt van.

'Teef! Lelijk achterbaks monster dat je bent! Denk maar niet dat je hiermee wegkomt, smerige moordenaar! Denk vooral niet dat jij mijn goede naam kunt besmeuren.'

Irma voelt haar adem in haar keel stokken.

'Geef antwoord, kut!'

'Wat moet je van me?' Maar het heeft geen enkele zin om met Edwin te praten, hij moet uit haar leven verdwijnen. Antwoord geven, vragen stellen, het betekent contact en dat is precies wat ze niet wil hebben en waar ze zeker niets mee opschiet. Ze haalt diep adem. 'Luister, Edwin. Dit heeft wat mij betreft lang genoeg geduurd. Je valt mijn leven binnen en doet eerst of je je vader bent, je overvalt me als ik in mijn auto wil stappen, je loopt rond in mijn tuin en je valt me voortdurend telefonisch lastig. Ik heb er genoeg van en ik ben niet de enige. Dus als je geen problemen wilt krijgen, stop dan met je idiote acties. Ga je frustratie op iemand anders botvieren, iemand die je werkelijk iets kunt verwijten. Je moeder, bijvoorbeeld, die jou zo nodig moest weghouden van je vader. Roep haar ter verantwoording voor de gemiste kansen, laat haar boeten. Ik heb jou niets misdaan. Laat me met rust, anders doe ik aangifte van stalking en bedreiging.' Het is eruit. Ze kan het nauwelijks geloven, maar ze heeft het gezegd. En ze meent het. Dit gedonder moet afgelopen zijn.

'Denk jij werkelijk dat ik zomaar opgeef? Denk jij echt dat ik me iets aantrek van jouw dreigementen? Ga gerust naar de politie, *be my guest*. Ik wil er wel bij zijn als je aangifte doet. Dan kan ik meteen vertellen wat ik vermoed en waar ik niet alleen in sta. Wie weet moeten we nodig jouw tuin eens omspitten.'

Irma houdt haar adem in.

'Ik geef niet op, klotewijf. Ik ga niet toekijken hoe jij een serie minnaars naar de andere wereld helpt. Van twee weet ik zeker dat ze je slachtoffer zijn geworden. Over de derde twijfel ik nog.'

Irma hapt naar lucht. 'Waar heb jij het over?'

'Ik heb het over mijn vader, over Dick Mensink en over Floran Haverkort.'

Ze verbreekt snel de verbinding.

Haar maag gedraagt zich onrustig, de smaak van hartige omelet komt voortdurend naar boven. Ook de geur. Ze is misselijk.

Haar handen zijn klam, haar vingers trillen.

Er klopt niets van. Wat Edwin zei is iets wat ze niet wil zien, niet wil horen, niet wil weten.

Ze rent naar de garage en smijt de deur van haar auto achter zich dicht. Ze moet hier weg. Ze weet niet wat haar drijft, maar haar doel is momenteel de Nijhofflaan.

De oprispingen van gebakken ei zijn niet te harden. Ze stopt bij een tankstation, koopt een fles water en kauwgom. Ze zit doodstil achter het stuur en probeert te ontdekken wat ze moet begrijpen.

Als ze de Nijhofflaan nadert, kan ze weer gewoon ademhalen en is de smaak van eieren uit haar mond verdwenen. Er steken plotseling twee stevig gearmde vrouwen de straat over die druk in gesprek zijn. Een van de vrouwen zwaait naar haar en maakt een verontschuldigend gebaar.

Irma reageert niet.

Ze rijdt langs het hoekhuis met het bord TE KOOP in de tuin en ziet dat de auto van Dylon er staat. Vijftig meter verder parkeert ze die van haar aan de andere kant. De rij geparkeerde auto's waar ze langs moet maakt het mogelijk dat ze niet direct opvalt. Nog een meter of twintig. Ze tuurt naar het huis. Haar voornemen om er gewoon op af te stappen, aan te bellen en naar binnen te gaan lijkt op dit moment geen goed idee meer. De behoefte om Dylon vragen te stellen over zijn contact met Venessa ebt weg nu ze hier staat. Ze zoekt met haar handen steun bij een auto.

Ze duikt snel weg als ze de voordeur open ziet gaan. Voorzichtig komt ze een klein stukje overeind, zodat ze net kan zien wat er bij het huis gebeurt.

Er staan twee mannen buiten en Dylon komt achter hen aan. Hij loopt met hen mee tot het tuinhek. Ze nemen afscheid.

Irma laat zich nu helemaal op de grond zakken en staart verbijsterd voor zich uit. Ze heeft deze mannen eerder gezien. Ze betwijfelde of ze wel van de politie waren. En ze herinnert zich hun namen. Van Drongelen en Heeres, dat weet ze zeker. Wat hebben deze mannen bij Dylon te zoeken? Er worden motors gestart, ze rijden weg. Ze wacht tot de geluiden verdwenen zijn en loopt snel terug naar haar eigen auto. Zodra ze zit, haalt ze haar mobieltje tevoorschijn en belt het informatienummer.

'Ik wil graag het nummer van de politie Alkmaar.' Een stem noemt het nummer en meldt dat de beller moet wachten als die wil worden doorverbonden. Irma wacht. Ze is kalm. Ze heeft de portieren van haar auto vergrendeld en voelt zich veilig.

69

Ze wist het, natuurlijk wist ze het. Bij de politie Alkmaar zijn geen rechercheurs werkzaam die Van Drongelen of Heeres heten. Ze had direct het gevoel dat er iets niet klopte met deze heren. De telefoniste is nogal terughoudend en wil geen mededelingen doen over wie er wel of niet als rechercheur werkzaam zijn bij het corps. Als Irma zegt dat ze de heren zoekt in verband met een verrassingsparty, antwoordt de vrouw op afgemeten toon dat ze haar zoektocht beter in de privésfeer kan houden. Maar Irma is ervan overtuigd dat ze haar met een van de twee zou hebben doorverbonden als ze werkelijk werkzaam zouden zijn bij de politie Alkmaar.

Ze bedenkt dat ze voor alle zekerheid de namen ook nog kan googelen. Zodra ze thuis is, loopt ze naar de computer en dat levert de definitieve zekerheid op. Van Drongelen en Heeres bestaan niet, althans niet als rechercheur van politie. Irma probeert zich te herinneren wat de mannen precies tegen haar zeiden. Ze wilden een paar vragen stellen over Floran Haverkort. Die vragen hadden betrekking op hun laatste ontmoeting. Het waren voor de hand liggende vragen, maar zij was op haar hoede. Hebben ze dat in de gaten gehad? Begrepen ze dat ze voorzichtig moesten zijn en geen achterdocht moesten wekken? Ze verdwenen even plotseling als ze verschenen waren en daarna heeft ze hen niet meer gezien.

Ze sluit haar ogen en concentreert zich op wat ze zag bij Dylons huis. De mannen namen op een joviale manier afscheid. De manier die vrienden gebruiken. Handen op elkaars bovenarmen, even een schouder vastgrijpen. Mensen die bij de politie werken nemen niet op die manier afscheid van een burger. Deze mannen waren niet beroepsmatig bij Dylon op bezoek. Deze mannen waren niet van de politie.

Irma's handen hangen aarzelend boven haar toetsenbord. Ze voelt de kramp in haar schouders en beweegt ze een paar keer. Ze zet de server weer op de lege Google-balk en typt een naam. Dylon van Dam. Er verschijnen zevenentwintig pagina's met hits. Ze bekijkt ze stuk voor stuk, maar vindt geen enkele verwijzing naar Dylon van Dam in Uithoorn.

Ze heeft al twee keer op het punt gestaan om Denise te bellen, maar daar toch op het laatste moment van afgezien. Ze twijfelt te sterk of ze haar wil vertellen wat ze heeft ontdekt. Ze moet eerst meer te weten zien te komen over Dylon. Heet hij wel Dylon? Is zijn achternaam wel Van Dam? De vragen razen door haar hoofd, ze knippert met haar ogen. In welke richting moet ze het zoeken?

De herinnering voelt aan als een klap op haar hoofd. Ze zit aan de keukentafel en roert in de kop thee die ze net heeft gemaakt. Ze weet zeker dat ze door haar knieën was gezakt als ze nu had gestaan. Het is een aanval, een confrontatie. Ze hoort weer de ernst in de stem van haar vader. Hij berispte haar, omdat ze hem had voorgelogen. Het was een leugen die ze niet kon verklaren en die nergens op sloeg. Er had iemand opgebeld, een man. Hij vroeg haar vader te spreken en Irma had gezegd dat haar vader op reis was en dat ze niet wist wanneer hij terugkwam. Later belde de man opnieuw en toen nam haar vader de telefoon op. Hij vroeg waarom ze had gezegd dat hij op reis was en zij wist niet wat ze moest antwoorden. 'Ik begreep niet waarom hij belde,' was ten slotte de enige verklaring die ze kon verzinnen. Haar vader wilde dat ze hem recht aankeek. 'Als je iets niets begrijpt, kun je gewoon vragen stellen. Mensen denken vaak dat ze beter zelf een antwoord kunnen verzinnen, maar geloof me, kind, dat leidt alleen maar tot verwarring en ellende. Doe dat niet meer. Beloof me dat je in het vervolg vragen stelt.' Ze gaf geen antwoord, bleef hem alleen maar aankijken. Hij schudde haar door elkaar. 'Wat heeft dit te betekenen?' Ze wilde iets zeggen, maar haar lippen leken verlamd. Toen sloeg hij haar op haar wang. 'Geef antwoord!' Zijn ogen waren donker.

Haar moeder kwam tussenbeide. 'Ben jij nu helemaal gek geworden?' schreeuwde ze. 'Wat bezielt je om dat kind te slaan? Kun je je ook al niet meer beheersen als het je eigen kind betreft?'

Irma rende de deur uit. Toen ze terugkwam spraken haar ouders weer normaal met elkaar.

Ze houdt het lepeltje tussen haar vingers geklemd en probeert ergens anders aan te denken. Wat moet ze met herinneringen die nergens meer toe dienen? Er heeft nooit meer een dergelijk incident plaatsgevonden en haar vader liet dagenlang blijken dat hij er spijt van had. Ze kreeg een nieuwe pop van hem, hij vertelde trots dat het de grootste pop was die hij had kunnen vinden. En toen ze weer jarig was, kondigde hij aan dat ze haar hele volgende levensjaar Pop zou heten.

Pop.

'Kus me nog eens, Pop,' fluisterde Dick. Hij klopte op haar rug toen ze nauwelijks tot bedaren was te brengen. Later wilde hij weten hoe het kwam dat ze zo overstuur was geraakt. Toen vertelde ze over de troetelnamen die haar vader bedacht. 'Dus je heette een heel jaar Pop, toen je zes was,' zei Dick. 'En welke naam gaf hij je op je zevende verjaardag?'

Ze antwoordde dat haar vader ermee was gestopt toen ze zeven werd.

Wie is Dylon precies? Ze dwingt haar gedachten weer in zijn richting. Ze voelt zich niet goed en ze weet zeker dat ze beter aan het hier en nu kan denken.

Ze moet hem bellen. Maar waar heeft ze zijn mobiele nummer gelaten? Met een schok realiseert ze zich dat ze helemaal geen mobiel nummer van hem heeft en evenmin een ander nummer.

Ze googelt op 'telefoongids' en toetst zijn naam en adres in. Er verschijnt een mededeling. Geen resultaten gevonden.

Ze is kalm als ze het nummer van Denise kiest.

70

Het antwoord van haar vriendin was natuurlijk te verwachten. Toch wil deze conclusie niet direct tot Irma doordringen. 'Ja, ik begrijp dat hij een geheim nummer heeft, anders had ik wel een resultaat gekregen op internet. Maar hij is toch geen bekende Nederlander of iets dergelijks? Zijn vrienden mogen toch wel weten hoe ze hem kunnen bereiken? Jij weet het toch ook, terwijl je maar heel kort met hem...'

'Ik weet niet waarom hij zo voorzichtig is met het verspreiden van zijn nummer,' legt Denise uit. 'Eerlijk gezegd vind ik het wel een beetje overdreven, maar wie ben ik? Ik heb hem met de hand op mijn hart beloofd dat ik het aan niemand zou doorgeven en als ik iets beloof doe ik het ook. Maar ik wil hem wel bellen en zeggen dat jij hem dringend moet spreken. Dan kun je zelf zijn nummer vragen.'

'Weet je zeker dat hij Dylon heet?'

Het is even stil aan de andere kant. 'Ben je er nog?'

'Ja, ik ben er nog. Waarom vraag je dat? Waarom zou hij geen Dylon heten? Wat ben jij opeens achterdochtig.' Denise zucht hoorbaar. 'Ik krijg een wisselgesprek, bel je later wel terug. Ik geef aan Dylon door dat hij jou moet bellen, goed?'

Irma wil zeggen dat ze wel wacht tot haar vriendin het wisselgesprek heeft gevoerd, maar de verbinding is al verbroken.

Ze moet iets eten. De geur van de omeletten die nog steeds in de keuken hangt maakt haar misselijk. Irma gooit het raam en de deur wijd open en zet de afzuigkap op de hoogste stand. Ze pakt een flesje fruitdrank uit de koelkast en loopt ermee naar buiten.

In de verte is een lichtflits en er volgt een aarzelend gerommel in de lucht. Het onweer is nog ver weg, misschien komt het niet haar kant op. Ze maakt een bezwerend gebaar in de richting van de donkere wolken in de verte.

'Je lijkt wel een toverheks,' zegt Hummel.

'O, was jij er ook? Ik probeer het onweer een andere kant op te sturen.'

'Kun je dat dan?'

Irma lacht. 'Ik kan het toch proberen?'

'Ik ben bang voor onweer. Jij ook, hè?' Het kind kijkt achterom en wijst. 'Daar zit het. Je moet plat op de grond gaan liggen als het boven je is. Dan kun je niet geraakt worden door de bliksem.'

'Je kunt er beter voor zorgen dat je binnen bent als het losbarst,' adviseert Irma.

Hummel wijst naar een plek in de tuin bij de buren. 'Die mensen hebben allemaal stokrozen, heb je dat gezien? Een heel perk, het zijn er misschien wel honderd.'

'Nou, honderd... ja, ik weet het. Stokrozen zijn net zulke eigenwijze planten als de digitalis. Ze bepalen het liefst zelf waar ze willen opkomen en dat is bijna altijd ergens anders dan de plek die jij in gedachten had.'

'Ik vind ze mooi. Je kunt de zaadjes toch uitstrooien in je tuin? Waarom zouden ze daar dan niet gaan groeien?'

'Wat stel je weer veel vragen, Hummel. Ik weet het niet, mijn hoofd is met andere dingen bezig.'

Er is een geluid in de keuken. Irma rent naar binnen en grijpt haar mobieltje. Ze ziet dat Denise haar belt. Die begint direct als Irma zich meldt te ratelen. Het gaat over Dylon. Ze heeft hem net gesproken en ze begreep niet veel van zijn verhaal. Hij was op weg naar Schiphol, moest direct naar Spanje om zijn ex op te halen. Die schijnt ergens in een kustplaats ziek geworden te zijn. De stem van Denise slaat een paar keer over en Irma vraagt zich af hoe het komt dat haar vriendin zo opgewonden is. Maar ze krijgt niet de kans om een vraag te stellen. Denise is duidelijk helemaal op hol geslagen. Ze heeft nu niet veel tijd, meldt ze. Maar ze heeft tegen Dylon gezegd dat Irma hem wil spreken. En ze belt later nog wel terug.

'Wanneer is later en wat is er precies met jou aan de hand?' vraagt Irma. Het antwoord valt midden in haar vraag, in de vorm van een klik en de daaropvolgende stilte.

Irma loopt weer de tuin in en ontdekt dat de donkere wolk die net nog ver weg leek schrikbarend dichtbij is gekomen. Ze kijkt om zich heen en roept Hummel. Maar het meisje is al weg.

Ze sluit de tuindeur en het keukenraam. Er is een flitslicht in de tuin en direct daarna volgt de klap, die de lucht doormidden lijkt te splijten. Irma duikt weg. Ze bedenkt dat de ramen van haar slaapkamer nog wijd openstaan en rent de trap op. In een flits ziet ze het stapeltje post liggen.

*

De jonge vrouw mopperde tegen de moeder. 'Jij bent toch bang van honden? Nu laat je je zomaar door je buurvrouw een week hondenoppas in je maag splitsen en wordt dat beest ook nog kreupel.'

De moeder zei dat je soms eens iets voor een ander moest overhebben.

De jonge vrouw maakte een afspraak bij een dierenarts en reed de moeder en de hond naar het adres. Toen ze aankwamen stond er een man in de tuin, die de dierenarts bleek te zijn. Hij vroeg of de vrouwen ook van tuinieren hielden.

'Ik heb sinds kort een grote tuin,' zei de jonge vrouw. Ze wees naar een van de bloemenperken. 'Digitalis, niet? Die heb ik ook.'

De dierenarts antwoordde dat het zijn lievelingsbloemen waren.

'Volgens mij zijn ze giftig,' zei de moeder.

'Wat heet,' lachte de dierenarts.

'Zou je er een moord mee kunnen plegen?' vroeg de jonge vrouw.

Haar ogen schitterden.

'Zeker weten. Je hebt al genoeg aan de bladeren van één plant. Als je die fijn maakt en met spinazie mengt is het snel gebeurd met degene die je te eten hebt gevraagd.'

De jonge vrouw lachte schel.

'Wat is er met jou aan de hand?' wilde de moeder weten.

'Laten we maar eens naar deze hondenjongen kijken,' besliste de dierenarts.

'Wat een vreemde man is dat,' zei de moeder toen ze op de terugweg waren. 'Of zou hij een grapje hebben gemaakt?'

'Natuurlijk maakte hij een grapje, maar jij hebt gewoon geen gevoel voor humor.'

De moeder kwam een dagje helpen in de tuin en merkte op dat de beide perken er zo mooi bij lagen. 'Geef je ze mest?' vroeg ze.

'Alleen het perk met de wilde bloemen.'

'Je kunt beter de moestuin bemesten.'

'Dat komt later wel,' zei de jonge vrouw.

Op een dag deelde de moeder mee dat het volgens haar tijd werd dat ze een kleinkind kreeg.

'Een kind heeft een vader nodig,' antwoordde de jonge vrouw.

'Die moet toch te vinden zijn? Misschien helpt het als je je eens op mannen van je eigen leeftijd richt.'

'Die interesseren me niet.'

'Stap toch eens van die vaderfascinatie af.'

'Zorg er maar eerst voor dat ik mijn vader terugkrijg.'

De moeder begon te huilen. 'Ik trek die verwijten niet meer. Waarom verwijt je mij toch dat hij voor een ander koos? Denk je dat ik dit wilde?'

'Je had hem moeten tegenhouden,' zei de jonge vrouw.

'Neem toch eens stokrozen en verwijder die digitalis,' adviseerde de moeder.

'Wat moet ik met stokrozen?' beet de jonge vrouw haar toe. 'Die zijn toch niet giftig?'

De moeder sloeg een hand voor haar mond. 'Soms ben ik bang voor je,' zei ze.

71

Irma heeft de blauwe envelop in de schoenendoos gestopt. Het is een zwarte doos, op het deksel staan vier witte letters. ECCO. De blauwe enveloppen zaten eerst in een plastic zak, maar die begon slijtageverschijnselen te vertonen. Voordat ze de laatste envelop bij de andere voegde, heeft ze de hele voorraad geteld. Dat doet ze iedere keer als ze er een ontvangt. Het zijn er nu eenentwintig. De schoenendoos staat weer onder haar bed, precies in het midden. Daar staat hij goed.

Het onweer is weggetrokken, in de verte klinkt nu en dan nog wat gerommel. De ramen van haar slaapkamer staan wijd open en laten de frisse lucht binnenstromen. Irma controleert of de raamhorren goed vastzitten.

De rest van de post ligt op de eettafel. Ze opent eerst de envelop met het nieuwe staatslot en zet het lot achter de klok op het dressoir. Daarna bekijkt ze de rekening en ontdekt dat die niet voor haar bestemd is, maar voor de buren. Ze krabbelt een verontschuldiging voor het misverstand op een notitieblaadje, bevestigt dat met een paperclip aan de envelop en loopt naar de voordeur.

Er is een geluid op het grind. Ze klemt haar hand om de deurknop en luistert.

Stilte.

Ze legt de envelop op de trap en loopt snel naar boven. De achtertuin is roerloos, er is geen geluid te horen en evenmin een beweging waar te nemen. De voortuin vertoont ook geen enkel signaal van onraad. Ze heeft zich vergist. Misschien was het een kat, er lopen wel vaker katten door de voortuin. Ze jaagt ze altijd weg, omdat ze haar erf niet als openbare kattenbak wil laten gebruiken.

Het lukt haar niet zichzelf gerust te stellen. Ze controleert de voortuin en de achtertuin opnieuw en nu opent ze de ramen en hangt voorover, haar oren gespitst, haar ogen turend.

Er is niemand. Het was echt een kat.

Haar maag borrelt, ze moet nu toch eens iets eten. De waldkornbeschuiten die ze een paar dagen geleden heeft gekocht, zien er smakelijk uit. Irma besmeert er twee met boter en jam. Ze blijft tijdens het eten bij het aanrecht staan en houdt haar oren op de achtertuin gericht. De klok in de woonkamer slaat tien keer. Ze gaapt een paar keer en merkt dat haar ogen bijna dichtvallen. Zorgvuldig controleert ze alle deuren op de benedenverdieping en in de woonkamer ontdekt ze de envelop die ze nog niet heeft geopend. Ze bekijkt de naam van de afzender, die in zwarte blokletters op de achterkant staat. Strakke blokletters, die eerder gedrukt dan met de hand geschreven lijken. Het is een haar onbekende naam: *J.L.M. van Kemenade Salland*. Haar vingers betasten de sluiting en zoeken een manier om de envelop te openen. Ze leest de naam nog een keer. Wie is J.L.M. van Kemenade Salland? Ze controleert de adressering. De brief is echt aan haar gericht. Toch heeft ze het gevoel dat hij niet voor haar bestemd is.

Ze legt hem terug op de tafel en loopt naar boven.

Ze schrikt ergens van en zit meteen rechtop in bed. Ze tuurt naar de wijzerplaat van de wekkerradio. Elf over twee. Buiten nadert een ambulance, het geluid van de sirene komt steeds dichterbij. Het zal lijken of het haar slaapkamer aanraakt en daarna vervagen. Irma kent de volgorde en het opdringerige aspect van het signaal. Deze nacht vervaagt het geluid sneller dan anders. Haar oren volgen de steeds zwakker wordende toon en ze wil weer gaan liggen. Op dat moment kraakt er iets op de trap. Ze staat meteen naast haar bed en sluipt naar de deur. Haar benen trillen, haar handen proberen de sleutel in het slot om te draaien, maar hij zit niet stevig in het sleutelgat en valt op de grond. De voetstappen hebben nu de laatste trede bereikt, het is de trede die kraakt. Het lukt Irma om de sleutel op te rapen, in het slot te steken en met een snelle beweging twee keer te draaien. Ze houdt haar handen tegen haar borstkas gedrukt en ademt met open mond. Omdat ze haar eigen ademhaling kan horen, doet ze een paar stappen naar achteren.

De deurkruk beweegt. Irma staart naar de sleutel. Die blijft op zijn plaats.

De deurkruk beweegt nog een keer.

Ze kijkt om zich heen en probeert na te denken. Er moet hulp komen, ze moet iemand bellen. De politie. Het licht van de wekkerradio schijnt precies op haar mobiele telefoon. Ze doet snel een stap in die richting, grijpt het mobieltje en toetst 112. Er meldt zich onmiddellijk een vrouwelijke stem. 'Er is iemand mijn huis binnengedrongen,' hijgt Irma. Ze noemt haar adres en woonplaats. De stem herhaalt dit.

'Waar bent u, mevrouw?'

'In mijn slaapkamer. Ik heb de deur op slot gedraaid. Hij staat volgens mij op de overloop.'

'Blijf waar u bent, mevrouw. Er is een auto naar u onderweg.'

De bovenste tree kraakt weer. Er zijn snelle voetstappen op de trap. Irma rent naar het raam en ziet een donkere schim het tuinpad af rennen. Er wordt een motor gestart.

In de verte zijn sirenes te horen. Ze komen naderbij. Ze staat voor het raam en is niet in staat zich te bewegen. Even is ze bang dat de auto's weer zullen omdraaien, maar dan ziet ze een politiewagen vlak voor de oprit stoppen en vlak daarachter een tweede. Irma's vingers trillen nog steeds als ze de sleutel van haar slaapkamerdeur weer omdraait. Ze opent de deur.

'Politie,' hoort ze beneden.

'Ik ben hier,' probeert ze te zeggen. Maar haar stem weigert en ze voelt dat ze valt.

72

Iemand hijst haar overeind, iemand anders ondersteunt haar de trap af. Een vrouw zegt dat ze zich geen zorgen meer hoeft te maken en dat ze veilig is. Irma zou willen vragen hoe veilig er precies uitziet. Ze voelt zich ongemakkelijk in het oude lange T-shirt dat ze draagt en heeft het gevoel dat iedereen in de gaten heeft dat ze verder naakt is. De vrouw die net zei dat ze zich geen zorgen meer hoeft te maken, komt naast haar op de bank in de woonkamer zitten en vraagt of ze iets voor haar kan doen.

'Mijn ochtendjas halen,' fluistert Irma. 'Hangt aan de binnenkant van de slaapkamerdeur.'

De vrouw loopt weg en komt even later terug. 'Zo, dat geeft waarschijnlijk een gemakkelijker gevoel,' zegt ze als ze Irma in de blauwe zijden jas heeft geholpen.

Een agent die sprekend op Mark Rutte lijkt, vraagt wat er precies is gebeurd.

'Ik werd wakker van een geluid,' begint Irma.

De voordeur stond open toen de politie arriveerde. Ze zijn op de Kruisweg geen auto tegengekomen en dat zou toch gemoeten hebben als het verhaal van Irma klopt. Ze weet zeker dat ze de auto hoorde starten en wegrijden, terwijl de sirenes al in aantocht waren. Ze woont aan het einde van de weg, de inbreker moet de kant op zijn gereden vanwaaruit de politie kwam.

'Jullie geloven me niet,' zegt Irma.

De vrouw pakt haar arm vast. 'We moeten al deze vragen stellen om een beeld te kunnen krijgen van wat er precies is gebeurd. De voordeur stond open toen we arriveerden en jij kon van de schrik niet meer op je benen staan. Dat zijn feiten. En alles wat je verder vertelt, trekken we na of onderzoeken we zo goed mogelijk. We hebben op weg naar dit huis geen tegenliggers gesignaleerd.'

'Hij heeft zijn auto waarschijnlijk aan de kant gezet en gewacht tot jullie gepasseerd waren,' zegt Irma. 'Misschien heeft hij gewoon tussen de wagens van het autobedrijf even verderop staan wachten tot jullie hier binnen waren en is toen pas weggereden.'

Er valt een stilte na haar woorden.

'Je hebt het over een hij,' merkt de man die op Rutte lijkt op. 'Denk je dat je weet wie het geweest kan zijn?'

Irma haalt diep adem. 'Nee.'

'Voor zover wij nu hebben kunnen zien is het slot van de voordeur niet geforceerd. Heeft iemand die je kent een sleutel van dit huis?'

'Nee.' Irma voelt haar adem stokken. Ze kijkt de agent met grote ogen aan. 'Toch wel, sinds kort heeft mijn vriendin een sleutel.' Ze schudt resoluut haar hoofd. 'Die kan het niet geweest zijn, Denise heeft hier niets mee te maken.' Ze wil het beeld dat voor haar ogen verschijnt niet tot zich laten doordringen. Maar het is te sterk, te overheersend. Ze ziet Dylon en de mannen die op een amicale manier afscheid van hem namen. Ze ziet zijn hartelijke omhelzing met Venessa. En ze hoort Denise met overslaande stem vertellen dat Dylon acuut naar Spanje moet om zijn ex op te halen. Ze zit stijf rechtop en weet opeens zeker dat Dylon niet naar Spanje is.

'Wat gebeurt er nu?' vraagt de vrouw.

'Ik ben in de war,' mompelt Irma. Ze begrijpt totaal niet meer wat er allemaal in haar hoofd gebeurt.

'Er is iemand in de tuin,' meldt een van de andere agenten. Op hetzelfde moment verschijnt er een man in de deuropening. Irma heeft het gevoel dat ze weer onderuitgaat.

'Wie bent u, meneer?' vraagt Rutte.

De man kijkt langs hem naar Irma. 'Ik ben Edwin Majoor. Het leek mij beter om me te melden. Ik bedoel: er kunnen anders misverstanden ontstaan.' Hij wijst naar Irma. 'Zij zal volgens mij niet snel de waarheid vertellen, dus dat moet ik dan maar doen.'

73

Alles wat hij vertelt, heeft met haar te maken en toch lijkt het of het over iemand anders gaat. Zijn woorden vormen een verhaal, de zinnen worden goed geformuleerd en pijnlijk duidelijk gearticuleerd. Je kunt hem bijna ook de punten en komma's horen uitspreken.

Irma zit nog steeds met de agente op de bank en leunt een beetje achterover. Ze zou iedereen willen verzoeken de kamer en haar huis te verlaten, Edwin Majoor voorop. De aanwezigheid van de politiemensen en de man door wie ze belaagd wordt veroorzaakt een onaangename benauwdheid en een lamgeslagen gevoel. Edwins stem vult de hele kamer. Iemand moet zijn waanzinverhaal onderbreken, desnoods met geweld. Maar iedereen luistert geïnteresseerd.

'Ik was al gewaarschuwd voor haar kuren,' zegt het evenbeeld van Wouter met een cynische lach op zijn lippen. 'Vrienden van me die regelmatig in het Grand Café komen, waar zij werkt, hadden al enige ervaring met Irma Esfeld. Ze is een weergaloze flirt, die kerels volslagen gek kan maken. Ik zal eerlijk toegeven dat ik er ook in ben getrapt.'

Als je echt goed kijkt, lijkt hij nauwelijks op Wouter. Hij heeft hetzelfde soort haar en de vorm van zijn neus vertoont ook enige overeenkomst. Maar zijn mond komt niet in de buurt van de sensuele lippen van zijn vader, zijn uitstraling is die van een natte krant en kan niet tippen aan het charisma dat Wouter tekende. Het charisma dat een bedwelmend en vooral verslavend effect had.

Edwins ogen zijn kil en afwijzend. 'Ik ben getrouwd en wil dat blijven. Dat heb ik al tijdens ons eerste contact tegen haar gezegd en ze deed er niet moeilijk over. Toen ze me een sleutel gaf van haar huis en me uitnodigde om te komen als ik daar zin in had, was ik eerst niet van plan om erop in te gaan. Maar ja, soms doe je wel eens iets wat je beter niet zou kunnen doen en ik heb me de afgelopen week stevig door haar laten inpalmen. Gisteravond zouden we elkaar zien in de zaak waar ze werkt, maar ze was er niet. Ik had een paar zware dagen op mijn werk gehad, mijn vrouw klaagde voortdurend over allerlei kwalen, de kinderen, te weinig aandacht en alles waar vrouwen over kunnen klagen. Vanavond werd het me allemaal een beetje te veel. Ik ben dus hiernaartoe gekomen en heb de fantasie die zij me steeds voorstelde waargemaakt.'

De vrouw die naast Irma zit valt hem in de rede. 'Over welke fantasie hebt u het?'

'Over haar fantasie om midden in de nacht beslopen te worden door een man en zich door hem te laten overweldigen. Het klinkt banaal, ik weet het. Maar vanavond was het een optie. Ik raakte opgewonden van het idee en ik beloofde mezelf een knallend erotisch avontuur. Eerst heb ik een paar uur rondgereden.' Hij wacht even en kijkt iedereen aan, behalve Irma. 'Ik verwachtte een deur die vergrendeld was, maar kon zonder moeite binnenkomen. Toen ik onder aan de trap stond, heb ik een beetje geluid gemaakt. Ik had de indruk dat ze in de gaten had dat ik binnen was. Ze hield zich muisstil, precies zoals ze mij had voorspeld. Ik kon bijna niet op mijn benen blijven staan toen ik de knop van haar slaapkamerdeur omdraaide. Het drong niet meteen tot mij door dat de deur op slot zat, ik had daar totaal geen rekening mee gehouden. Daarom probeerde ik het nog een keer. Op dat moment hoorde ik dat ze de politie belde en ik begreep dat ik mezelf in de nesten aan het werken was. Dus ik rende naar buiten, startte mijn auto en wilde de Kruisweg zo snel mogelijk af rijden. Maar in de verte naderden jullie wagens al en toen heb ik die van mij bij het autobedrijf verderop geparkeerd. Ik wilde weg, maar toen dat niet snel lukte heb ik gelukkig even goed nagedacht. Om te voorkomen dat zij mijn bezoek een kwaadaardig tintje gaat geven, vertel ik liever eerlijk wat ik kwam doen.' Hij haalt een sleutel tevoorschijn en legt hem op de salontafel. 'Deze heb ik niet meer nodig.'

Iedereen kijkt nu naar Irma. Ze probeert zich te herinneren wat Edwin Majoor precies heeft gezegd, maar het zijn alleen flarden van woorden die geen enkel verband met elkaar hebben. Toch weet ze één ding zeker. Ze kijkt om zich heen en probeert iemands blik te vangen. 'Hij liegt,' zegt ze. Maar waar is haar stem?

Iedereen kijkt langs haar.

Ze maakt met een handgebaar duidelijk dat ze weg moeten gaan.

74

Vooral de blik in de ogen van een van de agenten op het moment dat hij in de deuropening achteromkeek, blijft zich aan Irma opdringen. Het zou haar niets hebben uitgemaakt als ze irritatie had gezien, de man had ook woedend mogen kijken, of veroordelend. Alles was beter geweest dan juist deze blik, dit opzichtige medelijden. Deze vernietigende conclusie. Edwin Majoor heeft haar afgeschilderd als een hysterische vrouw die op een zieke manier met mannen omgaat. Als een patiënt. Hij heeft zijn eigen straatje netjes schoongeveegd en de sympathie van de agenten verworven door zijn mea culpagedrag. De trilling in zijn stem toen hij beweerde dat te veel drukte op zijn werk in combinatie met een klagende echtgenote hem te veel was geworden, werd met instemmend geknik ontvangen. En toen hij de leugen over haar fantasie verkondigde, zag Irma zelfs bij een van de agenten het puntje van zijn tong tussen zijn lippen tevoorschijn komen. Waarschijnlijk had hij in de gaten dat zij naar hem keek, want hij herstelde zich onmiddellijk. Nu ze eraan terugdenkt, voelt ze pas de woede die dit bij haar veroorzaakte. Ze had er iets over moeten zeggen, ze had zijn gedrag aan de orde moeten stellen en het schunnige verhaal van Edwin moeten overtroeven. Maar ze was totaal verlamd en kon nauwelijks ademen.

De sleutel ligt nog steeds op de tafel. Ze pakt hem op en bekijkt hem. Er zit een kleine rode stip op de ronde bovenkant. Dit is de sleutel die ze aan Denise heeft gegeven. Ze wankelt en grijpt zich vast aan een stoel. Ze probeert te begrijpen hoe Edwin Majoor aan deze sleutel gekomen kan zijn, maar haar hersenen weigeren dienst. Het enige wat tot haar doordringt en haar blijft belagen is het gênante aspect van deze situatie. Die blik vol medelijden, de veelzeggende manier waarop de agenten het pand verlieten, samen met Edwin. Een van de agenten zei iets over lekker gaan slapen en morgen gezond weer op. Edwin keurde haar geen blik meer waardig toen hij naar buiten ging. De man op overspelpad had zijn zondige voornemens beleden en teruggedraaid. Het had niet veel gescheeld of de agenten hadden hem vriendschappelijk op de schouder geslagen.

Irma kijkt naar de sleutel en dwingt haar gedachten naar het moment dat ze hem aan Denise gaf. Dat deed ze omdat Denise erop aandrong en vlak nadat ze Irma had geadviseerd om geen aangifte te doen van stalking. Ze had een beter idee, waar ze Dylon bij konden betrekken. Het kwam erop neer dat ze de man die achter Irma aan zat publiekelijk te schande zouden maken. Ze moesten achter hem aan, zijn gangen nagaan, zijn sociale omgeving in kaart brengen en hem daarna ontmaskeren. Dat had volgens Denise veel meer effect dan de politie inlichten. Het leek op dat moment een aannemelijk voorstel. In ieder geval een beter idee dan de politie inschakelen, vooral een veiliger idee. Ze heeft zich laten meesleuren in de vanzelfsprekendheid die de woorden van Denise opriepen. Ze heeft toegestaan dat haar vriendin en Dylon zich over haar ontfermden. Ze heeft zich laten leiden door een vage verliefdheid, door emotionele herinneringen, door irreële verlangens.

Ze heeft niet goed opgelet.

De klok slaat vier keer. Irma telt de slagen en merkt dat ze het koud heeft. Ze loopt de trap op en opent de deur van haar slaapkamer. Als ze de deur open laat staan, kan ze horen wat er beneden gebeurt. Zou hij terugkomen? Ze kan het zich niet voorstellen. Maar waarom eigenlijk niet? Wat kwam hij doen? Wat was hij van plan? De sleutel! Ze moet Denise om uitleg vragen. Maar het is te vroeg om haar te bellen. De vragen en gedachten komen en gaan, ze hebben zich in Irma's brein genesteld en laten zich niet verjagen. Het zou geen slecht idee zijn om nog een paar uur in bed te kruipen, warm te worden en nog wat te slapen. De sleutel! Ze grijpt de kleren die op de stoel liggen en kleedt zich aan. Er valt niets te slapen zolang de vraag over de sleutel in haar hoofd blijft rondspoken. Er klopt iets niet, er klopt zelfs veel niet. Wat maakt het uit dat het nog vroeg in de ochtend is? Er gebeuren dingen die opheldering verlangen en degene die de juiste informatie kan verschaffen wordt maar wakker. Ze is nijdig, merkt ze, als ze het nummer van Denise kiest. Deze nijdige reactie had ze tevoorschijn moeten laten komen toen die smerige leugenaar zijn belachelijke praatje hield. Toen had ze hem moeten tegenspreken, hem voor schut moeten zetten in plaats van andersom.

De telefoon gaat over. Twee keer, drie keer, vier keer. Er is iets wat op een stem lijkt. Een schorre, slaperige stem. 'Hallo?'

'Met Irma. Word eens wakker.'

'Hoe laat is het in hemelsnaam?' Denise gaapt luid hoorbaar.

'Halfvijf! Waarom bel je mij om halfvijf in de ochtend?'

'Ik heb bezoek gehad van Edwin Majoor. Hij drong mijn huis binnen en hij gebruikte daarvoor de sleutel die ik aan jou gegeven heb. Daarom bel ik je. Ik wil weten hoe hij aan die sleutel kwam.' Ze is woedend, ze hoort het aan de toon waarop ze praat. Weergaloos woedend. Het lamme gevoel is weg, er is niets meer over van het dociele gedrag dat ze nog geen uur geleden vertoonde. Ze lust iedereen rauw, de hele wereld, ook Denise.

Denise lijkt opeens klaarwakker te zijn. 'Wacht even,' zegt ze. 'Ik pak mijn tas, de sleutel moet in mijn portemonnee zitten.' Er is geritsel, een verschrikte kreet. 'Verdomme, hij heeft hem uit mijn tas gepikt. Het is een ongeleid projectiel, ik had het kunnen weten.'

'Waar heb jij het over?' vraagt Irma.

75

Ze smeekt Denise bijna om naar haar toe te komen, maar haar vriendin blijft weigeren. Ze is bereid het een en ander uit te leggen, maar telefonisch. De anderen zullen niet willen dat ze dit in haar eentje met Irma bespreekt.

'De anderen? Over wie heb je het?'

'Vooral over mijn moeder en mijn broers.'

'Je moeder is toch dood?'

'Mijn moeder leeft. Mijn vader niet meer.'

'Waarom heb je dan gezegd dat je moeder dood is?'

'Jij bent niet de enige die goed kan liegen, Irma.'

Ze zit op de rand van haar bed en luistert met open mond naar wat haar vriendin vertelt. Dit kan niet kloppen, dergelijke verhalen lees je in boeken en dan constateer je dat de schrijver zijn fantasie niet in toom heeft kunnen houden. Ze hoort wat Denise zegt, maar ze begrijpt het verkeerd. Ze legt verkeerde verbanden, trekt verkeerde conclusies, haalt alles door elkaar.

Of niet?

Ze weet niet beter dan dat Doodeman de achternaam van Denise is. Doodeman, niet Mensink.

'Doodeman is de naam van mijn ex,' legt haar vriendin bijna achteloos uit. 'Mijn eigen naam is Mensink. Dick was mijn vader.'

Irma gelooft haar niet. Ze is ervan overtuigd dat Denise liegt, dat ze haar aandacht van Edwin wil afleiden en daar de meest onwaarschijnlijke verklaring voor wil gebruiken. Ze weet zeker dat ze het had gemerkt. Het is onmogelijk dat ze al een paar jaar bevriend is met de dochter van Dick en niets in de gaten had. Het klopt niet, er klopt niets meer van haar leven, van alles wat gebeurt. Er vindt veel te veel plaats wat met toeval te maken lijkt te hebben. Het bestaat niet dat ze zomaar twee mannen op haar pad vindt die relaties hadden met vroegere minnaars en die plannen beramen om met haar af te rekenen. Wat Edwin Majoor betreft kan ze het nog geloven, maar van Dylon niet. Denise liegt over Dylon. Waarom doet ze dat? Waarom zegt ze dat Dylon haar broer is? Hij is niet haar broer, ze had iets met hem. Ze noemde hem een tijger, maar ze was niet geïnteresseerd in zijn sores. Daarom schoof ze hem met liefde door naar Irma.

Ze realiseert zich dat ze hier een vraag over heeft gesteld als Denise zegt dat ze een logische verklaring voor de aanwezigheid van Dylon moest verzinnen toen Irma opeens midden in de nacht op de stoep stond. 'Sinds de scheiding van zijn vrouw hebben we veel contact. We zakken graag samen door en dan blijft hij slapen. Hij wilde aanvankelijk niet meedoen, hij wilde de plotselinge dood van mijn vader niet meer oprakelen en hij geloofde niet in kwade opzet. Maar toen ik hem confronteerde met andere mannen die in jouw leven een rol hadden gespeeld en die zomaar verdwenen waren, toen ik hem uitgebreid vertelde dat ik na een paar jaar vriendschap nog nauwelijks iets wist over wie jij werkelijk was, luisterde hij. Jammer genoeg niet goed en niet lang. Aan Dylon hebben we niets meer sinds hij het in zijn hoofd haalde om verliefd op je te worden.'

Irma wil dat Denise ophoudt met praten, maar haar vriendin heeft de smaak te pakken. 'Dylon leek ons de meest geschikte persoon om jou aan het praten te krijgen. Nou ja, ons... Het was een idee van je moeder.'

Irma voelt de kamer draaien.

'Ben je er nog?' De stem van Denise is hard en geïrriteerd. 'Je belt me midden in de nacht en dan val je zelf in slaap?'

'Ik val niet in slaap. Ik werd duizelig en ik probeer te begrijpen wat je zegt.'

'Ik ga eerst eens even achter Edwin aan. Die veroorzaakt een beetje te veel ellende. Hij moet dimmen en zich er verder niet meer mee bemoeien.'

'Waar moet hij zich niet meer mee bemoeien?'

'Met de waarheid boven tafel krijgen, Irma. Er zijn mensen die willen weten wat jij hebt uitgevreten met de mannen die we verloren hebben. Ik heb het over Cocky, over Venessa. Ja, dat is mijn moeder. En ik heb het ook over mezelf. Ik wil weten wat je met mijn vader hebt gedaan en ik zal niet rusten voordat alles duidelijk is. En wie weet ontdekken we ook nog wat er precies met Floran Haverkort aan de hand is.'

'Je bent gek.'

'Niet zo gek als jij, Irma.'

'Je weet niet wat je zegt. Je roept maar wat.'

'Je eigen moeder zegt het ook.'

Irma drukt op de rode toets en verbreekt het gesprek. Ze kruipt in bed en trekt het laken over haar hoofd.

Het was een droom, een nare droom. Het kwam door de schrik die veroorzaakt werd door de voetstappen op de trap en het bewegen van de deurknop. Het kan alleen maar een droom geweest zijn, in werkelijkheid is er niets gebeurd.

Ze hijgt en is weer duizelig. Maar dat gaat wel over als ze ervoor zorgt dat ze rustig wordt. Ze moet nog een paar uur slapen.

Er is niets gebeurd.

76

Op de wekkerradio is te zien dat het acht uur is. Irma ontdekt dat ze met haar kleren aan in bed ligt en gaat verbijsterd rechtop zitten. De kleren plakken aan haar lijf. Ze kleedt zich uit en loopt naar de badkamer. Als ze onder de douche staat, probeert ze zich te herinneren hoe het mogelijk is dat ze geheel gekleed in bed lag.

De film in haar hoofd beneemt haar bijna de adem. Ze draait de kraan dicht, droogt zich af en kleedt zich snel aan. Zodra ze de woonkamer binnenkomt, ziet ze de sleutel op tafel liggen. De sleutel met de rode stip. Ze loopt snel door naar de keuken en vult de waterkoker.

Haar handen kunnen de beker thee niet vasthouden, omdat ze te veel trillen. Ze voelt tranen over haar wangen stromen.

Na een kwartier lukt het haar om naar de telefoon te lopen. Ze belt Vince en zegt dat ze zich niet goed voelt en graag een paar dagen thuisblijft. Ze hoopt dat hij niet hoort hoe onvast haar stem is.

Vince is vol begrip en raadt haar aan goed uit te zieken. Hij roept nog iets wat lijkt op 'Beterschap', maar ze heeft de verbinding al verbroken.

Ze kiest een ander nummer en wacht tot iemand zich meldt. Martin is verrast. 'Ik had niet gedacht dat ik nog iets van je zou horen, Irma. Waarom heb je me niet teruggebeld? Heb je mijn briefje wel gekregen?'

'Is die hoofdrol nog vrij?' Irma kan nauwelijks geloven dat ze deze vraag stelt. Ze voelt zich vreemd. Vervreemd, van alles en iedereen. Ze staat in haar eigen huis, in haar eigen woonkamer, maar ze lijkt ergens anders te zijn. Haar vingers hebben onafhankelijk van haar wil het nummer van haar regisseur gekozen. Haar stem vormt woorden die ze niet wil uitspreken. Hoe kan ze dit gesprek weer beëindigen?

'Sorry, Irma, maar ik heb iemand anders gezocht. Jij reageerde nergens op en ik dacht dat je was afgehaakt. Dat zou jij zelf toch ook gedacht hebben? Ik wil graag dat je terugkomt, maar voor het thrillerstuk zijn nu alle rollen verdeeld. Kom weer eens langs met de repetitie, ik weet zeker dat de anderen je ook graag weer willen zien. Ik meen...'

Mag ze even bedanken? Haar vinger heeft de rode knop ingedrukt. Ze gooit de terrasdeur open en loopt de tuin in.

Het is bewolkt, maar droog. En benauwd. Misschien komt er opnieuw onweer. Ze tuurt naar de lucht. De wolken hangen laag en maken een lome indruk. Er is geen zuchtje wind.

'Waarom huil je?'

Irma draait zich om naar het hek. Ze bekijkt het meisje van top tot teen en loopt in haar richting.

Hummel verroert zich niet.

'Huil ik?' Irma strijkt met haar vingers over haar wangen. 'Je hebt gelijk, ik had het niet in de gaten. Ik begrijp nergens meer iets van, ik loop hier rond en ben hier toch niet. Het gaat niet goed met me. Ik bel mensen op die ik niet wil spreken en ik gedraag me onbeleefd.'

'Ga maar even op de bank zitten,' adviseert Hummel.
'Kom je dan bij me?'
'Ja.'

Ze praat en luistert naar haar eigen woorden. Ze vertelt het alsof het een droom was en gebruikt dat woord een paar keer. Een nare droom, meer een nachtmerrie. Eerst het geluid in huis, daarna de voetstappen op de trap, gevolgd door de bewegende deurknop. Haar stem hapert als ze beschrijft dat ze de politie belde. Ze voelt weer de schaamte over haar naakte lijf onder het T-shirt dat ze droeg en kruipt weer in de ochtendjas die de agente van boven haalde. Alles gebeurt opnieuw en alle schrik, ontzetting, vernedering en woede dienen zich weer aan.

Vooral de woede, en die wordt nog eens extra gevoed als ze vertelt wat Denise tegen haar zei. Op het moment dat ze zich realiseert dat het geen droom was, krijgt ze het benauwd.

'Je haalt niet goed adem,' zegt Hummel.

Ze zitten nog steeds naast elkaar op de bank. Irma voelt zich lam. Ze denkt dat ze door haar knieën zal zakken als ze opstaat. 'Begrijp jij er iets van?' vraagt ze aan Hummel.

Het is opeens stil naast haar. En leeg.

Ze staat op. Ze is weer in staat om haar voeten stevig op de grond te zetten en ze loopt naar binnen.

Buiten regent het, Irma hoort aan het gekletter op de terrastegels dat het een fikse bui moet zijn. De deur staat nog steeds open en geeft een vochtige warmte de gelegenheid om binnen te dringen. Haar benen voelen klam aan.

Het lijkt of iemand haar een duwtje geeft, of iets haar de weg wijst naar de plek waar de brief ligt. De witte envelop met de onbekende afzender. Ze heeft hem nog steeds niet opengemaakt.

De brief ligt voor haar op tafel en ze kan niet ophouden met naar de naam te turen waarmee de tekst ondertekend is. *Jozias Leendert Matthijs van Kemenade Salland.* Haar ogen dwalen door de kamer en ze vraagt zich af wat ze zoekt. Haar blik blijft rusten op de lade van het dressoir waarin een foto van haar vader ligt. Ze grijpt met haar handen naar haar borstkas.

'*Ik ben bang voor die enge man.*'

'*Er is hier geen enge man, gekkie. Er lopen hier alleen maar leuke mannen rond, zoals ik.*'

'*Je gaat me toch niet vertellen dat...*'

'*Hou je kop.*'

De woorden echoën in haar oren, ze verspreiden zich door de kamer en blijven zichzelf herhalen. Ook al stopt ze haar beide gehoorgangen dicht met haar vingers, er valt niet aan te ontkomen.

Ze begint te lezen.

77

Beste Irma,

Je zult misschien niet direct begrijpen wie ik ben en wellicht mijn woorden wantrouwen. Toch hoop ik dat je deze brief leest. Ik vertrek over een paar dagen weer naar huis, naar mijn boerderij in Zuid-Afrika. Het huis waar jij had kunnen opgroeien en waar je met liefde omringd zou zijn geweest. Het huis dat achtentwintig jaar geleden klaar was om jou te ontvangen. Het is anders gelopen en dat spijt mij nog steeds.

Ik zal me eerst op een fatsoenlijke manier aan je voorstellen. Mijn naam is Jozias. Ik ben achtenzestig jaar oud, geboren in Nederland (Amsterdam) en al vijfendertig jaar wonend in Zuid-Afrika.

Bijna negenentwintig jaar geleden leerde ik tijdens een vakantie in Nederland Anton Esfeld kennen, jouw vader. Ik was toen al lang uit de kast gekomen als homoseksuele man en aanvankelijk leek Anton dat ook te zijn. We beleefden samen een week die ik nooit zal vergeten, maar op de laatste dag ontdekte ik dat Anton getrouwd was en een dochter had. Ik vertrok vol verdriet en teleurstelling weer naar mijn farm en besloot hem te vergeten. Dat lukte niet. Ik ging een paar maanden later terug naar Nederland en ontmoette hem opnieuw. We besloten dat we samen door het leven wilden gaan en Anton begon voorbereidingen te treffen om naar Zuid-Afrika te verhuizen, samen met jou. Het stond vanaf het begin voor hem vast dat hij jou mee zou nemen en dat besluit heb ik steeds van harte gesteund. Ik keek ernaar uit om een dochter van zeven te krijgen, een dochter die door haar vader Hummel werd genoemd. We verzonnen samen al een nieuwe naam voor je als je acht zou worden.

Toen Anton zijn besluit om te scheiden, te verhuizen en zijn dochter mee te nemen aan zijn vrouw meedeelde, veroorzaakte dat een dramatische reactie waar hij zich geen raad mee wist. Ze ging ver, veel te ver, en ze deed zelfs een zelfmoordpoging. Ik probeerde hem ervan te overtuigen dat hij zich niet verantwoordelijk hoefde te voelen voor de hysterische acties van zijn vrouw, maar hij wilde niet op zijn geweten hebben dat zij zichzelf iets aandeed. Daarom boekte hij een cruise voor zijn gezin, in de hoop dat verandering van omgeving en een luxe verblijf op een schip zijn vrouw zouden kunnen kalmeren en er weer met haar te praten zou zijn. En ik deed iets waar ik de rest van mijn leven spijt van zal blijven hebben: ik boekte dezelfde cruise.

Hij was verontwaardigd en verrast toen hij ontdekte dat ik ook op het schip zat, maar de verontwaardiging was snel voorbij. We beloofden elkaar eeuwige trouw in de beslotenheid van mijn hut en Anton besloot zijn voornemen definitief uit te voeren. Hij vertelde me dat hij dit op de avond van de zevende dag aan zijn vrouw zou vertellen, ergens op een stille plek aan dek, buiten het gehoor van zijn dochter. Ik beloofde hem om die avond in mijn hut te blijven en te wachten tot hij naar me toe kwam. Hij verscheen niet. Ik ging ervan uit dat het gesprek niet goed was verlopen en dat hij in de buurt van zijn dochter wilde zijn. Ik vermoedde dat hij bang zou zijn dat zijn vrouw niet alleen zichzelf, maar ook het kind iets zou aandoen. En ik prentte mezelf in dat hij later contact met me zou opnemen, misschien zelfs pas na de cruise. Ik knapte van verlangen naar hem, wilde mijn bange voorgevoel niet toelaten en ik moest me ontzettend beheersen om niet naar zijn hut te gaan en hem te spreken te vragen. Maar het lukte me om uit zijn buurt te blijven en ik presteerde het zelfs om niet meer aan dek te verschijnen. Ik liet de maaltijden in mijn hut serveren en toen we weer aan wal gingen, vluchtte ik de stad in en ging pas naar het vliegveld toen ik zeker wist dat Anton vertrokken was. Ik wachtte op een bericht van hem, maar dat kwam *niet. Het kwam nooit. Het heeft maanden geduurd voordat ik besefte dat hij niet voor mij had gekozen en jaren voordat ik mezelf een nieuwe liefde toestond. Toch bleef Anton altijd ergens in mij achter, toch bleef de vraag aanwezig die twee kanten had. De vraag over het waarom, de vraag waar een logische verklaring voor kon bestaan en die tegelijk nergens een passend antwoord kon vinden. De vraag die mijn leven tegen wil en dank bleef beheersen.*

Ik schreef Anton twee keer een brief, maar kreeg nooit antwoord. Toen ik mijn huidige partner ontmoette, heb ik hem direct verteld wat er jaren geleden gebeurd was en dat er in mijn leven een onvoltooid hoofdstuk zat. Hij accepteerde dat.

Zes maanden geleden werd ik ziek en na een serie onderzoeken kreeg ik te horen dat ik niet meer beter kan worden. Mijn krachten nemen af, ik weet dat ik niet lang meer te leven heb. Na veel overleg met mijn partner heb ik besloten om nog een keer naar Nederland te gaan. Ik ontdekte dat de vrouw van Anton nog steeds in IJmuiden woonde, maar verhuisd was naar een aanleunwoning, en dat zijn dochter een eigen huis had in Cruquius. Neem me niet kwalijk dat ik jullie gangen heb laten nagaan, ik kan je met de hand op mijn hart vertellen dat alles uiterst discreet is gebeurd. Een paar weken geleden heb ik alle moed die ik nodig had verzameld en ben ik bij je moeder langsgegaan. Mijn bezoek was geen succes. Ik werd niet binnengelaten en kreeg te horen dat je vader en zij al jaren gescheiden waren, dat ze niet wist waar hij woonde en geen enkele behoefte had om erachter te komen. Daarna heb ik een nieuw onderzoek laten uitvoeren naar de verblijfplaats van Anton, maar hij lijkt van de aardbodem verdwenen te zijn.

Ik heb ook ontdekt waar jij werkt en ik hoop dat je het me niet kwalijk neemt dat ik in het Grand Café ben geweest en naar je heb gekeken. Je hebt dezelfde oogopslag als Anton, je loopt op dezelfde manier. Het was of ik hem even langs zag komen.

Beste Irma, mijn terugreis is gepland op 27 juli, mijn vliegtuig vertrekt 's avonds om acht uur. Ik zou het heel fijn vinden om jou voor mijn vertrek nog te ontmoeten. Ik hoop dat jij mij iets meer kan/wil vertellen over de verblijfplaats van je vader. Hij was dol op jou, ik kan me niet voorstellen dat hij na de scheiding ook met jou geen contact meer heeft gehad. Maar het is natuurlijk mogelijk dat je niets met mij te maken wilt hebben. Als het niet lukt om je te spreken — ik verblijf in het Amstel Hotel in Amsterdam — dan hoop ik dat je aan je vader wil vertellen wat ik heb geschreven en dat ik van hem zal houden tot de dag dat ik sterf. Het spijt mij oprecht dat wij elkaar nooit hebben leren kennen. En ik hoop dat je naar me toe wilt komen.

Een hartelijke groet, Jozias Leendert Matthijs van Kemenade Salland.

78

Misschien helpt drank, of kan ze beter een slaappil nemen en in bed kruipen? Misschien moet ze minstens een uur in de regen gaan lopen en pas naar huis gaan als ze volkomen doorweekt is. Misschien is het goed om kou te vatten en ziek te worden, longontsteking te krijgen en geen antibiotica te slikken. Misschien is de dood een prima idee.

'Je denkt verkeerde dingen,' zegt Hummel.

'Wat moet ik dan denken? Begrijp je wel wat ik net gelezen heb?'

'Nee, dat begrijp ik niet.'

'Hoe moet ik het dan begrijpen?'

'Je zou vragen kunnen stellen.'

'Aan die man? Moet ik naar het Amstel Hotel gaan? Welke datum is het vandaag? 26 juli. Hij vertrekt dus morgen.'

'Die man weet niets, laat hem gaan.'

Irma pakt de brief weer op. 'Dit is volgens mij al de tiende keer dat ik hem lees en nog steeds weet ik niet wat ik hiermee moet. Ik kan niet begrijpen wat hier staat. Jij dus ook niet.' Er komt geen antwoord.

Ze loopt naar de openstaande terrasdeur en ziet dat het nog maar een beetje regent. Het wolkendek is niet meer strak gesloten, maar vertoont repen blauwe lucht. De tuin is fris, de bladeren van de planten druipen tevreden. Irma loopt naar de twee perken en ziet dat er te veel onkruid in de moestuin zit. Ze buigt zich verbaasd naar de aarde. Twee dagen geleden was er nog niets te zien en nu lijkt er een zevenbladexplosie te hebben plaatsgevonden. Ze trekt een aantal stelen uit de aarde, maar het lukt niet om ook de wortels te pakken. Ze richt haar blik op het perk met de wilde bloemen. Daar heeft het onkruid nog veel erger toegeslagen. Ze loopt naar de schuur, waar het tuingereedschap staat, en pakt een kleine schep. Geknield wipt ze de indringers een voor een met wortel en al uit de grond. Ze voelt regendruppels op haar rug en zweetdruppels op haar voorhoofd. Haar maag maakt borrelende geluiden.

'Je moet eerst iets eten,' zegt Hummel.

Het is nodig om alles wat de afgelopen vierentwintig uur gebeurd is op een rijtje te zetten. Misschien heeft het nut om aantekeningen te maken en vervolgens een prioriteitenlijst op te stellen. 'Een zakelijke benadering kan me redden,' zegt Irma tegen Hummel. Ze kijkt om zich heen. 'O, je bent er even niet. Ook goed.' Ze loopt naar de spiegel die in de gang hangt en bekijkt haar eigen gezicht. 'Is dit normaal? Ben ik soms bezig mijn verstand te verliezen? Kan ik wat ik denk en wat er echt gebeurt niet meer van elkaar onderscheiden?' Ze tuurt naar de spiegel.

'Kom bij de spiegel vandaan, dit is niet goed voor je.'

Irma volgt Hummel gehoorzaam naar buiten. 'Het onkruid moet weg,' zegt ze. 'Ik verdraag geen rommel in mijn perken, daar zijn ze te mooi voor en daarvoor heb ik ze te lief.'

'Je kunt beter van mensen houden.'

Irma denkt even na. 'Waarom kan ik beter van mensen houden? Wat heeft me dat dan tot nu toe opgeleverd?' Ze wijst naar de perken. 'Dat, meer niet. Als ze niet naast je in bed sterven, zul je ze spinazielasagne moeten serveren.'

'Ga vragen stellen, kwel jezelf niet zo.'
'Vragen stellen? Aan wie?'
'Dat weet je best.'

79

Haar moeder staat in de deuropening te wachten. 'Ik wist dat je zou komen,' zegt ze.

Irma loopt zwijgend naar binnen.

De keukendeur staat open en toont een aanrecht vol kopjes, borden en glazen. Haar moeder sluit snel de deur. 'Ik heb al een paar dagen niet afgewassen, maar ik doe het straks. Wil je koffie? Of iets fris? Heb je al geluncht?'

Irma gaat aan de eettafel zitten en legt haar handen plat op het tafelkleed. Ze kijkt de kamer rond. Ze heeft het gevoel dat ze hier voor de eerste keer is.

'Ik neem een glas wijn,' zegt haar moeder.

'Je hebt al het een en ander van Denise gehoord, als ik me niet vergis. Dus je begrijpt dat ze al heel lang bezig is met het onderzoeken van de gebeurtenissen. Ik wilde er eerst niets mee te maken hebben.' Irma's moeder zet twee glazen op tafel en schenkt ze vol witte wijn. 'Drinken,' gebiedt ze.

Irma raakt haar glas niet aan. Ze houdt haar blik strak op haar moeder gericht.

'Kijk het moois er maar niet af. Wat zit je nu toch te staren? Jij begrijpt toch ook wel dat al die mensen vragen hebben? Kun je je helemaal niet voorstellen hoe verschrikkelijk het is om iemand te verliezen en niet te weten waar hij is gebleven?' Ze schrikt zichtbaar van haar eigen woorden. 'Nou ja, bij ons lag dat anders. Jouw vader is uit vrije wil weggegaan. Maar Wouter en Floran...' Nu kijkt ze betrapt. 'Ik weet alles,' zegt ze zacht. 'Denise en Dylon hebben me alles verteld. En Edwin natuurlijk, en Cocky. En Venessa. Maar volgens mij had je niets met de dood van Dick te maken. Dat klopt, hè? Dick kreeg een hart-infarct, dat was een natuurlijke dood. Zeg eens wat.'

Irma zwijgt. Ze beseft dat haar moeder nog lang niet is uitge-praat en ze weet zeker dat ze haar eerst beter kan laten uitrazen voordat ze de vraag stelt die haar naar IJmuiden heeft gedreven.

'De manier waarop Denise en jij met elkaar kennismaakten heb ik verzonnen,' zegt haar moeder.

Dat was dus georganiseerd? Daar hadden haar moeder en Denise dus al uitgebreide gesprekken over gevoerd?

Dat kan er ook nog wel bij.

'Ik ben er niet trots op, Irma. Ik had dat toneelstuk in La Place in Utrecht graag achterwege gelaten. Jij bent vaak zo on-bereikbaar, zo ontoegankelijk. Ik had er moeite mee, ik bedoel met meewerken aan hun plannen. Je bent mijn eigen kind, ik wilde je niet voorliegen. Wat zit je nu met je ogen te knippe-ren? Ik heb je opgevoed, ik heb altijd goed voor je gezorgd, voor mij ben je mijn eigen dochter. Ik verdien die afwijzende blik in je ogen niet.'

Irma volgt de bewegingen van haar moeder als ze haar glas oppakt en aan haar lippen zet. Ze neemt twee grote slokken wijn en wijst naar het glas van Irma. 'Neem nou ook, ik kan toch niet in mijn eentje midden op de dag wijn gaan zitten drinken?'

Irma beweegt zich niet.

Haar moeder zucht diep. 'Zoals gewoonlijk stronteigenwijs.' Ze zucht nog een keer. 'Vraag je je nu niet af hoe het allemaal gekomen is?' Ze wacht een paar seconden, maar als het duidelijk wordt dat Irma geen antwoord gaat geven, steekt ze van wal. Irma kijkt naar haar lippen. De zinnen galmen door de kamer, ze cirkelen om haar heen en bereiken pas daarna haar oren. Het is een volslagen idioot verhaal, maar ze gelooft elk woord.

'Ik heb nooit geweten dat Cocky bij jou in het Grand Café is geweest, nadat Wouter was verdwenen. En zeker niet dat ze je toen is aangevlogen. Zulke dingen vertelde je niet aan mij. Waarom eigenlijk niet, Irma?' Ze neemt nog een slok wijn. 'Cocky ontmoette in de sportschool Venessa, de vrouw van Dick.'

Ex-vrouw, wil Irma zeggen. Ze zou het willen uitschreeuwen. Ex-vrouw, niet vrouw. Hij had haar verlaten, ze had geen enkel recht meer op ook maar het geringste deel van zijn leven. Op niets! Ze had geen recht om bij zijn crematie te spreken op die walgelijke toon. Ze had haar verlies moeten nemen en die beledigende act nooit mogen opvoeren. *In ons lange huwelijk heeft liefde altijd de boventoon gevoerd.*

Venessa kan doodvallen.

Irma's moeder is blijkbaar nog niet uitgepraat. 'Ze raakten bevriend en pas toen ze elkaar bijna een jaar kenden, dook een keer jouw naam op in hun gesprekken. Bij toeval, maar met als resultaat dat ze zich verdiepten in hoe ze over je dachten. In dezelfde periode zocht Edwin contact met Cocky. Hij wilde zijn vader zien, maar die was spoorloos verdwenen.'

Irma luistert zonder een spier te vertrekken. Het verhaal klinkt logisch. Toevallig, maar logisch. Zo gaan dingen, zo kunnen gesprekken verlopen. Cocky en Venessa als sportvriendinnen, Edwin eraan toegevoegd. Het zou een filmscenario kunnen zijn.

'Bijna zes jaar geleden stond Denise opeens bij me voor de deur. Ze bleken mijn adres te hebben gevonden door jou te volgen. Ik vond het vreemd en spannend tegelijk. Eerst wilde ik niet naar haar luisteren. Voor mijn gevoel kwam ze aan mijn kind en dat accepteerde ik niet. Maar ze bleef me bezoeken, ze bleef aandringen op gesprekken en ze heeft me ervan kunnen overtuigen dat het klopte. Dat jij iets met de verdwijning van Wouter te maken kon hebben. Haar idee over de dood van haar vader heb ik nooit gesteund. Oudere mannen krijgen hartinfarcten. Zeker als ze roken en drinken en te vaak het bed delen met jonge vrouwen.' Ze neemt weer een slok.

Irma kijkt naar de handen van haar moeder. Trillen die altijd zo erg? Geen trouwring meer.

'Ik vond het heel verwarrend,' gaat haar moeder verder. 'Heel confronterend ook. En jij kwam en ging en liet me nauwelijks deel uitmaken van je leven. Je haalde me sporadisch op om bij je te zijn in je huis. Als ik mijn hulp aanbood, wees je dat altijd af, vooral als ik iets aan je tuin wilde doen. Dan raakte je bijna in paniek. Je bevestigde voortdurend wat Denise en de anderen me duidelijk wilden maken.'

Er wordt gebeld. Irma's moeder loopt snel de kamer uit.

Irma blijft onbeweeglijk op haar stoel zitten.

Haar moeder steekt haar hoofd om de deur. 'Het is mijn buurvrouw, ze heeft problemen met een ventilator. Je kent haar, ze is nogal opdringerig en ze begrijpt niet dat een verzoek om hulp iemand anders slecht kan uitkomen. Ik loop even met haar mee. Niet weggaan.'

Er beweegt zich iets achter Irma's stoel. Ze schrikt.

Hummel maakt een geruststellend gebaar en gaat tegenover haar zitten. 'Ik blijf samen met je wachten,' zegt ze.

80

Irma kijkt naar het kind.

'Tegen mij kun je wel praten,' zegt het meisje.

Irma wrijft met haar vingers over haar voorhoofd. 'Ze heeft zichzelf blijkbaar beloofd dat ze alles aan me gaat vertellen. Je wil niet weten hoe ze ratelt, het is gewoon oorverdovend.'

Irma staat op en schuift haar stoel naar achteren. 'Mijn been slaapt, ik moet even staan. Ik zou het liefst naar huis gaan, maar...'

'Je blijft,' beslist Hummel.

'Jij bent een wijsneus, weet je dat? Jij praat veel te wijs voor een kind van zeven. Kinderen van zeven zijn nog afhankelijk van hun ouders. Kinderen van zeven adoreren hun vader en geloven alles wat hun moeder zegt.'

'Kinderen van zeven kunnen nog niet goed omgaan met hun eigen gedachten,' zegt Hummel. 'Ze staan nog niet stil bij wat ze horen en zien.'

Er is een geluid in de gang. Irma gaat snel weer zitten.

Hummel glijdt van haar stoel. Ze steekt haar hand op. 'Ik ben in de buurt.'

'Wil je soms geen wijn? Als je maar blijft zwijgen, weet ik niet waar je zin in hebt.' Irma's moeder zet het glas van Irma naast haar eigen glas, dat bijna leeg is. Zou ze vaker al midden op de dag aan de wijn zitten? Je kunt aan haar stem niet horen dat ze alcohol heeft gedronken. Nog niet. Irma volgt de bewegingen van haar moeder. Die is zichtbaar nerveus.

'Waar was ik gebleven? Ik word bloedzenuwachtig van je gezwijg, Irma. Je zult dit wel niet willen horen, maar tot nu toe blijf je zitten en daarom ga ik maar gewoon verder met mijn verhaal. Ik deed het om je te helpen. Ik wil niet dat mijn kind zichzelf in de nesten werkt.' Ze schraapt haar keel. 'Ik hoopte dat ze het mis hadden, dat er een teken van leven zou komen van Wouter. Ik heb wel vaker verhalen gehoord en gelezen over kerels die het te benauwd kregen bij hun vrouw en ervandoor gingen. Het zijn vaak van die verhalen over een pakje sigaretten gaan kopen en nooit meer komen opdagen. Zulke dingen gebeuren echt.' Ze neemt een slok wijn uit Irma's glas. 'Ik heb mezelf kunnen wijsmaken dat Wouter iets dergelijks had gedaan en dat hield ik vol, totdat...' Ze staat op en loopt naar de keuken. 'Ik moet er wat bij eten. Iets hartigs, kaas of zo. Wil jij ook?'

Irma hoort de deur van de koelkast piepen. Waarom spuit haar moeder toch niet een beetje olie in die deur? De bestekla rammelt.

Ze kijkt om zich heen en constateert opnieuw dat de kamer schoon is. Hier hebben ze blijkbaar allemaal gezeten en vergaderd. Terwijl zij aan het werk was, haar moeder zal niet het risico hebben willen lopen dat ze plotseling voor de deur kon staan. Wat hebben ze hier bedacht?

Haar moeder schijnt voorgesteld te hebben om Dylon een rol te laten spelen in het theaterstuk dat Denise en Venessa bedacht hadden. En Cocky, en Edwin. Dylon zou Irma wel aan het praten krijgen. Dylon zou misschien in staat zijn om de barricades omver te werpen.

Ze zou nu kwaad kunnen worden, beledigd kunnen zijn, zich door haar moeder afgewezen kunnen voelen. Maar ze voelt niets. Ze laat de woordenvloed over zich heen komen en blijft rechtop zitten. En ze voelt echt helemaal niets.

'Hier, neem ook een stuk kaas. Deze is lekker pittig, er staat een nieuwe kaasboer op de markt. Ik moest even denken, dat zul je wel begrijpen. Ik denk eerlijk gezegd al maanden aan niets anders dan aan jou en wat er met je gaat gebeuren als... Irma, kijk me aan. Zeg eens eerlijk: heb jij ook iets met de verdwijning van Floran te maken? Toen Denise me daarover vertelde, kon ik er niet meer omheen. Ik heb er nachten niet van geslapen. Je wil niet praten, dan moet je maar luisteren. Je moet weten wat er gaat gebeuren.'

Irma hoort aan de stem van haar moeder dat ze geëmotioneerd is. Ze stelt toch met enige verwondering vast dat ze zelf nergens last van heeft, zelfs niet van irritatie. Ze weet wie er tegenover haar zit en toch lijkt ze naar een vreemde te luisteren. Alles is weg. Alle vertrouwelijkheid, alle warmte. Het is er allemaal geweest, maar nu ze hier zit beseft ze pas goed dat het al heel lang is verdwenen.

'Schrik je daarvan? Ik zie heus wel dat je je adem inhoudt. Je bent dus bang, omdat ik zei dat je moet weten wat er gaat gebeuren. Denise was hier vanmorgen, samen met Dylon. Ze hebben aan jou verteld dat hij plotseling naar Spanje moest, maar hij zat bij zijn moeder. Denise vertelde dat het hem allemaal een beetje te veel werd. Zelf zit ze er ook tamelijk doorheen, als je het mij vraagt. En die andere broer, die samen met de ex van Denise heeft geprobeerd om jou te laten praten over de verdwijning van Floran, begint zijn geduld te verliezen.'

Irma kijkt naar de servieskast. Ze probeert de rij borden rechts te tellen, maar in plaats van cijfers vormen zich in haar gedachten slechts twee namen. Heeres en Van Drongelen. De neprechercheurs. De mannen die op een bijzonder amicale manier afscheid namen van Dylon, die haar vertrouwen moest winnen. Leugenaar nummer zoveel.

'Heb je gehoord wat ik zei? Je reageert niet, ben je soms geschrokken?' Haar moeder beweegt haar handen voor Irma's gezicht. 'Ik zit hier, zie je me wel? Ze zijn het niet met elkaar eens over de volgende stap. Cocky en Venessa willen de vrouw van Floran erbij betrekken en de politie inschakelen. De anderen zijn ervan overtuigd dat ze zullen worden uitgelachen en geenszins serieus zullen worden genomen. Die willen eerst bewijzen leveren en daarna pas de politie erbij halen. Begrijp je wat ik bedoel? Ik zei: ze willen bewijzen leveren. Vooral Edwin, die schijnt helemaal door te draaien. Denise maakt zich zorgen over hem, hij kan zijn woede ten opzichte van jou steeds slechter beheersen. Wie weet wat hij de afgelopen nacht van plan was. Het is maar goed dat jij de tegenwoordigheid van geest had om je slaapkamerdeur op slot te doen. Hij heeft Denise direct nadat hij bij jou was vertrokken gebeld, hij was danig overstuur.' Haar moeder neemt een grote slok wijn. 'Ze gaan graven in je tuin, Irma. In de twee grote perken die jij bewaakt alsof het je kinderen zijn. Ik heb altijd… Ach, laat ook maar. Je kunt nog praten, kind, je kunt nog opening van zaken geven. Het is altijd beter als je zelf het initiatief neemt.' Ze slaat haar handen voor haar ogen en snikt. 'Mijn eigen kind, o god, mijn eigen kind. Hoe heeft het zo ver kunnen komen?' Ze veegt over haar wangen. 'Geef toch eens antwoord!'

Irma zet haar tas voor zich op tafel, opent hem en haalt de witte envelop tevoorschijn. Ze pakt de brief, strijkt hem glad en schuift hem in de richting van haar moeder. 'Ik wil weten wat er met mijn vader is gebeurd,' zegt ze.

81

'Hij is hier geweest, een week of twee geleden. Hij stond opeens voor de deur, ik ben me rot geschrokken. Maar ik herkende hem direct, hoewel hij natuurlijk wel bijna dertig jaar ouder was.'

'Achtentwintig jaar ouder, ik was zeven en ik ben nu vijfendertig,' wijst Irma haar moeder terecht.

'Nou zeg, gaan we moeilijk doen over die twee jaar? Hij zag er trouwens slecht uit.'

'In de brief staat dat hij terminaal ziek is.'

'Ik wil die brief niet lezen, Irma.'

'Dan lees ik hem voor. Nee, blijf zitten. Ik heb alles wat jij aan mij te vertellen had aangehoord, ik ben niet weggelopen. Nu is het jouw beurt om naar mij te luisteren.'

'Je hebt er nog niet op gereageerd. Ik heb het allemaal verteld voor je eigen bestwil. Denise zal woedend zijn als ze erachter komt dat ik je alles over haar en de anderen heb verteld. Ze heeft me vanmorgen nog laten zweren dat ik mijn mond zou houden. Ze willen het zelf met jou bespreken en uit jouw mond horen wat je hebt gedaan. Je zult ter verantwoording geroepen worden.'

'Kom ik voor een tribunaal terecht? En jij hebt je laten verleiden om onderdeel te worden van een soort complot. Geen complot? Ook goed, laten we het de Missie Irma Ontmaskeren noemen. Daar zijn jullie dus al een aantal jaren mee bezig, achter mijn rug om en heel sneaky. Niet tegenspreken, dit is echt sneaky. Gaan ze graven? Dat is goed. En ik heb niets meer te verliezen.'

'Wat bedoel je daarmee?'

Irma pakt de brief op. 'Beste Irma.'

Terwijl ze de brief voorleest, kijkt ze nu en dan even naar haar moeder. Die zit met een strak gezicht te luisteren. Bij sommige passages vertrekt haar mond.

'Het stond vanaf het begin voor hem vast dat hij jou mee zou nemen en dat besluit heb ik steeds van harte gesteund.'

Bij deze zin is het geen kwestie meer van de mond vertrekken, als Irma dit voorleest, perst haar moeder de lippen op elkaar.

De inhoud van de brief had de status van fictie zolang het alleen woorden waren op papier. Nu ze hardop worden voorgelezen, verandert dat. Ze verliezen hun afstand en komen met iedere zin die wordt uitgesproken dichterbij. De laatste regels kan Irma zichzelf bijna niet meer verstaan. Haar stem breekt.

De stilte die valt zou een bom kunnen zijn waar de lont al van brandt.

'Het was een ongeluk,' zegt Irma's moeder.

82

Alle lucht lijkt uit Irma's longen te worden weggezogen. Het is midden op de dag en hartje zomer, maar ze bevindt zich ergens in een koele duisternis. In een put, in een afgrond, in heel diep water.

Ze verdwijnt, maar toch hoort ze alles wat haar moeder zegt. 'Je moet me geloven, het was niet mijn bedoeling. Jij weet niets van wat ik met je vader heb meegemaakt. Ik was ontzettend verliefd op hem toen we trouwden, maar ik begreep heel goed dat het voor hem anders lag. Hij was nog niet lang weduwnaar en hij had de zorg voor een baby. Voor verliefdheid was bij hem de tijd niet rijp en dat accepteerde ik. Dus ik accepteerde ook dat we nauwelijks seks hadden.' Ze schuift met haar vingers over de tafel. 'Jij zit niet te wachten op details over ons seksleven, dus ik zal daar niet over uitweiden. Maar ik had vanaf het begin alerter moeten zijn. Ik had niet alles moeten willen verklaren vanuit de dood van zijn eerste vrouw. Ik had eisen moeten stellen in plaats van hem naar de mond te praten. Toen ik na een van die zeldzame keren seks zwanger werd, hoopte ik dat een nieuw kind hem wakker zou schudden. Ik verloor dat kind en ik had alleen jou nog om mijn affectie aan kwijt te kunnen. En van te ontvangen. Jij werd mijn doel om het vol te houden, jij werd mijn leven.'

Irma is niet in staat zich te bewegen. Ze weet niet waar haar lijf gebleven is, het lijkt alsof alleen haar gehoor nog werkt. 'We waren vier jaar getrouwd toen het hoge woord eruit kwam. Hij bekende me dat hij op mannen viel en dat al wist toen hij veertien was. Maar hij wilde niet aan dergelijke gevoelens toegeven en had zich altijd op vrouwen gericht. Daardoor waren de ruzies die we regelmatig hadden en zijn fysieke uitvallen in mijn richting ook te verklaren. Hij meldde dat als feiten waar ik rekening mee moest houden. Hetzelfde gold voor zijn stemmingen. Ik wist nooit waar ik aan toe was bij je vader, nooit wat echt was en wat fake. Hij zei letterlijk dat hij het leven als een doorlopende theatervoorstelling beschouwde, met hem in de hoofdrol. Ik haatte zijn onechte kant, ik voelde me erdoor in de steek gelaten.'

De brief ligt tussen hen in. Irma kijkt naar het papier en probeert zich zinnen te herinneren. Het lukt niet.

Haar moeder grijpt de brief en gaat met haar wijsvinger langs de regels. 'Ik heb nooit een zelfmoordpoging gedaan, hij heeft me blijkbaar afgeschilderd als een op hol geslagen hysterica. Ik zou iets dergelijks niet in mijn hoofd gehaald hebben, ik was veel te gek op jou. Toen je vader me op de hoogte stelde van zijn relatie met Jozias besefte ik dat ik je aan die twee mannen kwijt zou kunnen raken. Ik geef toe dat ik wel de nodige scènes heb gemaakt, maar niet meer dan dat. Ik was bereid te vechten voor jou. Ik wilde niet dat je werd meegenomen naar een ander land en opgevoed zou worden door een man die zijn emoties niet op een normale manier kon tonen.'

Irma haalt diep adem. Ze voelt haar strot weer. 'Dus toen kieperde je hem maar overboord.'

'Het was een ongeluk,' herhaalt haar moeder.

Het contact met haar lijf is weer verdwenen. Irma is terug in de dimensie waar ze lichamelijk niet lijkt te bestaan. Ze volgt de stem van haar moeder die beschrijft wat er gebeurde.

Het was de zevende dag. De spanning tussen hen liep steeds hoger op en ze besloot toe te geven aan zijn wens om een keer open en eerlijk te praten. Ze wachtten tot Irma sliep en gingen naar het bovendek. Het weer was omgeslagen. Er dreigde regen en er stond een onaangename wind. Ze zaten dicht tegen elkaar aan en praatten. Hij zei dat hij haar angst om het kind te verliezen begreep en deed pogingen om haar te troosten. Maar hij wilde geen toezeggingen doen. Hij beweerde dat hij nog geen besluit had genomen over wel of niet met Jozias meegaan naar Zuid-Afrika.

Ze geloofde hem niet. Hij werd boos. Ze waren nog de enige personen op het dek. Hij begon op een theatrale manier op haar in te praten en daar werd ze nog bozer door.

Hij verweet haar dat ze zich zijn kind wilde toe-eigenen en zij moest huilen. Hij zei dat hij zulke dingen niet tegen haar moest zeggen en begon zich te verontschuldigen. Ze weigerde zijn excuus. Toen sprong hij op de reling en riep dat hij zich beter in zee kon storten. Hij sloeg zijn benen over de ijzeren stang en schreeuwde dat ze zijn leven kapot wilde maken. Ze rende naar hem toe en wilde hem vastgrijpen. Hij pakte haar handen vast en op hetzelfde moment gleden zijn voeten weg. Ze trok met alle kracht die ze had aan zijn handen, maar het lukte haar niet hem vast te houden. Hij viel naar beneden.

'Ik liet hem los,' zegt Irma's moeder. 'Ik heb daar een hele tijd staan wachten, omdat ik ervan overtuigd was dat hij weer terug zou komen. Ik stelde me voor dat zijn hoofd opeens boven de vloer uit zou steken en hij met een verdraaide stem zou roepen dat ze hem in de hel niet wilden hebben. Het kon niet, dat wist ik. Maar ik wilde niet onder ogen zien wat er was gebeurd. Zeker niet toen ik begon te beseffen dat ik alarm had moeten slaan.' Ze heeft de brief in haar hand en blijft naar de tekst turen. 'We waren die avond allebei overstuur. We waren eigenlijk al de hele reis onszelf niet, omdat Jozias daar rondliep. Het klopt: hij had nooit aan boord moeten zijn. Hij had nooit in ons leven moeten verschijnen. En deze brief had hij ook nooit moeten schrijven.'

'Ik vind van wel,' zegt Irma.

Misschien voegt het niets toe, misschien maakt het alles alleen maar erger, misschien volgt er later weer een nieuwe kwaal, waardoor haar moeder nog meer medicijnen moet slikken. De overwegingen zijn er slechts enkele seconden en vervagen onmiddellijk.

'Als ik op zijn voeten mocht staan en we samen dansten, vertelde hij me altijd dat hij eigenlijk een koning was en ik een prinses. We schiepen samen een droompaleis, een land en een volk. Dat volk bestond uit louter leuke mensen, met wie je erg kon lachen en van wie niemand jaloers was of bezitterig of onecht. Jij kwam in onze fantasieën nooit voor.' Irma ziet dat haar moeders lichaam verkrampt. 'Ik ken de man die jij schetst niet. Dat wil niet zeggen dat hij niet bestond, maar voor mij was het anders. Voor mij was mijn vader iemand op wie ik kon vertrouwen, iemand die mij ervan overtuigde dat ik voor hem de belangrijkste persoon op de wereld was, iemand die mij nooit in de steek zou laten. Hij kon alles, hij was mijn held. We waren aan elkaar verbonden.' Ze slikt. 'Je had mij met hem moeten laten meegaan, desnoods naar Zuid-Afrika.'

'Ik had je eerder moeten vertellen wat er precies was gebeurd, maar ik verdrong het. Geloof me, de schuld ligt nog steeds op mijn schouders. Ik had om hulp moeten schreeuwen en hem nooit los mogen laten.'

'Heb je wel gehoord wat ik net zei? Kun je niet eens gewoon naar me luisteren? Het gaat altijd om jou als mijn vader ter sprake komt. Je draait het gesprek altijd in de richting van jouw lijden, jouw leed, jouw teleurstelling, en ik hang erbij. Is het ooit wel eens tot je doorgedrongen wat het voor mij betekende dat hij zomaar verdween? Je verwijderde alles wat aan hem herinnerde, je ontdeed je van hem. En in plaats van me te stimuleren om op een respectvolle manier aan hem te denken, stond je toe dat ik hem haatte. Nu blijkt hoe ongepast die haat was. Wat bezielde je? Wie ben jij? Wat voor een soort mens ben je?'

'Ik heb altijd goed voor je gezorgd. Toen je je huis in Cruquius wilde kopen heb ik het hele erfdeel dat ik had gereserveerd als aanvulling op mijn pensioen aan jou gegeven. Dat doet een moeder. Ik ben moeder. '

Irma kijkt haar strak aan. 'Je kocht dus je schuld af. Ik had kunnen weten dat er iets achter dat genereuze gebaar zat.'

Ze schuift haar stoel luidruchtig van zich af. 'Hebben ze gezegd wanneer ze komen graven?'

'Waarom wil je dat weten? Ga je ze ontvangen met koffie en gebak?'

Irma kijkt neer op de vrouw die een vreemde is geworden. 'Ik neem aan dat er dadelijk, als ik ben vertrokken, direct overleg wordt gepleegd tussen de verschillende partijen. Je kunt melden dat ik niemand zal tegenwerken. Het enige wat ik van ze vraag is om te komen als ik niet thuis ben. Ik wil er niet alleen niet bij zijn, ik wil vooral geen van die verraderlijke koppen zien. Vooral die van Denise niet, ik ga namelijk spontaan over mijn nek als ik die tegenkom. En voor alle duidelijkheid: ik ben niet vluchtgevaarlijk. Het wordt wat mij betreft tijd dat er eens opening van zaken wordt gegeven. Ik ben er klaar voor.'

'Ik begrijp niets van jou, Irma. Ik heb nooit iets van jou begrepen.'

'Je deed er ook nooit moeite voor.'

Buiten is het aangenaam, maar het is waarschijnlijk overal beter dan in die bedompte kamer waar ze nooit meer wil komen. Op het moment dat Irma de deur van haar moeders huis achter zich dichttrekt, beseft ze dat dit een afscheid is. Ze loopt snel naar haar auto en kijkt niet meer om.

83

De zwarte schoenendoos staat tussen de wilde bloemen.
'Waarom heb je er kranten onder gelegd? En wat is dat voor
een stinkspul, waarom gooi je het over de doos?' Hummel trekt
een vies gezicht.
'Dat is benzine en daardoor gaat de doos goed branden. De
kranten dienen om het vuur te maken. Je moet hier blijven
staan, niet dichterbij komen. Als de vlam de benzine raakt, zul
je wat beleven.'
'Vind je het leuk?'
Irma kijkt het kind verbaasd aan. 'Leuk? Hoe kom je daarbij?'
'Door de manier waarop je praat.'
'Ik vind het niet leuk, maar het is wel een opluchting om de
brieven te verbranden.'
'Hoezo, een opluchting?'
Irma strijkt een lange lucifer af en zodra de vlam verschijnt,
legt ze hem op het puntje van de kranten. Het papier krult di-
rect op en de vlam laat zich in de richting van de doos leiden.
Irma loopt naar het terras en wacht. Als het vuur de doos be-
reikt, ontstaat er een enorme steekvlam.
Hummel gilt.
'Er kan niets gebeuren,' zegt Irma. Ze wijst naar de buiten-
kraan en de waterslang. 'Kijk, ik kan het vuur doven als het ge-

vaarlijk wordt. De houten bielzen moeten geen vlam vatten, ik zorg er wel voor dat dat niet gebeurt.'
'Heb je alle brieven gelezen?'
'Ja.'
'Van wie kwamen ze?'
'Nu stil zijn, wijsneus.'
'Ik wil het weten.'
'Later, ik vertel het je later.'

Er ligt een hoopje as op het bloemenperk. Ook de planten zijn verdwenen. De houten bielzen die het perk begrenzen zijn nat. Irma rolt de waterslang weer op en draait de buitenkraan dicht. Ze kijkt naar de verkoolde massa en zegt dat ze tevreden is.
Niemand geeft antwoord.

Als haar mobiele telefoon begint te rinkelen, wil ze het ding direct in een hoek smijten. Toch kijkt ze naar de display en ziet dat er geen nummer verschijnt. Ze meldt zich.
'Gelukkig, je neemt op. Ben je thuis?'
'Wat moet je, Dylon? Jij zat toch in Spanje?'
'Volgens mij weet je allang dat dit bericht niet klopte. Luister, Irma. Het spijt mij echt heel erg dat ik aan deze poppenkast heb meegewerkt. Ik heb altijd tegen mijn moeder en Denise gezegd dat ze zich dingen in hun hoofd haalden die niet klopten. Ze konden gewoon niet verdragen dat mijn vader overleed in het bed van een jonge vrouw. Vooral mijn moeder raakte daardoor buiten zichzelf en Denise heeft loyaal willen zijn. Ik heb ook geprobeerd om Edwin buiten de deur te houden. Maar toen er eenmaal met hem en Cocky werd overlegd, sloegen bij iedereen alle stoppen door.'

'Ik heb geen behoefte aan een verklaring, van wie dan ook. Laat me met rust.'

'Dat kan ik niet, Irma. Of beter gezegd: dat wil ik niet. Ik ben echt heel erg verliefd op je en ik kan de gedachte dat het nergens toe zal leiden niet verdragen.'

'Toch leidt het nergens toe. Je weet toch dat de speurneuzengroep die mij al een paar jaar volgt en tot de conclusie is gekomen dat ik verantwoordelijk ben voor de verdwijning van Wouter en Floran in mijn tuin wil gaan graven? Dat zal consequenties hebben waar niemand vrolijk van wordt.'

'Je moet een reden hebben gehad om het te doen, Irma. Er moeten verzachtende omstandigheden zijn geweest. Ik denk dat het beide keren een noodlottige samenloop van omstandigheden was.'

Irma lacht hard. 'Het was moord. Niet meer en niet minder, gewoon moord. Ik maakte spinazielasagne en mengde een fikse hoeveelheid digitalisbladeren erdoor. Ze waren allebei binnen twintig minuten dood. Morsdood. Verzachtende omstandigheden? Vergeet het maar.'

'Ik geloof je niet. Je doet stoer, maar ik weet zeker dat je in werkelijkheid bang bent. Ze zullen je aanhouden en opsluiten, besef je dat wel? Maar ik laat je niet vallen, nooit. Ik zal je bezoeken en je steunen. Dat meen ik, Irma.'

'Dat zou Dick ook hebben gezegd.'

'Jullie hielden echt van elkaar, is het niet? Het spijt me voor je dat je hem verloren hebt. Ik zou het verlies graag een beetje goed willen maken.'

'Ga verder met je leven, Dylon. Zoek een vrouw zonder problemen, knok voor je kinderen en vergeet mij.' Irma verbreekt de verbinding.

'Waarom zei je dat van die spinazielasagne?' Hummel staat naast haar.

Irma schrikt. 'Waar kom jij opeens weer vandaan? Ach, laat ook maar. Dat zei ik omdat het de waarheid is.' Ze heft haar hand op. 'Niet tegenspreken, Hummel.'

84

Het lijkt of er al weken voorbij zijn sinds ze de voetstappen op de trap hoorde, verlamd van angst naar de deurknop keek en naast de politieagente op de bank in de woonkamer zat. Vond dat allemaal werkelijk pas vierentwintig uur geleden plaats? De nacht is zoals een perfecte nacht kan zijn. De lucht schept ruimte om te ademen, de stilte veroorzaakt een serene rust en de duisternis maakt de rest van de wereld onbereikbaar.

Irma zit op het terras en laat zich door ruimte, rust en duisternis omarmen. De tuin slaapt. Het is de slaap van peilloze diepte, van volledige overgave.

Van onschuld.

Ze kijkt naar de nacht, ademt hem in en voelt zich gelukkig. Ze weet dat ze een goed besluit genomen heeft. Achter haar wacht de koffer ook op de ochtend. Ze heeft hem snel gepakt, nadat ze het plan dat spontaan in haar opkwam had uitgevoerd. Over een paar uur staat de taxi die haar naar Schiphol zal brengen voor de deur.

Het hoopje as dat op het bloemenperk lag is in elkaar gezakt.

Ergens achter in de tuin is opeens een geluid. Ze luistert scherp of het zich herhaalt. Ze weet wat het is, of wat het zijn. Kikkers. Het geluid is weer weg. De natuur heeft blijkbaar besloten om haar de rust te gunnen die ze deze laatste nacht in haar huis nodig heeft.

Ze begint bij de zolder en daalt daarna af naar de eerste etage. De ruimtes zijn schoon en ordelijk, ze getuigen van overzicht. Ze hebben haar altijd verwelkomd als ze ze betrad en ze verdienen het om gedag gezegd te worden. Als Irma voor het raam van de logeerkamer staat, ziet ze dat de lucht niet meer egaal zwart is. De nacht neemt ook afscheid en geeft ruimte aan het ochtendlicht. Ze heeft vaker voor dit raam gekeken naar het verschijnen van de dag. Er zijn veel slapeloze nachten geweest sinds ze in dit huis ging wonen. Nachten van onrust, van onbehaaglijke gevoelens en van verdrietige herinneringen. Van boze, kwade herinneringen. Ze stond altijd voor dit raam als ze niet kon slapen. Ze had altijd dit uitzicht nodig, deze ruimte die een bepaalde mate van eindeloosheid herbergt. De grote achtertuin, de sloot die tien stappen verder dan het tuinhek ligt, het weiland dat zich erachter bevindt. De snelweg in de verte, de wijde lucht die op bepaalde dagen weergeeft dat de aanvliegroute van de vliegtuigen weer aan die kant ligt. De vliegtuigen die in de verte op vogels lijken. De vogels die als ze heel dichtbij langsvliegen aan vliegtuigen doen denken.

De twee perken achter in de tuin.

De buitenlamp verspreidt een onregelmatig licht. Ze had de lamp al een paar weken geleden moeten vervangen. Als het licht zich vertoont is te zien dat de as zich heeft verspreid over de grond. De wind zal de rest doen.

Irma drukt haar handen tegen haar borst om de pijn die zich aandient te verdrijven. Nu niet aan Dick denken. Nu niet wanhopig worden omdat ze niet weet waar zijn as is uitgestrooid. Ze komt er toch nooit achter. Ze kan hem beter bewaren in haar geest, in haar hart, in haar diepste gevoel.

Zou alles anders zijn verlopen als Dick was blijven leven? Zou het verlies van Wouter anders hebben aangevoeld? Zou Floran ooit in beeld zijn gekomen? Zou de waarheid over het verlies van haar vader beter te verdragen zijn geweest?

Ze keert zich om en loopt naar de deur. Als ze weer op de overloop staat, kijkt ze nog één keer om zich heen en gaat naar beneden.

Ze controleert nog een keer of ze de deuren van het terras en de keuken goed heeft gesloten, of de lege koelkast is uitgeschakeld, of haar paspoort en haar pinpas in haar tas zitten. Het is kwart over zes, de taxi kan elk moment komen. Ze werpt nog snel een blik in de ochtendkrant, die tien minuten geleden werd bezorgd. De krant van 27 juli. Vandaag vertrekt Jozias ook, vanavond om acht uur zal het vliegtuig dat hem naar huis brengt opstijgen. Hij zal nu misschien al wakker zijn en zich afvragen of ze vandaag nog komt. En hij zal waarschijnlijk zo laat mogelijk naar Schiphol vertrekken om aan de laatste vliegreis in zijn leven te beginnen. In Zuid-Afrika wacht zijn partner op hem. En de dood.

Er is een geluid bij de voordeur. Irma staat een paar seconden stil, ze voelt dat haar hartslag onrustig is. Het is de taxi, prent ze zichzelf in. Hij is precies op tijd. Het is Edwin niet, of Denise of een van de andere mensen die tegen haar samenspannen.

Het is de taxi.

Ze hoort iets bij de deur van het terras en draait zich snel om.

'Mag ik mee?' vraagt Hummel.

'Je moet mee,' zegt Irma.

Hummel raakt haar arm aan. 'Je hebt nog geen afscheid genomen van Denise. Misschien moet je haar toch even bellen?'

Irma buigt zich voorover naar het meisje. 'Je bent lief, Hummel. En nog zo onschuldig. Geloof me, er valt niets te bellen en ook geen afscheid te nemen. Soms zijn mensen die moeite niet waard.'

85

Het is natuurlijk niet hetzelfde schip, het is veel groter. Irma herinnert zich dat ze achtentwintig jaar geleden nauwelijks kon overzien waar ze was. Nu ze opnieuw aan boord is van een cruiseschip, voelt ze zich de hele dag duizelig. Morgen vertrekken ze voor de twaalfdaagse reis. Ze heeft vier dagen in Milaan doorgebracht en de hele stad doorkruist. De receptioniste van hotel Idea Milano Centrale voorzag haar direct na haar aankomst van stapels folders en wees aan welke bezienswaardigheden ze vooral moest bezoeken. Daardoor kwam ze op het dak van de Dom van Milaan terecht en kon ze met eigen ogen constateren dat het uitzicht inderdaad betoverend was. Ze heeft ook kunnen vaststellen dat Milaan de onbetwiste modehoofdstad van Italië is, die modekoningen als Versace, Gucci en Armani heeft voortgebracht. En ze moest na haar bezoek aan Wine & Chocolate toegeven dat het mogelijk is om de twee delicatessen met elkaar te combineren. Zelf was ze er nooit op gekomen om zich te verdiepen in chocolade-wijnsmaken. Ze heeft zich laten onderdompelen in de stad en haar gedachten alleen gericht op wat ze zag, proefde en beleefde. Iedere avond is ze doodmoe in slaap gevallen, iedere nacht heeft ze tien uur onafgebroken geslapen. Zonder dromen. Zodra ze in bed lag, ging het licht in haar hoofd uit. Toen ze aan boord kwam zat Milaan nog vast in haar gedachten, maar de herinneringen worden ieder uur vager.

Ook al veroorzaakt de onoverzichtelijke oppervlakte van het schip een irritante duizeligheid, ze wil weten waar ze is en welke voorzieningen hier zijn. Ze telt vier zwembaden en een kinderbad, zes bars, twee theaters, een casino, een grote en een kleine bioscoop, negen winkels en vier restaurants. In haar eenpersoonshut staan behalve een breed bed ook een bureau, een leren fauteuil en een kleine eettafel met twee stoelen. De badkamer is van alle gemakken voorzien. Dat mag ook wel, ze heeft niet voor niets een gigantisch hoog bedrag voor deze reis overgemaakt.

'Er is nog één plaats beschikbaar voor deze cruise,' zei de medewerkster van het reisbureau toen Irma laat in de middag belde. 'Het betreft een eenpersoonshut in klasse A. Dat is wel de duurste klasse.' Tien minuten later was de financiële transactie een feit.

Vanaf het moment dat ze in de taxi stapte die haar naar Schiphol zou brengen, bestaat de sociale omgeving die ze achterliet niet meer. Ze is los, vrij, ontsnapt. Alles is weg, zelfs haar huis. Ze is in een andere wereld, in verleden, heden en toekomst tegelijk.

Bij het zwembad zijn een man, een vrouw en een kind. De vader stoeit met zijn dochter en dreigt haar het zwembad in te zullen gooien. Het kind laat zich schaterend in het water werpen en zwemt snel naar de kant.

'Jij kunt al zwemmen,' doet de vader verbaasd.

'Ik heb al A en B,' gilt het meisje.

'Papa heeft even niet opgelet,' lacht de moeder. Ze kijkt naar Irma en knikt vriendelijk. 'Het is onze eerste cruise,' legt ze uit. 'U bent toch Nederlandse? Ik zag u op een terras in Milaan een Nederlandse krant lezen.'

Irma weet even niet wat ze moet zeggen. Ze kan haar blik niet van het kind af houden. Dat is voor de tweede keer in het water gegooid.

'Als papa in de buurt is, heeft mama geen schijn van kans op aandacht,' lacht de vrouw.

Ze groet de vrouw en loopt snel verder.

'Ik ben toch bij je?' Hummel komt dicht naast haar lopen. Irma staat stil. 'Dat is waar, sorry dat ik jou even vergat.'

'Gaan we in Casablanca naar de moskee?'

Irma loopt naar de reling die het dichtst in de buurt is en klemt haar vingers om de ijzeren stang. 'Weet je dat nog?'

Er staat een man naast haar, die verrast opkijkt. 'Ach, een Nederlandse medereiziger! Zei u iets tegen mij?'

Ze draait zich snel om, mompelt een verontschuldiging en loopt weg.

Het is opeens minder warm op het dek. Ze trekt de mouwen van haar vest naar beneden.

'Laten we gaan zwemmen,' stelt Hummel voor.

'Wees eens even stil,' zegt Irma.

86

Overal zijn mensen, overal is geluid, overal proberen mannen haar aan te spreken. In Casablanca stond de man die ze eerder op het dek trof opeens naast haar in de moskee. 'Jij bent ook alleen? Ik heb me nog niet voorgesteld. Stijn Rezelman.'

'Ik ben niet alleen,' zei Irma, en ze hief haar hand op als groet. Hij heeft haar daarna niet meer aangesproken, maar ze voelt zijn blik regelmatig op haar gericht als ze zich ergens vertoont. Ze negeert hem.

Ze naderen Tenerife. Irma heeft al vanaf het moment dat ze vanmorgen wakker werd een heftige hoofdpijn. Er zit een strakke band om haar hoofd die haar evenwicht verstoort en haar zicht belemmert.

'Dit is toch het land van de slapende vulkaan?' vraagt Hummel. 'De Pico de Teide?'

Irma probeert met haar hoofd een beweging van instemming te maken, maar ze wordt direct overvallen door misselijkheid. Ze haalt diep adem. 'Ik herinner me alleen de spanning,' fluistert ze. 'En de man die steeds in de buurt was. Ik was bang voor hem en ik wist niet hoe dat kwam. Dat was Jozias. Hij had mijn tweede vader kunnen zijn.'

'Ga maar niet van boord,' adviseert Hummel. 'Ga maar in bad, heb je gezien dat er lavendelbadschuim in de badkamer

staat? Daar hou je toch zo van? Je hoofdpijn trekt wel weg als je je ontspant. Tenerife is fout en vol slechte herinneringen. Misschien voel je je beter als we in Madeira zijn.'
'Hoe vind je het hier, Hummel? Heb je er spijt van dat je bent meegegaan?'
'Ik kon toch niet anders?' antwoordt het kind.

Ze heeft het meisje dat de kamer kwam schoonmaken weggestuurd met de mededeling dat ze vandaag wel mocht overslaan. Het warme water met de lavendelgeur ontspant. De hoofdpijn heeft zich teruggetrokken, maar is niet helemaal verdwenen.
'Je moet nu eerst iets eten,' beslist Hummel.
'Ik wil niet naar een restaurant. Er zullen weer mensen zitten die het niet kunnen laten om me aan te spreken. Wat is dat toch? Zie ik er zo eenzaam uit? Maak ik soms een hulpeloze indruk? Moet ik me anders gedragen?'
'Die mensen zijn zelf eenzaam. Dat weet jij toch ook wel? Ze zoeken zelf contact en dan ben jij natuurlijk een dankbaar object.' Hummel reikt haar een handdoek aan. 'Je kunt ook aan een van de leestafels eens een krant gaan lezen,' adviseert ze. 'Er zullen nu wel weer nieuwe kranten zijn gebracht.'
'Wat zou erin kunnen staan dat mij interesseert?'
Hummel zwijgt.
'Geen krant,' beslist Irma. 'Geen nieuws, geen ellendige berichten over honger, oorlog, natuurrampen, extremisme, politici die elkaar naar het leven staan en wat er nog meer te bedenken valt.'
'En dus ook geen berichten over opgravingen in een tuin?'
Irma kijkt Hummel strak aan. 'Ook dergelijke berichten interesseren me niet.'
'Wanneer vertel je me over de brieven?'
'Als we in Funchal zijn, de hoofdstad van Madeira. We gaan

met de kabelbaan naar Monte en daar bezoeken we nog één keer de beroemde kerk.'

'Beloofd?'

'Beloofd.'

'En als je dan weer hoofdpijn hebt?'

'Ik weet zeker dat ik geen hoofdpijn heb als we in Madeira zijn.' Irma stapt uit de badkuip en droogt zich af. 'Dick had ook een bad, daar zaten we samen in en dan vreeën we. Weet je dat ik hem voortdurend om me heen voel? Hij is terug en dat vind ik heerlijk.'

'Zijn de mensen die nog leven niet meer belangrijk?'

'Dat zeg je goed.'

'Je moeder zal niet begrijpen waar je bent gebleven.'

'Weet je, Hummel, ik ben ervan overtuigd dat mijn moeder ergens in de nabije toekomst opeens beseft wat er is gebeurd.'

'En dan?'

'Dan zal ze zelf moeten zien hoe ze daarmee omgaat.'

87

Irma heeft besloten om te gaan ontbijten in een van de restaurants. Ze heeft eerst een halfuur gezwommen in het grootste zwembad en gewoon gekeken naar de vader en het kind die er ook waren. Ze zaten elkaar achterna in het water en het meisje gilde weer de hele boel bij elkaar.

Ze naderen Madeira. Hummel is onrustig. 'De kabelbaan is toch wel veilig?' informeert ze.

Irma stelt haar gerust. 'We zijn samen. Als je bang bent, hou ik je vast. Dat doe ik altijd, weet je nog wel?'

Het is koel in de kerk. Verderop staat een groep toeristen naar een gids te luisteren. Het is een tengere vrouw, maar ze heeft een diepe, mannelijke stem. Irma kijkt naar haar en ziet op sommige gezichten van mensen uit de groep dat ze de combinatie van de frêle gestalte en het krachtige geluid niet goed kunnen plaatsen.

'Wat praat die vrouw raar,' zegt Hummel. 'Is het wel een vrouw?'

Irma fluistert dat ze zich daar beter niet druk over kunnen maken.

'Waarom fluister je?'

'Ik wil de groep niet storen. En we zijn in een kerk. Hier hoor je niet hard te praten.'

'Hé, hallo, ben jij hier ook? Weet je nog wie ik ben?' De man staat plotseling naast haar en Irma probeert haar schrik te verbergen achter een glimlach.

'Schrok je van me? Ik dacht dat ik je tegen iemand hoorde praten. Nou, laten we nu maar eens goed kennismaken. Stijn Rezelman. Maar dat wist je al.' Hij steekt zijn hand uit. 'Met wie reis je samen?'

'Met mezelf.'

'Dat doen we allemaal, je bent me er eentje. Stond je nu net toch in jezelf te praten?'

'Is mogelijk. Dat doe ik wel vaker. Sorry.'

'Ben je gek? Je hoeft je echt niet te verontschuldigen. Maar ik weet nog steeds niet hoe je heet.'

'Het doet er niet toe,' zegt Irma.

Het klinkt bot, ze hoort het zelf. Het is bot en nergens voor nodig. De man is vriendelijk, hij probeert contact te maken. Wat is daarop tegen?

'Ook goed,' zegt de man, en hij draait zich om. 'Prettige dag nog.'

Ze zitten samen in het middelste deel van de kerk en kijken naar de groepen die komen en gaan. Er zitten allerlei nationaliteiten tussen, maar er wordt door geen enkele gids Nederlands gesproken.

'Wel zo rustig,' fluistert Irma tegen Hummel. 'Ik heb echt geen zin in die zogenaamd gezellige gesprekjes. Laat de social talk maar aan mij voorbijgaan.'

'Ik vond die man anders wel aardig,' spreekt Hummel tegen. 'Hij zag er goed uit. Volgens mij viel hij op je.'

'Het hoeft niet meer, Hummel.'

'Waarom toch niet?'

'We gaan naar buiten.'

Het is erg warm, de hitte slaat hun in het gezicht. Irma loopt snel naar het park dat tegenover de kerk ligt. Ze ziet een lege bank en rent ernaartoe. Als ze zit, schopt ze haar schoenen uit. 'Het was toen ook zo warm,' zegt ze tegen Hummel. 'Mijn vader wilde naar de stad. Ik huilde, omdat hij alleen was.' 'Denk aan iets anders,' adviseert Hummel. 'Aan die leuke man, aan wat er misschien zou kunnen gebeuren als je normaal tegen hem gaat doen.'

Irma haalt het flesje water uit haar tas dat ze heeft meegenomen en drinkt het in één teug leeg. 'Er bestaan geen leuke mannen meer,' zegt ze.

Hummel kruipt tegen haar aan. 'Nu wil ik het weten. Van wie waren de brieven die je hebt verbrand?'

Irma staart in de verte. Er gaat weer een nieuwe groep mensen de kerk in. Een vrouw duwt een rolstoel waar een oude dame in zit. Twee mannen lopen hand in hand in de richting van de grote vijver midden in het park. Ze richt haar blik op het meisje dat naast haar zit. 'Van Wouter,' zegt ze.

88

'Het gaat niet goed,' zei Wouter. 'Met Cocky en mij. Ik stik bijna met haar in de buurt. Ik wil weg.'

Irma voelde iets wat op hoop leek. 'Wat bedoel je precies?'

'Ik bedoel wat ik zeg. Het was een vergissing, ik had niet met Cocky moeten trouwen. Ze claimt me, ze stelt zich afhankelijk op, ik heb tegenwoordig twee kinderen voor wie ik moet zorgen. Daarom wil ik weg.'

'Valt er dan niet over te praten?'

'Praten met Cocky? Vergeet het maar.'

Irma wachtte op wat hij verder zou zeggen. Ze zag hem al thuiskomen in haar huis, slapen in haar bed, samen met haar aan tafel zitten. Ze durfde bijna geen adem te halen.

'Er is nog iets,' zei Wouter. 'Ik heb een nieuwe vriendin.'

Ze zat daar maar als een zoutpilaar en ze wilde het niet horen. Er moest iets veranderen, haar stem had kracht nodig en haar oren konden beter een tijdje verstopt zijn. Ze probeerde zich af te sluiten voor de woorden die uit Wouters mond kwamen. Als ze geen antwoord gaf en geen vragen stelde, hield hij misschien op met praten. Hij zou toch wel zien dat ze onaangenaam getroffen was?

'Luister je nog?' vroeg Wouter. 'Ik vroeg je wat.'

Ze schraapte haar keel. 'Wat vroeg je?'

'Of je me wil helpen met mijn plan. En ga alsjeblieft niet beweren dat ik beter eerlijk kan zijn tegen Cocky. Je kent haar niet, je weet niet wat die allemaal in haar hoofd zal halen om me tegen te houden. Het is beter als ik zo geruisloos mogelijk verdwijn en later kan ik dan wel laten weten waar ik zit. Veel later. Ik denk aan een paar jaar.'

'Waar wil je naartoe?

'Naar Australië.'

'Naar Australië? Wat moet je daar?

'Margriet achterna. Ze is vorige week vertrokken.'

'Ze heet dus Margriet.'

'Dat had ik al gezegd, maar je luistert niet goed. Heb je eigenlijk wel gehoord wat ik precies heb verteld?' Hij sloeg zijn armen om haar heen. 'Niet verdrietig zijn, Irma. We blijven vrienden. *Forever and ever.* Toch?'

Ze maakte zich van hem los. 'Wat schiet ik daarmee op?' Haar stem sloeg over.

'Je weet dat ik nooit van plan ben geweest om me aan jou te binden,' zei hij. 'Het klinkt hard, ik weet het. Het is ook hard, maar het is de waarheid en ik heb je geen dingen beloofd die ik niet waar kon maken.'

'Je houdt te veel van mij, je zou te bang zijn om me te verliezen. Zo is het toch? Of is het tegenwoordig anders?'

'Het is anders. Geloof me, ik heb heel serieus overwogen om met jou verder te gaan. Ik heb talloze keren tegen mezelf gezegd dat ik dat stompzinnige angsthazengedrag eens moest laten varen. Toch deed ik niets, terwijl ik al snel nadat ik met Cocky was getrouwd besefte dat ik een fout had gemaakt.'

'Je hebt een andere reden ontdekt die het onmogelijk maakt om voor mij te kiezen.'

'Ja, en ik ontdekte die reden toen ik Margriet tegenkwam. Ze is stoer en onafhankelijk. Ze trekt zich niets aan van mijn stemmingen, ze laat me rustig een paar dagen in mijn sop gaarkoken als ze genoeg van me heeft. Ik heb heel veel moeite moeten doen om haar te krijgen. Dat is wat ik zoek, Irma. Een vrouw die ik moet veroveren en moet blijven veroveren. Een vrouw die me steeds het gevoel blijft geven dat ik haar wel eens zou kunnen kwijtraken. Zo'n vrouw ben jij niet. Je lijkt, als ik eerlijk mag zijn, toch te veel op Cocky.'

Irma schoof een eindje van hem af. 'Dat weten we dan ook weer. Ik zou zeggen: verdwijn en neem het vliegtuig. Hoe eerder je weg bent, hoe beter. Maar doe het op een normale manier. Zorg dat je echtscheiding geregeld is, handel je zaken af, gedraag je fatsoenlijk.'

'Ik zou het graag willen, maar jij kunt je niet voorstellen wat ik over me heen zal krijgen als ik open kaart speel met Cocky. Ik wil dus zonder strijd verdwijnen. En ik hoop dat jij me daarbij wil helpen.'

Ze stond op en liep naar het terras. 'Ik heb het gevoel dat dit allemaal niet echt gebeurt,' zei ze. 'Dit kan niet waar zijn.'

'Help je me, Irma?'

'Sodemieter op.'

Ze ging naar het Grand Café en vermeed het om naar zijn kruk te kijken. Vince maakte zich zorgen om haar, omdat ze nauwelijks at en eruitzag als een geest. Ze viel in een paar weken tijd kilo's af.

Wouter verscheen niet meer.

Ze dacht dat het voorbij was en ze schrok daarom hevig toen hij haar op een avond belde. 'Ik wil je nog zo graag even zien, Irma. Ik vertrek vanavond. Ik heb je advies opgevolgd en open kaart gespeeld. Cocky weet dat ik wegga, maar niet waar naartoe. Ze wil er niets over horen. Wil je me naar Schiphol brengen?'

Ze zei eerst nee. Hij begon op haar in te praten en later smeekte hij. Toen gaf ze toe.

Ze reed hem naar Schiphol en hij vertelde dat hij naar Melbourne ging. Een vroegere collega van Margriet had daar een kliniek geopend voor mensen van Nederlandse afkomst die jaren geleden geëmigreerd waren en nu dementeerden. Hij kon aan de slag als psycholoog. Illegaal, dat wel. Maar hij was ervan overtuigd dat hij een werkvergunning zou krijgen als het nut van de kliniek eenmaal bewezen was.

'Ga je wel geld sturen aan Cocky?' vroeg Irma. Ze vond haar vragen te gek voor woorden.

'Ik zal niet veel verdienen, de eerste tijd. Cocky heeft een goede baan, die kan uitstekend voor zichzelf en Camiel zorgen.'

'Geef je zomaar je kind op?'

'Ik zal wel moeten. Ik raak eraan gewend dat ik mijn kinderen moet opgeven.'

'Ik begrijp het niet. Je was zo blij met hem.'

Hij viel haar in de rede. 'Maak het niet moeilijker voor me dan het is, Irma. Dit is het beste, voor iedereen.'

'Nee, voor jou,' zei ze.

Hij laadde zijn koffer uit en gooide de achterklep dicht. Hij zette de koffer op het trottoir en liep achter de auto langs om haar gedag te zeggen. Ze gaf gas en zag in haar buitenspiegel zijn verbouwereerde gezicht. 'Sterf!' schreeuwde ze.

89

Hummel is tegen haar aan gekropen. Ze heeft zwijgend geluisterd. Als Irma ophoudt met praten, gaat ze rechtop zitten. 'Je bracht hem naar Schiphol,' stelt ze vast. 'En daarna stuurde hij je brieven.'

'Een paar maanden na zijn vertrek kwam de eerste brief. Hij schreef dat hij me miste. Een paar maanden later kwam de tweede. Daarna stuurde hij zes jaar lang twee keer per jaar een brief. Hij vertelde dat het goed ging, maar dat het financieel geen vetpot was. De afgelopen zeven jaar kreeg ik één keer per jaar een bericht. Het waren altijd blauwe brieven in blauwe enveloppen en ze gingen altijd alleen over hem. De naam van zijn nieuwe vriendin werd nooit genoemd. Hij stelde ook nooit vragen over mij of over Cocky of Camiel.'

'Denkt Cocky echt dat jij hem hebt vermoord?'

'Ach, Cocky... Wouter zei dat ik op haar leek en misschien had hij wel gelijk. Ze was even weerloos als ik als het om hem ging, even verliefd en net zo bereid om haar eigen waarheid te creëren.'

'Dat begrijp ik niet.'

'Laat ook maar. Cocky is niet belangrijk, nooit geweest overigens. Alles draaide om Wouter, om wat hij deed, om wat hij zei en vooral om wat ik hem wilde horen zeggen. Maar aan die verwachting voldeed hij niet, ook niet in de brieven. In de eerste drie noemde hij zijn verlangen naar mij nog terloops, maar daarna schreef hij ook niet meer dat hij me miste. Tot de brief die ik het laatst ontving.'

'Wat stond daarin?'

'Daar stond in dat hij van plan was om terug te komen en hoopte dat er in mijn leven nog plaats voor hem was. Er stond ook in dat hij al jaren niet meer bij Margriet was en een zekere Ann haar plaats had ingenomen. Maar Ann was dus ook voorbij. Hij schreef dat hij zijn wilde haren kwijt was, dat hij heimwee had naar Nederland en dat ik altijd in zijn gedachten was gebleven. Hij had de vlucht naar Nederland al geboekt en zou op 30 juli 's avonds om negen uur op Schiphol aankomen.'

'Daar was jij niet,' stelt Hummel vast.

'Nee, toen maakte ik Milaan onveilig.' Irma glimlacht.

'Zouden ze nog in je tuin gegraven hebben?'

'Vast wel. Maar ze zullen er nu wel achter zijn dat ze daar geen resten van lichamen vinden.'

'Ik dacht ook dat Wouter onder de wilde bloemen begraven lag,' zegt Hummel. 'En Floran in het moestuinperk.'

Irma opent haar tas en haalt een krant tevoorschijn. 'Deze vond ik gisteren op de leestafel in het grote restaurant. Floran Haverkort is met zijn jonge liefje gesignaleerd in Nice. Kijk, een foto. Hij is tamelijk mager geworden en zij heeft een erg dikke buik. Ik denk dat Floran zich lekker in de nesten heeft gewerkt.'

'Had je ze dan niet allebei willen vermoorden?'

'Ik heb ze vermoord.'

Irma is weer in de kerk gaan zitten, omdat ze het buiten te warm vond. Ze let niet op de mensen die er rondlopen en sluit zich af voor iedere mogelijke vorm van contact. Ze wil nadenken. Hummel was geschokt toen ze bleef volhouden dat ze

Wouter en Floran vermoord had. Het kind probeerde haar erop te wijzen dat de woorden die ze eerder had uitgesproken hier haaks op stonden. Ze is niet in de kerk. Irma heeft geen idee waar ze is gebleven. Misschien is ze voorgoed verdwenen. Het maakt op dit moment niets meer uit.

Er zijn stemmen in de kerk die haar bekend voorkomen. Ze kijkt op en ziet de vader, de moeder en het kind die ze bij het zwembad trof. Het meisje loopt tussen de ouders in en houdt hun handen stevig vast. De vader wijst iets aan en tilt haar even later op. Ze legt een armpje in zijn nek.

Irma kijkt snel de andere kant op.

Het is druk bij de kabelbaan, iedereen wil natuurlijk weer tegelijk terug naar de stad. Irma wacht rustig op haar beurt. Ze voelt zich leeg. Als ze de wereld onder haar ziet langskomen, verlangt ze naar een eindeloze reis ver weg van de aarde.

90

Misschien zou ze het moeten opschrijven. Maar zijn er woorden te vinden voor wat er met haar gebeurde nadat ze Wouter naar Schiphol had gebracht? Is er een verklaring te bedenken waarom ze dat deed? Hoe legt ze uit wat haar bezielde om eerst zijn ultieme vorm van verraad te belonen door zich als zijn getuige aan te melden en hem later nog een keer op weg te helpen naar een andere vrouw? Het lukt haar niet om daar een verklaring voor te vinden. Ze kan alleen maar constateren dat ze zichzelf voorbij liep, haar eigen gevoel uitschakelde, niet in staat was om wat haar overkwam onder ogen te zien. Het was te heftig, te vernederend, een te grote aanslag op haar veerkracht. De enige manier om te ontsnappen uit de doolhof van emoties was zichzelf verlaten en een rol te spelen. Een rol zonder podium, zonder publiek, dus ook zonder applaus. Een fantasierol.

Haar glansrol.

Ze ziet zichzelf terugrijden naar huis en voelt de intense wanhoop die bezit van haar nam. Ze ervaart opnieuw de leegte die haar lichaam en haar geest vulde en die ervoor zorgde dat ze de werkelijkheid onmetelijk ver van zich af kon houden. Ze plaatste Wouter naast haar, zwijgend en afwachtend. Roerloos. Toen ze haar auto in de garage had gezet, kwam hij in beweging. 'Misschien kan ik toch beter met jóú trouwen,' zei hij, en hij

kuste haar. 'Wat ben je kil, kom eens dichterbij, laat me je ver-
warmen.' Hij greep haar vast en streelde haar rug.
'Ik heb honger, je mag me verwennen met een van je lekkere
gerechten.'
'Ik zal spinazielasagne voor je maken,' zei Irma.

Hij was moe en wilde even op de bank liggen. Ze dekte hem toe
met een plaid en liep naar buiten. De digitalisplanten wuifden
in de wind. Irma zei dat ze prachtig waren en dat de mooiste
mee naar binnen mocht. Ze sneed de steel bijna eerbiedig vlak
bij de grond af en droeg de plant voorzichtig naar de keuken.
'Het ruikt heerlijk,' zei Wouter. 'Neem jij niet?'
'Ik heb geen honger. Je mag alles opeten.'
'Dat wordt te gek, maar ik kom zeker een heel eind.' Hij smulde.
Twintig minuten later gleed hij op de grond en liep zij naar de
schuur om de grote schop te pakken.
Ze wipte alle planten met wortel en al uit de grond en legde
ze op de uitgespreide kranten op het terras. Het moest een diepe
kuil worden en het duurde een hele tijd voordat ze tevreden was.
Daarna sleepte ze het lichaam van Wouter naar buiten, kieperde
hem in de diepe kuil en gooide het gat weer dicht. Vervolgens
zette ze de planten terug en besproeide de aarde met water. Veel
water. Dat herhaalde ze later op de dag nog een keer en ook de
dagen die volgden.
Het gebeurde echt, dat prentte ze zichzelf voortdurend in. Hij
had echt de lasagne gegeten, hij was echt dood, hij lag echt
onder de grond.
Ze had hem echt vermoord en dat moest omdat ze de gedachte
dat ze opnieuw was afgedankt niet kon verdragen. Omdat ze
niet kon leven in de wetenschap dat mannen zulke dingen met
haar deden. Eerst haar vader, nu Wouter. Het was te veel, te erg,
te ongrijpbaar.

Te pijnlijk.

De fantasie werd een deel van haar leven en gaf rust. En er ontstond ruimte voor een nieuwe liefde. De liefde van haar leven, die alles goedmaakte wat verloren was gegaan, die haar vleugels gaf, die haar compleet maakte. En die ze verloor.

Ze zocht niet meer naar mannen en het verbaasde haar dat ze zich liet veroveren door Floran. Het verbaasde haar niet dat de geschiedenis zich herhaalde.

'Er is iets wat je moet weten.'

Het ging om dat meisje, het vriendinnetje van zijn dochter dat zijn leven overhoop had gehaald. Hij zag haar nog steeds en ze had hem verteld dat ze zwanger was. Maar ze was ook nog minderjarig en daardoor kwam hij in een moeilijke positie terecht.

Irma bracht hem met een knoop in haar maag naar Alkmaar en wist dat de finale begonnen was.

De foute finale.

Toen ze stond te wachten en hij niet terugkwam, waren er flashbacks. Ze werd vastgegrepen door dezelfde onverteerbare woede die haar beheerste nadat Wouter haar in de steek had gelaten en daarop volgde de verstikkende onmacht die ze voelde toen Dick zomaar doodging.

Op de terugweg beefde ze zo erg dat ze het stuur van haar auto bijna niet kon vasthouden. Toen belde Floran. Hij zei dat het hem speet dat hij haar had laten staan, maar dat hij niet wist hoe hij haar anders duidelijk kon maken dat hij het overzicht begon te verliezen.

Ze sloot zich af voor de stem, maar toch hoorde ze goed wat hij zei. Toch drong het tot haar door dat ze zich geen enkele illusie moest maken. Toch bereikte haar het banale verhaal over de boodschap die hij kreeg, net voordat hij de coffeeshop binnenstapte. De moeder van het meisje was weer op oorlogspad en het meisje zelf had contact met de pers gehad. Het leek hem het beste om een paar weken onder te duiken en te wachten tot de storm was gaan liggen.

'Je kunt ook bij mij onderduiken,' bood ze aan.

'Dat kan niet.'

'Waarom niet?'

'Omdat ik dat niet wil.'

Toen begreep ze dat het voorbij was.

De teleurstelling werd in een paar minuten haat en zocht een uitweg om zich te ontladen. Ze bereidde zich voor op een tweede spinazielasagnemaaltijd, een tweede diepe kuil in de tuin, een tweede graf. Ze dacht aan de blik in de ogen van Floran voordat hij de coffeeshop in liep. De blik die ervan overtuigd was dat hij alles kon maken, dat hij in alle opzichten de touwtjes in handen had. Ze weet nog dat de leegte opnieuw bezit van haar nam, dat de werkelijkheid vervaagde. Hoe het besef dat ze hem kwijt was schrijnde. Hoe het aan haar vrat.

Toen haar moeder haar later op de dag op haar zwarte nagels wees, voelde Irma zich betrapt en tegelijk tevreden. De fatalistische fantasie bleef overeind. De zwarte aarde onder haar nagels was het bewijs van haar daad, van de tweede moord die ze zich had toegeëigend. De moorden waren haar overlevingsstrategie.

Wouter had niet moeten schrijven dat hij terug wilde komen. Floran had niet ergens moeten opduiken. Denise en consorten hadden eindeloos hun gang mogen gaan. Ze hadden haar hele tuin kunnen omspitten, ze hadden de meest banale verdenkingen op haar mogen loslaten, het zou haar niet uit haar evenwicht hebben gebracht.

Hoe moet je zoiets opschrijven? Hoe vind je de woorden die duidelijk maken dat leven met leugens beter is dan met de waarheid? Dat steeds terugkerende afwijzingen je gevoel aan flarden scheuren, je de afgrond in trekken, elke vorm van redelijk denken tenietdoen? Dat niemand je geleerd heeft hoe je angst moet bestrijden en je er daardoor alleen maar omheen kunt lopen?

Hoe zeg je dat?

En hoe leg je aan iemand uit dat je niet weet hoe je het moet goedmaken met je vader? Hoe kun je ontsnappen aan het schuldgevoel dat zich in je genesteld heeft, omdat je hem hebt verraden met je haat? Hoe zorg je ervoor dat hij je dat vergeeft?

Het schip zal over een paar uur weer vertrekken. Morgen is het de zevende dag. Morgen varen ze naar Malaga.

Hummel drentelt om haar heen. 'Ik wil er niet bij zijn,' zegt het meisje.

Irma raakt voorzichtig het blonde haar aan. 'Je hoeft er ook niet bij te zijn. Ga maar, speel maar, maak je niet meer bezorgd om mij.'

'Als ik nu wegga, kan ik niet terugkomen.'

'Ga maar.'

*

'Vandaag wordt mijn vader vijfenzestig,' zei de vrouw.
'Dat je daarmee bezig bent.' De moeder keek verongelijkt.
Haar handen misten het kopje dat ze wilde pakken.
'Ben jij daar dan niet mee bezig? Nee, uiteraard niet. Voor
jou bestaat hij niet meer. Zo is het toch? Geef het maar gewoon
toe.' De moeder zuchtte diep. 'Hou je er dan nooit over op? Blijven we echt de rest van ons leven ruziemaken om je vader? Ik
word er zo moe van.' De vrouw leunde achterover in haar stoel. 'Ik niet.' Ze sloot
haar ogen. 'Ik kan hem voor me zien, maar wel zoals hij was
toen ik hem voor de laatste keer zag. Hij is nu natuurlijk ouder
en hij zal wel rimpels hebben. Grijs haar, misschien wordt hij
al kaal. Toch zal hij niet veranderd zijn. Ik weet zeker dat hij die
brede lach nog heeft en die kuiltjes in zijn wangen. Hij kan nog
even gek doen, nog even enthousiast reageren. Hij is nog steeds
spontaan. Ik weet het zeker.'
'Hij zal ook nog steeds van mannen houden,' antwoordde de
moeder.
'Wat is daar mis mee? Hij moet ontzettend veel van die man
gehouden hebben om alles achter zich te kunnen laten. Het
moet een liefde zijn die alles overboord kon gooien.'

'Ik dacht dat ik meer was dan alles.' De mond van de moeder werd een rechte dunne streep.

'Ik heb het niet over jou,' zei de vrouw.

'Wat ben jij opeens vergevingsgezind.'

'Ik probeer het een plek te geven. Ik wil voor mezelf de mogelijkheid creëren om hem te omhelzen als hij terugkomt. Ik wil blij kunnen zijn, me opgelucht kunnen voelen. Ik wil ruimte hebben om verder te gaan. Natuurlijk zal ik hem verwijten wat hij deed. Natuurlijk zullen er harde woorden vallen. Maar ze mogen ons niet beletten om weer de vader en dochter te zijn die we waren.'

'Dat kan niet. Jij wilt iets wat in het normale leven nooit gebeurt. Je leeft in een droomwereld.' De moeder stond op. 'Ik vind het hier ontzettend warm, laten we buiten gaan zitten. En laat je vader toch eens gaan, kind. Zie eindelijk eens onder ogen dat hij nooit meer terugkomt. Probeer eens orde te scheppen in je leven.'

De vrouw bleef zitten. Ze keek de moeder na toen die de kamer uit liep. 'Misschien moet ik het anders aanpakken,' zei ze hardop tegen zichzelf. 'Misschien helpt het als ik van mijn moeder word verlost.'

91

Het was een goed besluit om deze cruise te maken. De zevende dag staat er een flinke bries, waardoor er weinig mensen bij het grote zwembad zijn. Er wordt omgeroepen dat er een extra discoavond is georganiseerd in het restaurant op het middendek en dat in Cinema-2 vanavond om negen uur *Titanic* zal worden vertoond.

'Lekkere film om naar te kijken als je op een schip zit.' De man duikt plotseling naast Irma op. Hij legt zijn handen losjes op de reling.

Ze probeert niet te laten merken dat ze schrikt.

'Je loopt steeds weg als je me ziet, daarom heb ik ervoor gezorgd dat je niet in de gaten had dat ik eraan kwam. Maar als je liever hebt...'

'Het is wel goed.'

De man bekijkt haar met een belangstellende blik in zijn ogen. 'Je weet toch nog wel wie ik ben? Ik heb me volgens mij al eens voorgesteld.'

'Stijn Rezelman,' zegt Irma.

'Ik weet nog steeds niet hoe jij heet.'

'Dat doet er niet toe.'

'Vanwaar die geheimzinnigheid?'

Irma tuurt naar de zee. 'Mooi, die hoge golven. Sommige mensen vinden het eng om ernaar te kijken, maar ik kan er juist niet mee ophouden. Die enorme kracht, dat indringende geluid.'

Stijn komt dichter bij haar staan. 'Reusachtig mooi, op afstand. Vergis je niet in dit natuurgeweld, je kunt beter niet bij de reling blijven staan. Heb je zin om straks met me mee te gaan naar die film?'

'Ik heb een afspraak.'

'O, juist. Heb je hier iemand leren kennen?'

'Ik heb een afspraak met mijn vader.'

'Leg me dat even uit. Bedoel je dat je vader pas aan boord is gekomen?'

'Zoiets, ja.'

'Is dit misschien een speciale datum?'

'Meer een speciale gelegenheid.'

'Vertel eens.'

Irma kijkt weer naar het water. 'We hebben elkaar achtentwintig jaar geleden op een zondag op de zevende dag van een cruise vlak voordat we Malaga bereikten voor het laatst gezien.'

'Dat klinkt romantisch, maar tussen een vader en een dochter spelen natuurlijk andere gevoelens dan romantische.'

'Hij was de beste vader van de wereld en dat ga ik straks tegen hem zeggen. Ik ga ook zeggen dat ik hem al die jaren heb gemist, dat het me spijt dat ik hem heb gehaat en nooit meer bij hem wegga.'

'Klinkt goed. Ik begrijp niet precies wat er tussen jullie is gebeurd, maar het is goed om dergelijke dingen tegen je vader te zeggen. Ik zie dat je rilt, zullen we even samen iets drinken aan de bar? Je vat hier nog kou. Hoe laat hebben jullie afgesproken?'

'We hebben geen tijd genoemd, we laten het gewoon gebeuren.'

Stijn raakt zachtjes Irma's arm aan. 'Kom mee, volgens mij kun je beter eerst warm worden.'

'Ga maar vast, ik kom zo.'

'Iedereen is al naar binnen gegaan, het is hier ook niet bijster aangenaam. Ik denk dat we storm krijgen. Kom je echt?' Irma schuift zachtjes zijn hand van haar arm af. 'Beloofd. Ik ben er over hooguit tien minuten.' Ze volgt hem met haar ogen als hij naar de deur van de bar loopt.

De golven slaan met een enorme kracht tegen de boot, ze komen steeds dichter in de buurt van de reling. De wind maakt fluitende geluiden. De wereld bestaat alleen nog uit dit dek en de eindeloze zwarte watervlakte vol klotsend schuim. De zee is niet meer eng, je hoeft er niet meer van terug te deinzen, hij verbergt geen enkel mysterie meer.

Irma houdt de reling stevig vast en buigt zich naar het water in de diepte. Haar voeten lijken te aarzelen, maar maken zich toch los van de grond. Op dat moment grijpt iemand haar arm vast en trekt haar terug op het dek.

'Laat me los, laat me gaan,' smeekt ze. Haar woorden mengen zich met het geluid van de wind.

'Niet doen, alsjeblieft, niet doen.'

'Ik ben het aan hem verplicht, ik moet naar hem toe. Hij wacht hier al zo lang, ik weet zeker dat hij wil dat ik kom.'

Stijn trekt haar stevig tegen zich aan. 'En ik weet zeker van niet,' zegt hij.